Дарь

Легенда о трех мартышках

роман

эксмо
Москва
2009

ИРОНИЧЕСКИЙ ДЕТЕКТИВ

УДК 82-3
ББК 84(2Рос-Рус)6-4
Д 67

Оформление серии *В. Щербакова*

Донцова Д.

Д 67 Легенда о трех мартышках : роман / Дарья Донцова. — М. : Эксмо, 2009. — 384 с. — (Иронический детектив).

ISBN 978-5-699-32779-9

Множество тайн разгадала любительница частного сыска Даша Васильева. Теперь ей предстоит раскрыть еще одну — самую страшную и самую важную! Тайну ее семьи! Дашу воспитала бабушка Афанасия Константиновна. Она рассказывала, что родители девочки погибли в горах. Но спустя много лет выяснилось — во всей этой истории нет ни слова правды! А правда оказалась такой невероятной, что даже прошедшая огонь, воду и медные трубы Даша Васильева отказывается в нее верить!..

УДК 82-3
ББК 84(2Рос-Рус)6-4

ISBN 978-5-699-32779-9

Глава 1

Если с напряжением ждешь важного телефонного звонка, то трубка будет упорно молчать, все забудут ваш номер. Но если вы решили мирно полежать в ванне с пеной, то телефон начнет звонить как оглашенный. Я быстро выскочила из воды, схватила халат, натянула его на мокрое тело и бросилась искать мобильный, который заливался соловьем.

У нас большая семья и огромная собачье-кошачья стая, остаться одной в доме практически невозможно, но сегодня как раз такой уникальный случай. Рано утром Маша, Ирка и Иван погрузили в машину всех животных и повезли их в ветеринарную клинику. Нет, Хуч, Черри, Снап, Банди, Жюли и Клеопатра с Фифиной здоровы, просто мы раз в год проводим общую диспансеризацию, и, если честно, никто из четверолапых не любит ездить к доктору. Питбуль Банди, увидев врача со шприцем, обычно, не забыв предварительно описаться, падает в обморок. Пуделиха Черри, едва к ней приближаются с желанием взять капельку крови, валится на пол и растекается, как желе. Черри словно лишается костей, и сгрести с плитки ее практически невозможно. Ротвейлер Снап избрал другую тактику, он устраивает натуральную истерику. Едва машина заруливает во двор клиники, как Снапун принимается выть, сперва тихонько, потом все громче и громче, а когда его пытаются вытащить из автомобиля, «храбрый» пес тормозит всеми четырьмя лапами и орет так отчаянно, что сбегаются сердобольные прохожие и начинают возмущаться и звонить в общество защиты животных. С кошками чуть легче, они сидят в перевозке, и врачи научились вытаскивать их без особого ущерба для собственного здоровья, нужно лишь натянуть на руки толстые кухонные варежки. А вот Жюли, несмотря на свои крохотные размеры, отчаянно кусается. Йорку приходится заматывать пасть, и, пока доктор ее осматривает, Жюли упорно пытается прогрызть бинты. Она, как и Банди, норовит превратить кабинет в туалет, но, если питбуль писается бессознательно, от страха, терьериха действует намеренно. Как только ее опускают на пол, она с ловкостью обезьянки забирается на ботинки врача... А потом Маша стрелой мчится в ближайший торговый центр, чтобы приобрести доктору новую обувь взамен испорченной.

Единственный храбрец у нас мопс Хуч. Он спокойно входит в лечебницу и, не обращая ни малейшего внимания на очередь, важно шествует в знакомую комнату. Если на столе у ветеринара сидит незнакомая собака, Хучик с явным удивлением произносит:

— Гав?!

В переводе на человеческий язык это означает: «Эй, доктор, что за дела? Я уже здесь!»

После того как мопса усаживают под большой лампой, он протяжно вздыхает, сам подает медсестре правую переднюю лапу и отворачивает морду к стене. Наблюдать за тем, как у него берут кровь,

Хучу не нравится. Весь персонал медцентра обожает мопса за примерное поведение, врачи, фельдшеры и уборщицы закармливают его вкусными дропсами. Ясное дело, остальных наших хулиганов никто ничем не угощает. Вот и сейчас, очевидно, уже душа мопса наслаждается проявлением всеобщей любви, а желудок — конфетами.

Дегтярев уехал в командировку, раньше чем в пятницу он не вернется, а Аркадий с Ольгой улетели в отпуск в Киев к маме Зайки, их не будет до двадцать пятого января.

Сегодня я могу наслаждаться столь редким для меня одиночеством. Вот только к телефону никто, кроме меня, не подойдет. Очень надеюсь, что это звонит посторонний человек, а не Маня, забывшая дома историю болезни кого-то из псов, она будет сердиться на мою нерасторопность.

Споткнувшись о консоль в коридоре и едва не опрокинув торшер в столовой, я заметалась в поисках трубки. И где она? Почему мы никогда не кладем аппарат на одно место? Кто оставил в кресле огрызок яблока? Чьи тапки разбросаны по полу? И что за настырная личность трезвонит с утра?

Наконец я увидела верещащий аппарат под диваном, встала на колени, схватила его и, запыхавшись, заорала:

— Кто там? То есть алло!

— Добрый день, — прозвучал в ответ красивый баритон, — позовите, пожалуйста, Дарью Ивановну Васильеву.

У меня отлегло от сердца. Слава богу, это посторонний человек, ему не придет в голову ругать хозяйку, которая не сразу откликнулась на вызов.

— Можно госпожу Васильеву? — повторил баритон.

— Слушаю, — ответила я.

— Вас беспокоит Сергей Петрович Водоносов.

— Извините, кажется, мы не знакомы, — осторожно уточнила я.

— Верно, — согласился баритон, — но нам очень надо побеседовать.

— Кому? — насторожилась я.

— Вам и мне. Приезжайте, пожалуйста, по адресу Туристская улица...

— Это абсолютно исключено, — решительно заявила я, не дослушав. — Я никогда не договариваюсь о свиданиях с незнакомцами. Допускаю, что вы порядочный человек, но мною с детства усвоено простое правило: приличные женщины не общаются невесть с кем невесть где.

— Очевидно, Афанасия Константиновна умела убеждать, раз вы запомнили ее уроки на всю жизнь, — засмеялся Сергей Петрович.

Я не сумела скрыть удивления.

— Откуда вам известно имя моей бабушки?

— Из дела, — коротко прозвучало в ответ, — ваша мать как свою родственницу указала Афанасию Константиновну. Впрочем, это длинная история, очень запутанная и, думаю, крайне для вас важная.

— Моя мать? Я ничего о ней не знаю, — окончательно растерялась я.

— Приезжайте и узнаете много интересного, — сказал Водоносов.

Я хотела уже воскликнуть: «Да, конечно, во сколько?», но вспомнила о наивных детях, которые в ожидании подарка бегут за педофилом, пообещавшим им новые игрушки, и бдительно заявила:

— Соблазнительное предложение, естественно, мне очень хочется приподнять завесу над давними тайнами, но, повторяю, я не общаюсь с незнакомцами.

— Младенцы не появляются на свет, сжимая в ручках телефонные книжки с номерами друзей. Рано или поздно приходится с кем-то заводить знакомство, — весело сказал Сергей Петрович. — Вы ведь в хороших отношениях с Ефимом Николаевичем Пузиковым?

— Да, мы учились вместе в институте и до сих пор дружим, — подтвердила я.

— Позвоните ему, но только прямо сейчас, — скомандовал Водоносов и отсоединился.

Глава 2

Разговор заинтриговал меня, поэтому я незамедлительно набрала номер Фимы. Пузиков некогда был звездой нашего курса. Немалую роль в этом сыграла его внешность: высокий блондин с большими карими глазами и красивой атлетической фигурой — бицепсы, трицепсы, — просто ожившая девичья мечта. Ефим здорово играл в волейбол, был на несколько лет старше однокурсников и, в отличие от нищих студентов, всегда был при деньгах. Пузикова звали во все компании, потому что великолепно знали: там, где появляется Фима с гитарой, никогда не бывает скучно. Рот у Пузикова никогда не закрывался, из него постоянно сыпались анекдоты, байки и подчас не очень литературные истории. Я никогда не любила скабрезности, но в устах Фимы даже генитальный юмор звучал не пошло, а смешно. Ефим хорошо одевался, носил только импортные шмотки, за что однажды его вызвали в бюро комсомола и отчитали за преклонение перед западной модой.

Фима, не моргнув глазом, ответил:

— Я дружу с одногруппником Романом Зайцевым, ему отец часто привозит подарки из командировок. Когда он ошибается размером, брюки и свитера достаются мне.

Больше претензий к франту не предъявляли, Зайцев-старший служил в КГБ, об этом знали даже институтские кошки, ясное дело, от Ефима отвязались.

Единственным недостатком студента Пузикова была не очень хорошая успеваемость, иностранные языки давались Фиме с трудом. На занятиях он обычно подсаживался ко мне и шептал:

— Дашута! Погибаю, как швед под Полтавой! Помоги!

Я молча выполняла его задание, и Пузиков пел спасительнице хвалебную оду. На мой взгляд, Фиме следовало поступить в какой-нибудь технический вуз, он легко чинил неисправные электроприборы и ловко вбивал в стены гвозди. Как-то раз Фима за пять минут реанимировал у нас дома утюг. Уверенно разобрал агрегат, вытащил из него какую-то штуку, похожую на кустарные белые бусы, поковырял их, и бабушка вновь смогла беспрепятственно гладить.

Одно время Ефим пытался за мной ухаживать, провожал домой, пару раз звал в кино и даже дарил неизвестно где добытые коробки шоколадных конфет, настоящий раритет в те годы. Но мое сердце тогда было отдано другому парню, совсем не такому красивому и веселому, как Пузиков. Мой избранник принадлежал к породе маменькиных сынков, он искренне считал, что девушек господь создал для ублажения мужчин, и особо не заморачивался демонстрацией пылких чувств. Инициативу проявляла я, звонила ему сама и на вопрос: «Может, сходим в кино?» слышала в ответ:

— Ну ладно, если тебе так хочется. Только купи билеты не ближе десятого ряда.

Очень хорошо помню, как на очередное Восьмое марта я сидела дома, ожидая поздравлений от возлюбленного, но до трех часов дня мой Ромео так и не прорезался. Я не выдержала и пошла рыдать в ванную, но не успели слезы хлынуть из глаз, как из прихожей донеслась веселая трель звонка. Мигом промокнув лицо полотенцем, я кинулась к входной двери. Ясное дело, на лестничной площадке сейчас стоит ОН. Бедняжка, ему пришлось с раннего утра носиться по Москве в поисках чахлых красных гвоздик, тюльпанов или мимозы. Вот почему милый до сих пор не поздравил меня с раннего утра, он готовил сюрприз!

Задыхаясь от счастья, я распахнула дверь и увидела... огромный букет бордовых роз, даже сейчас, когда флористы торгуют на каждом углу, он мог бы считаться роскошным, а уж в те далекие годы такие цветы казались нереально шикарными.

— Это мне? — прошептала я.

— С праздником, — весело произнес знакомый, но отнюдь не долгожданный голос, — а конфеты Афанасии Константиновне, хотя, конечно, и тебе не запрещено их есть. Чаем угостишь?

— Проходи, — с трудом скрыв разочарование, сказала я Фиме, — однако бабушка на работе.

— Я люблю твою бабулю, но не стану прикидываться огорченным из-за ее отсутствия. — Пузиков потер руки. — Вечер наедине с тобой для меня лучший праздник.

Последняя фраза звучала как признание в любви. Ну согласитесь, любой девушке лестно иметь поклонника, который ради нее готов на подвиги, а во времена моей юности покупка двухэтажной коробки «Ассорти» и роз приравнивалась к победе на рыцарском турнире.

В тот день Фима был в ударе, он рассказывал анекдоты, изображал наших преподавателей и рассмешил даже вернувшуюся с работы Афанасию. В какой-то момент я подумала, не изменить ли свое отношение к Ефиму, и после ухода ухажера сказала бабуле:

— А он милый! И очень внимательный! Смотри, какие цветы принес!

Афанасия неожиданно нахмурилась.

— Не люблю розы!

— Правда? — удивилась я. — Впервые слышу! Интересно, где Фима раздобыл такой букет Восьмого марта?

— Скользкий он какой-то, — дернула плечом бабушка.

— Ты про подарок? — поразилась я.

— Я о Пузикове говорю, — пояснила Афанасия. — Ну откуда у простого студента деньги на подобные подношения? Что ты о нем знаешь?

Я растерялась.

— Он старше нас, уже отслужил в армии, живет в общежитии.

Бабушка кивнула.

— Отец Фимы вроде был полковником, — продолжала я, — он давно умер, а мама его работает, только не помню кем, она живет в другом городе.

— Богатый жених, — подытожила Афанасия, неодобрительно косясь на коробку конфет.

— Нет, — засмеялась я, — Ефим по вечерам товарные вагоны разгружает и помогает кочегару в какой-то котельной.

— Значит, розы и конфеты парень украл, — сделала неожиданный вывод бабуля, — сувенирчики на половину моей зарплаты тянут.

— Не говори глупостей, — разозлилась я, — весь курс знает, что Пузиков в меня влюблен! Наверное, он на еде экономил, хотел устроить мне настоящий праздник.

— Мда, — крякнула Афанасия.

Мне ее реакция не понравилась, я хотела продолжить спор, но тут ожил телефон, на том конце провода оказался ОН, и я, начисто забыв и о бабуле, и о Фиме, понеслась на свидание.

Спустя неделю Фася неожиданно сказала:

— Дашенька, я не вечная!

Меня тут же охватил дикий страх.

— Терпеть не могу подобные разговоры! Сейчас же перестань! Наука идет вперед семимильными шагами, скоро найдут лекарство от старости, ты проживешь еще сто лет!

— Маловероятно, — улыбнулась бабуля, — пообещай мне одну вещь!

— Что угодно! — опрометчиво заверила я.

— Никогда не заводи романа с Пузиковым, — жестко сказала она. — Поверь, он неприятный человек!

— Опять! — всплеснула я руками. — Фима хороший! И он мой друг! С какой стати ты на него взъелась?

Бабушка ткнула пальцем в сторону стола.

— Мне очень не понравилась эта коробка!

Я хотела было раскричаться, но, вспомнив о почтенном возрасте Афанасии, подавила раздражение и сказала:

— Бусенька, мы просто приятели! Я люблю совсем другого мужчину!

— Вот и хорошо, — с явным облегчением воскликнула Фася.

Более мы не обсуждали Пузикова, я так и не поняла, по какой причине моя очень толерантная к окружающим бабуля на дух не выносила Ефима. Он изо всех сил старался ей понравиться, и, конечно же, внешне Афанасия не выказывала ему своего отношения, она была слишком воспитана для того, чтобы фыркать человеку в лицо. Полагаю, Пузиков считал, что Фася, как и все вокруг, его любит, но я понимала: интеллигентно ему улыбаясь, в душе бабушка терпеть его не может.

Букет из роз завял, конфеты я съела, а в жестяную коробку из-под них стала прятать пуговицы. Кстати, коробка жива, хранится в шкафу до сих пор, и я по-прежнему держу в ней всякие мелочи.

После окончания института мы с Ефимом не потеряли связи друг с другом и пару раз в месяц непременно созваниваемся. Естественно, поздравляем друг друга с праздниками, Фима по сию пору очень внимателен, он и теперь ухитряется преподносить мне совершенно невероятные букеты, например, на Новый год я получила от него цветочную композицию в виде собаки. Понимаете, почему, услышав от незнакомого Водоносова фамилию «Пузиков», я моментально соединилась с другом и без обиняков спросила:

— Ты знаком с Сергеем Петровичем?

— Очень редкое сочетание имени и отчества, — тут же съязвил Фима. — Думаю, мне поможет фамилия.

— Водоносов, — быстро сказала я. — Он велел мне тебе позвонить.

— Серега?

— Так ты его знаешь?

— Конечно, причем очень давно, а что?

— Странная ситуация, — я ввела Пузикова в курс дела, — представляешь, Водоносов предложил мне встречу...

Ефим внимательно выслушал меня и с любопытством поинтересовался:

— А что ты знаешь о своей матери?

— Практически ничего, она умерла, когда я была младенцем.

— Вообще ничего не помнишь? — удивился приятель.

— Иногда мне снится странное помещение, — протянула я, — то ли коридор, то ли пеналообразная комната, в ней нету мебели, посередине стоит женщина в сером халате, я понимаю, что это мама, и начинаю рыдать. Но, скорей всего, это игра воображения, дама очень высокая, головой под потолок.

— Может, просто ты была совсем крохотная, — предположил Фима. — Чем меньше ребенок, тем более монументальными кажутся ему взрослые.

— Наверное, ты прав, — согласилась я, — но больше о своей матери мне ничего не известно.

— А Афанасия Константиновна что рассказывала?

— Ничего. Сообщила лишь, что мои родители пропали в горах. Они увлекались альпинизмом и погибли во время летнего спуска.

— И это все?

— Да, — вздохнула я, — никаких подробностей и никаких воспоминаний.

— Ну хоть фотографии она тебе показывала?

— В нашем доме не было снимков родителей, —

нехотя признала я, — только мои детские: праздники в садике, съемки в школе. Когда я была крохой, в нашей комнате случился пожар, загорелся утюг. Афанасия сама потушила огонь, обошлась без пожарных, но пламя успело уничтожить альбом с фотографиями. Ни один снимок моих родителей не сохранился. Бабушка старательно скрывала прошлое, похоже, ей не хотелось, чтобы я знала правду о матери, которая жила с мужчиной без штампа в паспорте.

— Слушай, это так странно, — воскликнул Фима, — прости за замечание, но мы взрослые люди, поэтому, думаю, я не нанесу тебе травму. В юности я спрашивал у тебя про родителей, ни разу не услышал в ответ ничего внятного и сообразил: тебе неприятны эти разговоры. Один раз я проявил бестактность и попытался вызнать что-нибудь у Афанасии. Она на меня так посмотрела, что я прирос ногами к полу.

— Да уж, бабуля могла без слов любого на место поставить, — усмехнулась я, — со мной она тоже не откровенничала. На все вопросы Фася обтекаемо говорила: «Ты лишилась и матери, и отца очень рано, надеюсь, мне удастся вырастить тебя без комплекса сироты». Фася обещала рассказать подробности о родителях, когда я стану старше, но скончалась, так и не раскрыв рта. Я долго не могла понять, почему она скрывала от меня правду. Впрочем, она не сообщила и о том, что имела родную сестру Анастасию, по прозвищу Стюра-катафалк[1].

---

[1] История Стюры рассказана в книге Дарьи Донцовой «Бассейн с крокодилами», издательство «Эксмо».

— Красиво звучит, — не сдержался от колкости Ефим.

— Стюра похоронила нескольких мужей, но не о ней речь! Один раз я попыталась суммировать крохи сведений, полученных от бабули, и поняла: мои родители не состояли в официальном браке. Предполагаю, что отец, узнав о беременности матери, попросту сбежал, а она от стресса тронулась умом и попала в психиатрическую клинику.

— Ой-ой-ой, — запричитал Фима, — совсем некрасивая история!

— Бабушка не хотела, чтобы малышка жила с мыслью о том, что ее мать сумасшедшая, — продолжала я, не обращая внимания на реакцию Пузикова. — После кончины дочери она поменяла квартиру, переехала в коммуналку на улице Кирова, нынешней Мясницкой, потом мы еще пару раз перебирались с места на место. Когда мне пришла пора получать паспорт, в милиции потребовали свидетельство о рождении. Бабушка вручила мне книжечку зеленого цвета, вернее, бумажку, напоминавшую сберкнижки прежнего образца. И тогда я узнала, что мою маму звали Елена Ивановна Васильева, а отца Иван Петрович Васильев. Думаю, Фася каким-то образом упросила сотрудницу загса пойти на должностное преступление, вероятно, дала взятку, и вместо прочерка в метрике у меня появился отец Иван Петрович Васильев. Афанасия боялась вырастить закомплексованного ребенка.

— Чушь, — воскликнул Фима. — Эка беда! Родилась вне брака! Да таких детей миллионы!

— Ты забыл время нашей юности? — удивилась я. — Все эти анкеты, которые заполнялись по любому поводу? Вторым вопросом в них было: «Паспортные данные отца, матери и место их работы». Затем шел еще более интересный третий пункт: «Находились ли ваши родители и ближайшие родственники на временно оккупированной немецко-фашистскими войсками территории СССР?» Четвертая строка требовала ответа на коварный вопрос: «Имеете ли родственников за рубежом? И только потом шел приснопамятный пятый пункт: «Национальность».

Как заполнить анкету, ничего не зная про папу? Честно написать: «Об отце сведений не имею»? А вдруг он служил полицаем, сотрудничал с фашистами, проживает в Америке и является евреем? Меня бы ни за какие медали не приняли в университет, тем более на факультет иностранных языков! Фася понимала это и подстелила соломы на жизненном пути внучки. Ко мне не было претензий, потому что я везде писала: родители погибли во время летнего отдыха.

Они оставили меня с бабушкой, а сами укатили на Кавказ, сняли у кого-то из местных жителей комнату и лазили по горам. Однажды разразился ливень, и деревню затопил селевый поток, погибло все население, включая и группу альпинистов из столицы. У Фаси, очевидно, имелись свидетельства о смерти, но я их ни разу не видела и после ее кончины никаких документов не нашла.

— Меня зовут Бонд, Джеймс Бонд, — схохмил Фима. — Твоя бабушка была выдающейся женщиной!

— Верно, — согласилась я. — Значит, ты характеризуешь Водоносова с положительной стороны?

— Нормальный мужик! — подтвердил Пузиков. — Раньше работал в КГБ, настоящий служака, чем-то на Дегтярева похож, по характеру, не внешне. Сейчас он по-прежнему на ответственной работе. Извини, подробностей не знаю, Серега не говорит на служебные темы, а я не спрашиваю. Мы с ним в основном о рыбалке и охоте треплемся. Водоносов давно женат, у него три дочки, внучка, хорошая семья.

— Уговорил, — остановила я Фиму, — встречусь с ним.

Глава 3

Записав адрес дома, где меня через час будет ждать Водоносов, я побежала в холл и была остановлена звонком телефона. Я схватила трубку, весьма удачно лежавшую на ботиночнице.

— Дашута! — залпом взорвался в ухе звонкий голос. — Как хорошо, что ты дома! Могла уехать! И тогда я из-за того, что тебя нет дома, попала бы в ужасную ситуацию, но ты дома, и я не попала в ужасную ситуацию из-за того, что тебя нету дома. Полагаю, это судьба!

Меня охватила тоска. Ну почему, когда Зайка или Маша пытаются дозвониться домой, телефон заваливается неизвестно куда и приходится его целый час искать? Нет бы трубке испариться сегодня, когда со мной жаждет пообщаться ужасная Галя Мысина. Нет, я хорошо к ней отношусь, мы дружим лет двадцать, но Галина не способна коротко и внятно разговаривать, а заткнуть фонтан ее «красноречия» невозможно. Вот и сейчас Галка тарахтит как обезумевшая погремушка.

— Меня срочно отправляют в командировку! Уроды! Не имеют права! Я уже ездила на запуск! И снова! Елы-палы! А куда деть Александра Михайловича? Он один жить не может, сам еду не найдет, будет скучать! Вот скоты! Вся надежда на тебя... старт... расчет... телефон...

Я перестала слушать, лучше не вникать в детали. Пусть Мысина слегка успокоится и прямо сообщит, что ей требуется. Галка работает в оборонном НИИ, она каким-то образом связана с ракетами и вынуждена ездить на полигон, где проводят их испытания.

— У Нинки ремонт, — тарахтела Мысина, — она отдала Александра Михайловича Катьке, а та... эй, ты там заснула?

— Нет, — с тоской ответила я, — кто такая Нина?

— Сестра Кати, жены Миши, брата Сергея, — выпалила Галка. — Забыла Серегу? Ну вообще! У вас же роман был!

— У меня? — искренне удивилась я. — Не помню никакого романа с парнем по имени Сергей!

— У тебя склероз! — резюмировала Мысина. — Я у вас на свадьбе гуляла, подарила полезную вещь — электроодеяло!

Я поразилась еще больше.

— Я никогда не ходила в загс с Сережей!

— Ну ты даешь, — восхитилась Галка. — Составь список бывших супругов и спрячь в тумбочку, а то лет через пять на фиг позабудешь, с кем когда расписывалась!

— Сергея не было, — стояла я на своем, — и одеяла от тебя я не получала!

— Электрический плед, — уточнила Мысина, — розовый, в синюю клетку! Между прочим, совсем не дешевый! Шикарная штука! Включаешь его в сеть, и через пять минут тепло, для дачи незаменимая вещь!

— Такое одеяло было у Веры Машковой, — пробормотала я, — и ее бывшего мужа как раз звали Сережей. Ты перепутала меня с Веркой.

Мысина на секунду замолкла, а потом возмутилась:

— Зачем ты про Сергея заговорила?

— Я?

— А кто же? Он вообще ни при чем! Короче, отвечай, возьмешь ненадолго Александра Михайловича? — наконец-то конкретно изложила свою просьбу Мысина.

— А он кто? — я попыталась разобраться в ситуации.

Галка заверещала, как сошедшее с ума радио. В конце концов мне удалось кое-что понять. У Галины есть сестра Нина, которая, вопреки всякой логике, зимой затеяла ремонт. Беда, как известно, не приходит одна. Нина съехала на снятую временно квартиру и сломала ногу, теперь она лежит в больнице. Как я поняла из рассказа Гали, вместе с Ниной живет некий Александр Михайлович.

— Совершенно очаровательное существо, — чирикала Мысина, — он у Нины всего год, но обожает ее до потери пульса. Представляешь, в каком положении бедный оказался? Сначала его из родного гнезда перетащили в съемную халупу, а потом хозяйка загремела в клинику. Прикинь, он сутки просидел один! Голодный! Чуть не умер от тоски!

Я постаралась не рассмеяться. Бедной Нине не везет на личном фронте, ей постоянно попадаются весьма странные мужчины, теперь к ее берегу прибило некоего Александра Михайловича, который рыдает от голода, не зная, как открыть холодильник!

— Нинка попросила Катьку за ним присмотреть, — неслась дальше Галя, — а Катюха, дрянь такая, привела его ко мне. Я, конечно, приютила временного сироту, но сейчас вынуждена уехать на полигон...

— Короче, — потребовала я, посмотрев на часы, — я опаздываю!

— Пригрей Александра Михайловича на недельку! Он милый, воспитанный, ест все, никаких проблем с туалетом, веселый, одна радость на него смотреть, — выпалила Мысина.

— А сколько ему лет? — осторожно осведомилась я, меня насторожили слова: «никаких проблем с туалетом».

Может, Галка хочет поселить у нас дома столетнего старца, который не всегда сам доползает до унитаза?

— Точно не скажу, возраст средний, у него самый расцвет сил, и вообще он чемпион, — заявила Мысина.

— Спортсмен? — переспросила я.

— Да, — подтвердила Галка, — победитель многих соревнований, обладатель кучи наград, занимает сплошь первые места. Нину обожает, считает за мать родную. У него тяжелая судьба, досталось бедняжке, двух хозяек похоронил! Но мрачным не стал! У тебя с ним проблем не будет! Плиз! Дашута!

— Ладно, — сдалась я, — пусть приезжает вечером, после шести!

— Супер, — обрадовалась Галка, — привезу его и в аэропорт успею.

— А сам он не способен приехать? — возмутилась я.

— Смеешься? — фыркнула Мысина. — Ну, до вечера.

Я пошла к машине, размышляя на ходу. Если этот Александр Михайлович действующий спортсмен, то он, должно быть, совсем молод, хотя я не спросила, каким видом спорта он занимается. Вдруг этот тип шахматист, тогда ему могло уже перевалить за полвека. Хорошо, что «подкидыш» ест все, многие профессионалы тщательно соблюдают диету. Еще больше меня обрадовало сообщение о веселом характере и аккуратности временного жильца. Правда, он не самостоятелен и эмоционально не зрел, не способен себя обслужить и плачет от тоски. Но Галка подбрасывает нам парня всего на семь дней! Надо же помочь бедной Нине, мало ей ремонта, так еще и ногу сломала. Сейчас же позвоню Ирке на мобильный, предупрежу, что нужно подготовить одну из гостевых комнат и купить йогуртов и свежий хлеб.

Размышляя о домашних делах, я довольно быстро доехала до Туристской улицы, нашла нужный дом, поднялась на пятый этаж и позвонила в дверь. Она сразу распахнулась, и на меня повеяло запахом пыли и сырости.

— Дарья? — спросил высокий худой пожилой мужчина. — Я Сергей.

— Очень приятно, — вежливо ответила я, сняла куртку, водрузила ее на вешалку, где висело одно серое полупальто, и стала расстегивать сапожки.

— Не снимайте обувь, — остановил меня Водоносов.

— На улице, несмотря на январь, слякоть, я, правда, езжу на машине, но пришлось пешком пересечь двор, запачкаю пол, — сказала я.

— Ерунда, — отмахнулся Сергей, — проходите в комнату.

Я покосилась на его черные квадратные, на толстой подошве ботинки на полу у двери. Ни коврика, ни тряпки и в помине нет, пришлось, невзирая на угрызения совести, топать по паркету, оставляя за собой мокрые следы. Но едва я очутилась в квадратной гостиной, как вся неловкость исчезла.

Окна закрывали дешевые жалюзи, вдоль одной стены тянулись полированные шкафы столетней давности, у второй стояли диван, образец советской мебельной промышленности конца семидесятых, и два нелепых кресла, между ними притулился журнальный столик на паучьих ножках. Здесь не было ни одной безделушки, ни одной салфеточки, ни пледов, ни подушек, ни газет. Штук пять книг, стоявших на полке, не придавали комнате ни уюта, ни жилого вида.

— Садитесь, — радушно предложил Сергей Петрович.

Я осторожно опустилась в продавленное кресло и спросила:

— Почему вы позвали меня на конспиративную квартиру? Неужели нельзя было встретиться в кафе?

Водоносов улыбнулся:

— Вы наблюдательны!

Я пожала плечами:

— Не требуется особой наблюдательности, чтобы понять: тут никто постоянно не живет.

— Отлично, — кивнул Сергей, — давайте сразу к делу. Когда вы последний раз встречались со своей матерью?

— Никогда, — спокойно ответила я.

— Правда?

— Абсолютная, — кивнула я.

Водоносов открыл портфель и выложил на столик фотографию.

— Посмотрите, может, кого-нибудь узнаете.

Я взяла снимок, он оказался черно-белым, очень плохого качества, изображение расплывалось, но через минуту я воскликнула:

— Бабуля!

— Можете назвать имя женщины? — склонил голову набок Водоносов.

— Похоже на съемку камеры видеонаблюдения, — пробормотала я. — Какое-то странное фото! Это Афанасия Константиновна, моя бабушка.

— А ребенок вам известен?

Я вгляделась в карточку.

— Девочка, маленькая, дошкольница, лица не видно.

— Почему вы решили, что ребенок женского пола?

— Хороший вопрос, на малышке юбочка, мне не встречались мальчики, которые носят юбки, если они, конечно, не шотландцы, — съехидничала я.

Но Сергей Петрович даже не улыбнулся.

— Ради конспирации Ванечку могли нарядить Машенькой.

Я заморгала, а Водоносов сказал:

— Но на фото девчушка, и это вы.

— Я?

— Не узнали себя?

— Каким образом? Я говорила, что лица не разобрать.

— А по одежде?

Мне стало смешно.

— Вы помните, что носили в три-четыре года?

— Конечно, — на полном серьезе заявил Сергей Петрович.

— Стоит позавидовать столь невероятной памяти, — ухмыльнулась я.

Водоносов вынул сигареты.

— Вы не возражаете? Я знаю, что вы курите, причем уважаете весьма крепкий табак.

— Верно, — кивнула я, — похоже, вы тщательно подготовились к беседе. Но мне скрывать нечего, давайте перестанем ходить вокруг да около. Скажите, зачем вы меня сюда пригласили.

Сергей Петрович чиркнул зажигалкой:

— Не помните, куда ходили тогда со своей бабушкой?

Мое терпение лопнуло.

— Сто лет назад?

— Вы великолепно сохранились для дамы, перешагнувшей вековой юбилей, — неожиданно улыбнулся мой собеседник. — Я с трудом дал бы вам тридцать пять!

Отлично понимая, что его любезность вызвана исключительно желанием выудить из меня какую-то информацию, я тем не менее не удержалась от улыбки, но быстро погасила ее и сказала:

— Маленькая собачка до старости щенок.

— Красивая женщина прекрасна в любом возрасте, — отбил подачу Водоносов.

— Будем считать китайские церемонии законченными, — протянула я, — говорите.

— Ваша бабушка была уникальной женщиной, — произнес Сергей Петрович, — весьма нестандартного мышления.

— Если в столь завуалированной форме вы хотите сообщить мне о том, что Фася резалась в карты на деньги и была хорошо известна в подпольных игорных домах, то можете не стараться, я великолепно знаю о ее привычках и не осуждаю![1]

— Ежик, спрячь иголки, — по-детски отреагировал Сергей. — Афанасия Константиновна была

---

[1] См. книгу Дарьи Донцовой «Бассейн с крокодилами», издательство «Эксмо».

храброй дамой. Она резко осудила своего сына, но тем не менее забрала его ребенка.

— Какого сына? — подскочила я. — У бабушки была дочь, моя мать!

— Нет, — покачал головой Водоносов.

Я попыталась прийти в себя.

— Вы хотите сказать, что Фася мать моего отца?

— Именно так, — подтвердил Сергей Петрович.

— Но она никогда не упоминала о нем! Ни единым словом! — растерялась я. — И я всегда полагала, что бабуля моя родственница со стороны мамы!

— Почему? — задал естественный вопрос Водоносов.

— Действительно, — призадумалась я, — может, просто принято считать, что дети остаются с мамами и их родственниками?

— В вашем случае вышло наоборот.

— Афанасия практически ничего не рассказывала о моих родителях, — ошарашенно протянула я, — но о маме она все же обронила пару слов, а вот папа был табу. Я считала, что он обманул невинную девушку и сбежал, поэтому несостоявшаяся теща вычеркнула его из памяти.

— И вас не удивляло, что Афанасия не скорбела о дочери? Не показывала вам фото? Не рассказывала всякие истории?

— Елена Ивановна и Иван Петрович погибли во время отпуска, — залепетала я, — мне в ту пору исполнилось несколько месяцев. Общих снимков с папой и мамой у меня не было. В годы моего детства фотоаппараты были далеко не у всех, во-первых, из-за их дороговизны, а во-вторых, проявка пленки дело муторное, люди предпочитали ходить в студии, где их «щелкали» профессионалы. А еще в нашем доме случился пожар, фотоальбом погиб.

— Можете не вдаваться в подробности, — пожал плечами Сергей Петрович, — ладно, снимков нет, но почему бабушка не делилась своими воспоминаниями? Отчего она категорически не желала говорить вам о ваших родителях? Или все же рассказывала, но взяла с вас обещание хранить тайну?

— Семейный альбом сгорел во время пожара, — напомнила я, — а о моих родителях Фася молчала. Почему, не знаю! Хватит играть со мной в кошки-мышки. Выкладывайте, в чем дело, или я ухожу! История родителей может быть интересна только их ребенку. Я выросла с сознанием того, что и папу и маму мне заменила бабушка, можете не верить, но никаких моральных терзаний от своего сиротства я не испытывала. В подростковом возрасте у меня был период острого любопытства, но оно погасло. Для меня и отец и мать фантомы, я по ним не тоскую. Нельзя испытывать привязанность к тем, кого не знаешь!

Сергей Петрович снова наклонился к портфелю и вынул оттуда тоненькую папочку.

— Читайте, — коротко приказал он.

Я решила показать характер.

— Что это?

— Биография вашего отца, — объяснил Водоносов, — весьма интересная, даже увлекательная справка.

Не сумев побороть любопытства, я схватила листок.

Глава 4

«Васильев Игорь Семенович родился в городе Москве. Мать — Афанасия Константиновна, стоматолог, отец Семен Юрьевич скончался от пневмонии вскоре после рождения сына. Игорь воспитан отчимом — Михаилом Андреевичем».

Я оторвалась от бумаги.

— Дедушку помню плохо, он умер, когда я была совсем крошкой. Но я всегда пребывала в уверенности, что Афанасия выходила замуж всего раз в жизни! Она никому никогда не говорила о первом супруге. Более того, в свое время я была замешана в одной истории, связанной со Стюрой-катафалк и ее дочерью по прозвищу Люка[1]. Ни бабушки, ни ее сестры Анастасии тогда уже не было в живых, но оказалось, что Афанасия прислала сестре несколько моих фотографий, дочь Стюры была уверена, что у Афанасии так же, как у ее матери, родилась девочка. Ни о каком Игоре никто никогда не упоминал!

Сергей Петрович сложил руки на груди.

— Некоторые семейные тайны люди предпочитают не разглашать. Я, например, рос в замечательной семье: папа, мама, дяди, тети, бабушка, дедуш-

---

[1] См. книгу Дарьи Донцовой «Бассейн с крокодилами», издательство «Эксмо».

ка. До тридцати пяти лет был абсолютно уверен: мои родители встретились в студенческие годы, шли вместе по жизни с самого начала. Их брак — образец для окружающих. Но когда умерла мать, на ее похороны явилось несколько незнакомых мужчин, и отец сказал: «Это первый муж Люсеньки и его братья».

Я чуть дара речи не лишился, когда выяснил, что у мамы до отца был еще один супруг. Никто никогда даже после того, как я вырос и женился, ни намеком не упоминал при мне о маминой ошибке молодости, не хотели подавать ребенку дурной пример. Наверное, ваша бабушка преследовала те же цели, скрыв от внучки свой первый брак. Что же касаемо ваших родителей... Да вы читайте дальше!

Я углубилась в чтение и сделала ряд шокирующих открытий. Игорь Семенович был трижды женат, в последний раз на Анне Львовне Корольковой, у них родилась дочь Даша. Незадолго до появления ребенка супругов арестовали. Игорь умер в тюрьме, не дождавшись суда, Анну определили на лечение в психиатрическую больницу. Новорожденную отдали бабушке, Афанасии Константиновне.

— То есть как умер в тюрьме? — оторопело спросила я. — Значит, я Игоревна? Отчего в метрике указаны другие имена? Что вообще произошло?

Водоносов вытащил из портфеля новую папку, на этот раз более пухлую.

— Лучше один раз увидеть, чем сто раз услышать, — сказал он. — Вы пока внимательно изучите материалы, а я пойду на кухню, посмотрю телевизор.

— Что это? — прошептала я.

— Скелеты из шкафа, — серьезно ответил Сергей Петрович и ушел.

Я открыла серую картонную обложку. Мне понадобилось около часа, чтобы прочитать ксерокопии документов, и еще столько же, дабы осознать смысл прочитанного и прийти в себя.

Афанасия Константиновна работала стоматологом, ее муж, Михаил Андреевич, гастроэнтерологом в клинике МВД.

Михаил был тихим человеком, находившимся под каблуком у властной, много зарабатывающей жены. Афанасия Константиновна могла бы считаться идеальной супругой, она прекрасно готовила, поддерживала чистоту в доме, приносила в семью немалый доход и уверенно руководила мужем. Но, увы, у безупречной хозяйки были две страсти. Она обожала играть в карты, могла за один вечер спустить все накопления, а еще Фася души не чаяла в любимом сыне Игоре, баловала его безмерно, постоянно защищала мальчика от учителей, осторожно говоривших матери:

— Игорь очень ленив, и он не знает слова «нельзя».

Михаил Андреевич хорошо относился к Игорю, никогда его не наказывал, наверное, не хотел скандалов с женой.

Трудно понять, почему Михаил смирился с женой-игроманкой, вероятно, он очень любил ее и обладал покладистым характером. С другой стороны, Афанасия не всегда проигрывала, подчас она укладывала соперников на лопатки и возвращалась домой с огромной суммой денег.

Игорь пару раз оставался на второй год, получить аттестат ему удалось только в девятнадцать лет. Из школы его не выгнали по вполне понятной причине: у педагогов есть зубы, а Афанасия классно ставила коронки и всегда применяла заморозку. Она даже ухитрилась организовать сыночку белый билет и пристроить недоросля в институт, где готовили художников и их будущих критиков. Игорю было без разницы, где учиться, о работе он не думал, ничем особенно не интересовался, но очень хорошо рисовал, и Афанасия решила, что искусствовед совсем не плохая творческая профессия со свободным графиком службы, как раз то, что требуется ее мальчику.

Кое-кто из преподавателей вуза получил шикарные бюгели, и Игорь поступил в институт. И педагоги, и студенты считали Гарика милейшим парнем. Он был душой всех компаний и звездой вечеринок. У кого были самые редкие пластинки и великолепные шмотки? У Игоря. Кто всегда угощал приятелей в институтской столовой? Гарик. Кто носил шикарные часы и летал в Сочи даже на зимние каникулы? Ясное дело, студент Васильев. К чести Игоря надо отметить, что он никогда не кичился своим материальным положением и не был снобом. Если в общежитии затевалась пирушка, Васильев всегда притаскивал голодным сокурсникам разной еды и выпивки, он никогда не отказывался дать в долг и частенько забывал забрать деньги назад. Мало кто из его многочисленных друзей задумывался над тем, откуда у юноши столько свободных средств. Если же кому-то в голову и приходил подобный вопрос, ответ на него находился легко: мама-стоматолог щедрой рукой наполняет кошелек единственного дитятки. А на кого еще ей тратить заработанное?

В творческих вузах, как правило, царит веселая атмосфера, будущие актеры, художники, журналисты любят выпить, и еще здесь очень ценится талант. Над тем, кого при рождении ангел не поцеловал в лоб, посмеиваются или тихо его презирают. Где-то на третьем курсе приятели Игоря разделились на два враждующих лагеря. В одном оказались будущие художники, приверженцы соцреализма, а во втором сгруппировались представители неформального искусства. Игорь ухитрялся дружить и с теми, и с другими. Более того, когда до ректора дошел слух о том, что часть студентов хочет устроить нелегальную выставку своих полотен, не имевших ничего общего с социалистическим реализмом, он вызвал к себе Игоря и попросил:

— Поговори с дураками, объясни им простую истину: ни один бунт молодежи хорошо не закончился, и мир от демонстраций не изменился. Пусть подумают о своем будущем, вспомнят о родителях и забудут о глупостях.

Самое интересное, что Игорю, учившемуся на искусствоведа, удалось убедить приятелей не высовываться, а благодарный ректор поставил в зачетке Васильева сплошные «отлично».

Игоря обожали девушки, им импонировала его красота, элегантность, отменные манеры, Васильев происходил из хорошей семьи, впереди его ждала престижная работа, а мать юноши явно имела немалый «золотой запас». Даже одной из вышеперечисленных причин хватило бы слабому полу, чтобы открыть охоту на Игоря, и к четвертому курсу у Васильева за плечами уже было два развода. Такое поведение не поощрялось, Игорю светила характеристика, убивавшая любую карьеру: «морально неустойчив». Но обаяние певчего дрозда Васильева распространилось и на бюро комсомола, поэтому он получил замечательную аттестацию, в которой яркими красками была расписана его политическая благонадежность и исключительная порядочность.

Афанасия устроила сына на работу в музей имени Маркова[1], который имел статус научно-исследовательского института.

Через некоторое время весь коллектив влюбился в Васильева, и это было вполне объяснимо. Подавляющее большинство сотрудников составляли женщины, Игорек оказался в настоящем малиннике, но парень вел себя очень осторожно, ни с кем интимных отношений не заводил и получил кличку Милый Котик.

Спустя год Милый Котик женился на неприметной внешне, но очень умной Ане Корольковой. Сначала музейные бабы опешили, потом стали шептать по углам.

— Ну и ну! Что он в ней нашел? Жуткая образина, страшнее атомной войны! — говорили одни.

— Игорь балбес, до сих пор ничего для диссертации не сделал, Аня ему враз ее напишет, — сплетничали другие.

— Надоело его матери домработнице платить, — злобствовали третьи. — Анька тихая, будет у них хозяйство вести.

— Он с ней скоро расплюется, — надеялись четвертые.

Но, несмотря на все пророчества, Королькова

---

[1] Название придумано автором, любые совпадения случайны.

и Васильев казались любящей парой, хотя они мало подходили друг другу. Балбес, лентяй и весельчак Игорь совершенно не монтировался с крайне серьезной, очень тихой и умной Анечкой. После бракосочетания парень не изменил своих привычек, за рабочий день он успевал отпустить сто комплиментов разным дамам, угостить сотрудниц пирожными и обсудить с коллегами-мужчинами результат футбольного матча. Но домой они с Аней уходили вместе, а поскольку Королькова была трудоголиком, пара частенько задерживалась в музее до полуночи.

Анечка защитила кандидатскую диссертацию, получила должность старшего научного сотрудника и забеременела.

Весть о том, что Королькова ждет ребенка, не обрадовала музейное начальство. Анечка свободно владела английским и французским языками. Остальные сотрудники музея, включая ученого-секретаря и директора, с грехом пополам изъяснялись на «московском инглише», поэтому Королькова всегда сопровождала руководство во всех загранкомандировках. Серьезную молодую женщину знали и уважали во многих музеях мира. Представляете, каким шоком для коллег стало известие о том, что Игорь и Аня арестованы за хищение экспонатов из хранилища музея?

— Это ошибка, — твердо заявила директриса Нинель Стефановна и, надев все свои фронтовые награды, отправилась в прокуратуру.

Вернулась она тише воды ниже травы и заперлась в кабинете. Сотрудники пошушукались под дверью, но потом-таки решились войти и застали Нинель Стефановну в слезах.

— Мерзавцы, ах, какие негодяи, — заламывала руки директриса, — таскали вещи из фонда.

Тут следует сказать, что в залах музея выставляют лишь часть раритетов, отсутствие площади и персонала не позволяет продемонстрировать посетителям все собрания. Большое количество дорогих и ценных экспонатов содержится в запасниках. Порой музейщики не знают, что там хранится. В музее непременно найдутся, образно говоря, темный закоулок или сундук, где ждут своего исследователя уникальные экземпляры. Нечестный сотрудник всегда сумеет погреть руки в запасниках, кражи случались и в Эрмитаже, и в Лувре, и вообще везде. Аня и Игорь похитили много ценного. Как же им это удалось?

Тихая работящая Королькова ни у кого подозрений не вызывала, а балагур Милый Котик скорешился со всеми охранниками. Васильева они считали своим в доску, почти все милиционеры, дежурившие у дверей, лечили у Афанасии зубы. Ясное дело, никто не проверял у супругов сумки, когда они около полуночи покидали работу.

Не существовало у воров и проблемы со сбытом краденого, у Ани благодаря общению с иностранцами имелись обширные связи в мире западных коллекционеров.

Меньше всего и музейщикам, и чиновникам из Министерства культуры хотелось поднимать шум, поэтому они решили замолчать случившееся. Нинель Стефановна собрала коллектив и попросила всех не болтать языком. В доме у Афанасии Константиновны произвели обыск, но ничего не нашли. Стоматолог хранила заработанное на сберкнижке, ни о каких предметах искусства она не слышала, весть о том, чем промышляли сын с невесткой, словно топор упала ей на шею.

Михаил Андреевич, пользуясь своими знакомствами, стал хлопотать об Игоре и Ане, но ему дали понять, что дело слишком серьезное, за ним следят с самого верха и лучше не вмешиваться в ход событий.

Афанасия слегла с сердечным приступом, Михаил приехал к ней в больницу и попытался ее утешить.

— Самое ужасное уже случилось, худшее позади, — сказал он. — Судебное заседание будет закрытым, ребятам дадут срок, но потом-то выпустят!

— А ребенок? — простонала супруга. — Аня беременна.

— Эту проблему я беру на себя, — оптимистично пообещал Михаил Андреевич. — Мне не удалось добиться послабления для детей, но внука нам отдадут.

— Только бы в детдом не отправили, — прошептала Афанасия.

— Не беспокойся, — заверил муж, — и помни, самое страшное уже свершилось.

Как же Михаил Андреевич ошибался! На следующий день после этого разговора Афанасию, несмотря на ее болезнь, вызвал следователь Владимир Олегович Панин и хмуро сообщил:

— Ваш сын покончил с собой.

— Не может быть! — не поверила мать. — Игорь не способен на суицид!

Панин протянул Афанасии мятый клочок бумаги. «Мы не виноваты. Нас заставили. Вы нас расстреляете, но ценностей не найдете. Перед смертью не врут. Мне уже все равно. Отпустите Аню. Заказчик не иностранец. Он наш. Я не могу назвать его имя. Боюсь, что не сумею сохранить тайну, и тогда уничтожат всю нашу семью. Ухожу из жизни, чтобы он знал: я не раскрыл рта. Отпустите Аню. Помолитесь за меня. Аминь».

— Это подделка! — закричала Афанасия.

— Почерк не Игоря? — спросил следователь.

— Его, — кивнула мать.

— Наша экспертиза тоже подтвердила подлинность почерка, — заявил Владимир Олегович.

— Не верю! Его убили! — не успокаивалась Афанасия.

— Мы не нашли ничего из пропавшего, — нахмурился следователь, — не вернули ни одного экспоната, каждый из которых стоит таких денег, что и произнести страшно. Я подозревал, что Игорь лишь исполнитель, им с Анной доставались крохи, остальной барыш уходил другим людям. И неизвестно кому! Ваш сын являлся единственной ниточкой в туго скрученном клубке. Разумно ли в данных обстоятельствах нам лишать его жизни?

— Нет, — признала Афанасия.

— Игорь мог пойти на сделку, — сказал следователь, — за помощь органам получил бы предельно короткий срок, провел бы его на зоне под Москвой.

— Вы сами уверены, что моего сына насильно лишили жизни, — ахнула мать.

— Это невозможно, — отрезал следователь. — Я убежден в другом, Игоря кто-то напугал до такой степени, что он предпочел повеситься и тем самым спасти свою семью. Он понял, что, если откроет имя заказчика, плохо придется всем. Я дам вам свидание с невесткой.

— Зачем? — испугалась Афанасия.

— Попробуйте убедить Анну рассказать всю известную ей информацию, — вздохнул Панин. — Она избрала тактику молчания, не отвечает ни на один вопрос. Объясните ей: чистосердечное признание гарантирует девушке жизнь и относительно малый срок.

Глава 5

Встреча с Аней окончательно выбила Афанасию из колеи. Невестка, всегда приветливая и улыбчивая, сидела на привинченном к полу стуле с отсутствующим выражением лица. Она не поздоровалась со свекровью, не повернула в ее сторону головы, не кивнула, вообще никак не отреагировала на ее появление. Афанасия испробовала все известные ей слова убеждения, но Аня сидела как истукан.

— О ребенке подумай, — взмолилась свекровь. — Если поможешь следствию, тебе дадут маленький срок, отсидишь пару лет, вернешься к нам, будешь сама малыша воспитывать. В противном случае тебя накажут очень строго, всю молодость за решеткой проведешь!

Через четверть часа у Афанасии возникло ощущение, что она общается с чучелом из ваты. Ну не способен живой человек замереть на стуле с абсолютно прямой спиной и провести в такой позе, почти не моргая, долгое время.

Следователь хотел во что бы то ни стало растормошить Анну, за арестованной вели постоянное наблюдение, к ней в камеру подсадили «утку», подследственную, которая согласилась стучать на подругу по несчастью. Преступница тоже была беременна, звали ее Светлана Барабас. За что Света очутилась за решеткой, осталось для меня тайной, но, учитывая тот факт, что ею занимались сотрудники комитета госбезопасности, Барабас была не обычной уголовницей.

Две молодые женщины, беременные на последнем месяце, должны были, по мнению следователей, подружиться. Светлане предстояло выудить из Ани как можно больше информации, а главное, получить ответы на основные вопросы: где еще не реализованные ценности и кто заказчик? Но расчет не оправдался, Королькова не вступила в контакт с Барабас, Светлана, которой, очевидно, пообещали скостить срок, старалась изо всех сил, но Аня не шла на сближение. Рожали женщины одновременно, и на свет появились две девочки. Дочь Барабас умерла, а ребенок Корольковой радовал мать своим здоровым видом.

Даже когда стало ясно, что вместе с младенцем погибла и Света, Аня не сказала ни слова. Королькова вела себя так, словно она находилась в палате одна. Это не было демонстрацией, Аня просто не замечала Барабас, так человек реагирует на муху. Хотя сравнение не совсем точное, насекомое своим жужжанием способно разозлить, Анечка же воспринимала коллегу по несчастью как пустое место. Кончина Светланы никак не подействовала на Королькову.

С новорожденной мать не сюсюкала, она молча кормила дочь, не улыбалась, не тетешкала девочку.

Спустя некоторое время Аню перевели в психиатрическую клинику на принудительное лечение.

Суд над похитителями музейных экспонатов не

состоялся. Игорь покончил с собой, формально он умер незапятнанным человеком, Анечку, как сумасшедшую, призвать к ответу было невозможно.

Внучку отдали Афанасии Константиновне. Чтобы избавить девочку от неприятностей и избежать огласки, дедушка с бабушкой поменяли квартиру, переезжали они несколько раз и в конце концов очутились в коммуналке на улице Кирова. Ребенку раздобыли новую метрику, куда вписали мифических Елену Ивановну и Ивана Петровича. Вероятно, эти люди существовали на свете, но они не имели никакого отношения к маленькой Даше.

— Прочитала? — заглянул в комнату Сергей Петрович. — Забавно?

— Не совсем подходящее слово, — прошептала я. — Значит, моя память таки сохранила встречу с родной матерью. Та женщина в сером халате, в пустой комнате... Меня приводили в психиатрическую клинику!

— Да, — подтвердил Водоносов, — снимок, который я показал в начале нашей встречи, был сделан охраной в тот момент, когда Афанасия с ребенком миновала центральный вход лечебницы.

— Не знала, что в лохматые года были технические возможности для видеонаблюдения, — очнулась я.

— Имелись разные возможности, — сказал Водоносов, — но, конечно, они несравнимы с сегодняшними. Это просто фото, а не видеозапись. Преступникам в те годы было проще, камеры в СИЗО прослушивались, но не просматривались.

— Как же бабуля ухитрилась пробраться на строго охраняемую территорию? Зачем потащила внучку в сумасшедший дом? Это противоречит всякой логике, Афанасия рассказывала ребенку сказку о родителях-альпинистах, неразумно показывать девочке родную мать, — удивилась я.

Водоносов поднял руки.

— Спокойно. Старуха выполняла условие сделки.

— Какой?

Сергей Петрович сел в кресло.

— «Дети за родителей не отвечают», — так говорили в советские времена. Но на самом деле судьба малыша, чьи мать и отец оказывались за решеткой, да еще в КГБ, была крайне незавидна. Впереди крошку ждали детдом и клеймо «сын убийцы» или «дочь предателя», не важно, какой ярлык навешивали на ребенка, главное, что потом он практически не мог получить высшего образования, устроиться на престижную работу, поехать за границу и получить приличную квартиру. Афанасия Константиновна и Михаил Андреевич великолепно это понимали, потому и договорились с комитетчиками. Девочка получала новые документы и оставалась у деда с бабкой, взамен Афанасия согласилась навещать невестку, не из любви к Анне, а с целью разузнать, где спрятаны ценности. Несмотря на то что врачи официально признали Королькову безумной, у следователя Панина были сомнения в правильности диагноза. Афанасия регулярно приходила к невестке, но та никак не реагировала на свекровь. И тогда Панин велел привести к Ане дочь.

— Бабушка согласилась на такой шаг? — возмутилась я.

— А куда ей было деваться, — пожал плечами Сергей Петрович. — Ты была мала, Афанасия надеялась, что ребенок скоро забудет о встрече. Думаю, она очень хотела добиться от Ани откровенности, покажи невестка тайник, бабушку с внучкой оставили бы в покое. Но ничего не вышло, Королькова даже не приблизилась к дочери, не проявила никакого интереса к малышке. И тогда Панин сдался, оставил Анну в покое, но за Афанасией и Дашей приглядывал до своей смерти.

— За нами следили? — поразилась я.

— Хвост не ходил, и топтун у подъезда не маячил, — улыбнулся Сергей Петрович, — но если бы Афанасия вдруг сделала крупную покупку, приобрела, например, дачу, машину, нужные люди мигом бы узнали о невесть откуда взявшихся у стоматолога деньгах.

Я ринулась в бой:

— Следователь надеялся, что Игорь еще до ареста рассказал матери о тайнике? Вы не знали Афанасию Константиновну! Бабушка отличалась необыкновенной честностью, она была не из тех людей, кто продает краденое.

Сергей Петрович пожал плечами:

— Вором может стать любой, исключений нет, вопрос лишь в размере добычи. Один стащит сто рублей, а другой дрогнет только при виде миллионов.

— Глупости! — возмутилась я.

Водоносов потер затылок:

— Знаете, в какую сумму оценивается украденное вашими родителями?

— Нет, — сердито ответила я.

— На сегодняшний день примерно в сто миллионов долларов.

Я уставилась на Сергея Петровича.

— Сколько?!

— Вы не ослышались, — подтвердил Водоносов, — сто миллионов. Баксов.

— Ничего себе!

— Большой куш, — согласился Сергей Петрович. — Кое-кто пойдет на все, чтобы завладеть этими раритетами.

— Ценности небось давно проданы, они разбрелись по разным музеям и коллекционерам, — пролепетала я.

Водоносов со вкусом чихнул:

— Нет. Вещи где-то спрятаны! Хотя, когда твоя семья, приехав из Франции, внезапно построила особняк и стала жить на широкую ногу...

Кровь бросилась мне в лицо, я встала:

— Хватит. О том, что совершили незнакомые мне Игорь и Анна, я узнала сегодня от вас. Да, я подозревала, что бабушка скрывает некую семейную тайну, но не предполагала, что именно. Ни о каких музейных экспонатах я ничего не знаю. Советую вам проконсультироваться с банком, где наша семья абсолютно открыто держит свои средства, и внимательно изучить финансовые документы, тогда вы поймете, что неожиданное обогащение семьи Васильевых-Воронцовых связано с получением наследства барона Макмайера, который был женат на моей подруге Наташе[1]. А теперь до свидания.

— Тише, — поморщился Водоносов. — Экая, право, спичка. Никто не выдвигает против вас обвинений.

— Мне показалось иначе, — уперлась я. —

---

[1] Подробно эта история рассказана в книгах Дарьи Донцовой «Крутые наследнички» и «За всеми зайцами», издательство «Эксмо».

И вообще, какой смысл в этой беседе? Я не имею никакого отношения к произошедшему!

— Вот здорово, — хлопнул себя по бокам Сергей Петрович. — Это же ваши родители!

— Почему я должна вам верить? — обозлилась я. — Бабушка говорила иное, в метрике указаны Елена Ивановна и Иван Петрович.

— Документы! — Водоносов ткнул пальцем в папку.

— При современных технологиях можно состряпать любую бумагу, я видела в одном журнале фотографию, где Ленин обнимает Юрия Гагарина! Зачем вы меня позвали? — спросила я.

— Неужели вам неинтересно узнать правду о ближайших родственниках? — округлил глаза Водоносов.

— А по какой причине вы не сообщили мне о них раньше? Почему говорите о случившемся именно сейчас? — я стойко держала оборону.

Водоносов опять вынул сигареты:

— Среди украденных экспонатов самыми ценными были два кубка из чистого золота с драгоценными камнями. Мало того что в них драгметалла и всяких бриллиантов полно, вещи являются исторически уникальными, они датируются не помню каким веком и являются свадебными. Из одного пил муж, из другого молодая жена. Да, извините, забыл сказать, бокальчики-то из Китая, с ними связана какая-то местная легенда, но мне это неинтересно. А вот то, что за сей набор можно получить, по самым скромным подсчетам, около двух миллионов долларов, впечатляет.

— Да уж, — согласилась я.

— Тридцать первого декабря за час до полуночи таможня задержала в Домодедово некоего Майкла Степли, он собирался вылететь домой в Америку. Наверное, Майкл рассчитывал, что в такую ночь таможенники расслабятся и не станут тщательно досматривать пассажиров. Но, несмотря на праздник, наши ребята не потеряли бдительности и обнаружили у Майкла в сумке золотой кубок. Степли совершенно спокойно отреагировал на происшествие. Сказал, что один его приятель увлекается собиранием копий произведений искусства. Узнав, что Майкл летит в Москву по делам, он попросил его зайти к ювелиру, который сделал для коллекционера дубликат раритета.

Степли просьба не показалась обременительной, он заехал по указанному адресу, получил бокал и специальную справку, подтверждающую, что изделие изготовлено недавно и не обладает исторической ценностью.

Но таможенника что-то насторожило, Майкла не впустили в самолет, золотишко убрали в сейф, вызвали эксперта, а Степли, потребовавшего позвонить в посольство, заперли в комнате с вполне комфортными условиями — с телевизором, кофемашиной и газетами. Специалист-оценщик прибыл раньше американского дипломата и с уверенностью воскликнул:

— Это подлинник, отведите меня к задержанному.

Когда таможенники и искусствовед переступили порог комнаты, Степли был мертв.

— И что с ним случилось? — перебила я Сергея Петровича.

Водоносов откинулся на спинку кресла.

— На первый взгляд ничего особенного, сердечный приступ. Никаких следов насилия, токсикология чистая. Но потом дотошный эксперт обнаружил, что в организме Степли нарушен баланс калия. Тело еще раз изучили и нашли крохотный след от укола. Мы решили, что убийца ввел Степли лекарство, которое резко повышает уровень калия в организме, что приводит к сердечному приступу...

— А калий не определяется токсикологией, потому что является естественным для организма веществом, — вмешалась я в плавный рассказ Водоносова.

— Верно, — согласился Сергей Петрович.

— Если Майкл находился в тщательно запертой комнате, да еще в той зоне аэропорта, куда строго-настрого запрещен вход посторонним, значит, преступника следует искать среди своих, — сделала я очевидный вывод.

— Точно, — согласился Водоносов, — но после тщательного изучения места происшествия был обнаружен желатиновый шприц. Это...

Мне захотелось показать свою осведомленность, и я вновь перебила Водоносова:

— Нечто, похожее на капсулу, в которую помещают лекарство. Только шприц чуть больше и имеет крохотную иголку, это идеальный вариант для тех, кто вынужден постоянно делать себе уколы и не хочет привлекать внимание окружающих. Нужно просто вынуть из коробочки шприц, удалить защитный колпачок и вонзить в тело иголку. Пустую капсулу можно выбросить в корзину для бумаг. Из-за микроскопического объема она практически не заметна в мусоре. В России пока нет таких средств, но в Европе ими уже вовсю пользуются, я видела желатиновый шприц у одной знакомой в Париже.

— На капсуле обнаружены отпечатки Степли и никаких других, — продолжал Водоносов. — Это было самоубийство.

— По какой причине он себя убил? — изумилась я.

Сергей Петрович развел руками:

— Справка о новоделе была фальшивой. Майкл сообщил адрес, где якобы проживает ювелир, сделавший кубок, но там оказался продуктовый магазин. Он нам соврал.

— Это не повод, чтобы покончить с собой!

Водоносов нахмурился:

— В деле много странностей. Одна из них в самом кубке, их было два, и ценится именно пара! Единственный экземпляр тоже стоит немалых денег, но воровать имеет смысл оба бокала.

— Грабитель ошибся, — выдвинула я свою версию.

— Такие вещи крадут на заказ, — не согласился Сергей Петрович, — а знаток, который хочет получить раритет, не совершит оплошности. Почему Майкл вез один бокал?

— Может, набор разъединили для безопасности? Если одну его часть конфискуют, то есть шанс найти вторую, — предположила я.

— Вещи, которые умыкнули твои родители, ни разу не всплыли на поверхность, — пробурчал Сергей Петрович. — Их не выставляли на продажу ни в России, ни за границей, даже в смутные девяностые годы ни на одном аукционе в Америке или в

Европе не обнаружилось следов тех ценностей. Я был уверен, что они здесь, в России, лежат в тайнике. И вот кубок! Значит, я не ошибся!

— Рада за вас, но при чем тут я?

Сергей Петрович склонил голову:

— Я верю в карму!

Мне стало смешно.

— А в черную кошку и тринадцатое число?

— Понимаю, это звучит странно, — серьезно сказал Водоносов, — но я абсолютно убежден: если родители совершили преступление, расплачиваться за это придется детям. На них посыпятся болезни, несчастья, неудачи. Надо исправить чужие ошибки, и снова обретешь здоровье и счастье. Отец разрушил храм? Сын должен построить церковь!

Я ощутила давящую усталость.

— Что ты от меня хочешь? Говори прямо!

— Мы плавно перешли на «ты», — улыбнулся Водоносов, — это хороший признак.

— Я жду ответа!

— Экспонаты по сию пору лежат в тайнике.

— Я уже поняла.

— О его местонахождении знали лишь два человека: Игорь и Анна. Поговори с матерью, вероятно, она откроет дочери тайну. Столько лет прошло, думаю, Корольковой захочется наградить тебя за годы сиротства, — выдал Сергей.

Я оторопела, но потом ядовито сказала:

— Даже если твое ведомство может организовать мне командировку на тот свет, я не соглашусь отправиться в такое путешествие. Приходи с этим предложением лет через сто накануне моих похорон, вот тогда я попытаюсь выполнить твою просьбу, отыщу в райских садах Игоря с Анной и задам им ряд вопросов!

— С Корольковой можно пообщаться сегодня, — хмыкнул Водоносов, — она жива и, надеюсь, поймет, что лучше открыть секрет дочери. Не потащит же она с собой ценности в могилу.

Глава 6

— Жива? — переспросила я.

— Да, — кивнул Водоносов.

— Мама?

— Верно.

На меня напал судорожный кашель, Водоносов сгонял на кухню и принес полный стакан воды.

— Выпей, — заботливо предложил он.

Я послушно сделала пару глотков и зашипела:

— Почему ты сразу не сказал основную новость? Приберег сообщение под занавес?

Сергей отвел глаза.

— Я решил сначала ввести тебя в курс дела.

— Где живет Анна?

— Так ты к ней поедешь?

— Да, — заорала я, — прямо сейчас! Назови улицу, номер дома, квартиру. Она замужем? Дети есть?

Водоносов вытащил из портфеля листок.

— Тут все данные. Меня интересует только тайник! Кстати, сегодня за кражу ее никто не посадит!

— Анна здорова? — спросила я.

— Из психлечебницы она давно вышла, — ответил Сергей.

— И ни разу мне не позвонила, — протянула я.

— Не хотела портить дочери биографию.

— А после перестройки? — возмутилась я.

— Вот и задай ей этот вопрос, — быстро сказал Сергей. — Наверное, у Корольковой были свои причины не видеть тебя.

В обморочном состоянии я вышла во двор и села в машину, было от чего лишиться чувств. Мои родители, оказывается, воры! А я предполагала, что отец просто бросил маму, и та попала в психушку. Кстати, насчет клиники я не ошиблась, мать провела в сумасшедшем доме не один год! Значит, я Игоревна? Мой дедушка — не мой дедушка, он отчим папы и второй муж Афанасии. Елена Ивановна и Иван Петрович Васильевы фантомы. Что еще скрыла от меня Афанасия? И как я покажусь на глаза Анне Корольковой, кстати, если верить бумажке, которую всучил мне Водоносов, моя мать еще не совсем древняя старуха.

Я повернула ключ в зажигании и медленно выехала на проспект. Что я скажу Корольковой при встрече?

— Здравствуйте, меня зовут Даша. Я ваша дочь.

Интересно, как она отреагирует на это? Захлопнет дверь? Бросится меня обнимать? Или потребует метрику.

Как будет развиваться наш разговор дальше? Мне напрямик спросить:

— Где тайник? Верни украденное, нехорошо воровать экспонаты из музея!

Глупее и не придумать. И у меня нет никаких бумаг, доказывающих, что я родная дочь Корольковой. Хотя можно показать ей фото Афанасии! Надо сейчас зарулить в Ложкино и прихватить снимок. Надеюсь, Анна вспомнит свою свекровь. Черт возьми, я не могу назвать Королькову мамой! С другой стороны, разве она может на это претендовать? Сколько раз, когда меня обижали разные люди, мне в голову приходила горькая мысль: «Эх, будь рядом со мной мама и папа, наверное, они пожалели бы доченьку. Ну почему мне приходится всего добиваться самой? Отчего нет никаких близких родственников, кроме бабушки?» Конечно, я никогда не показывала ни отчаянья, ни боли, всегда старалась улыбаться, но порой мне становилось очень горько.

На глаза навернулись слезы, руки затряслись, я с трудом припарковалась у тротуара. В памяти неожиданно ожили давние обиды.

Андрей Малеев, которого я любила со всей страстью первокурсницы, после бурного трехмесячного романа меня бросил. На прощание он сказал:

— Ты хорошая, но мать против наших отношений.

— Почему? — пролепетала я.

— Мы не пара, — серьезно ответил Малеев. — Мой отец занимает высокий пост, мать работает в министерстве, а дед генерал. Наша семья приличная, а ты сирота с неизвестным прошлым. Что ты знаешь о своих родителях?

— Они погибли в горах, — прошептала я, — увлекались альпинизмом.

Малеев хмыкнул:

— Мама думает, что твои предки загнулись от пьянства. Можешь доказать обратное?

Я пережила предательство любимого и даже сделала вид, что сама послала Андрея по известному адресу, но с тех пор решила никогда никому не говорить о своем сиротстве.

А на работе? Пять лет Даша Васильева ждала ставки старшего преподавателя, а когда вакансия наконец появилась, на нее оформили Нину Терентьеву, двадцатидвухлетнюю пигалицу, только-только получившую диплом. Я возмутилась и задала завкафедрой вопрос:

— Почему она, а не я?

— Так решил ректор, — попыталась увильнуть от ответа дама, но я загнала ее в угол и услышала горькую правду:

— У Нины отец заведует отделом в НИИ, где работает сын ректора.

И подобных оплеух жизнь мне отвешивала много! Ладно, я выбивалась в люди сама, набила многочисленные шишки, но в конце концов стала на ноги и сейчас не только материально благополучна, но и счастлива. Не все родители могут помочь детям сделать карьеру и ссудить их деньгами. Но я была лишена возможности пожаловаться маме, уткнуться в ее плечо, рассказать о своих проблемах, желаниях, надеждах и мечтах. Около меня не было близкого по духу человека! Бабуля очень любила внучку, но мне не хватало родителей, в первую очередь мамы! И пусть вам это не кажется странным, но знание, что мать умерла, меня успокаивало. Да, я понимала: она не придет, потому что с того света не возвращаются. А если человека нет, то на его помощь не надеешься и можешь придумать любой, самый лучший образ матери.

Но она оказалась жива! Ходит по тем же улицам, что и я, вероятно, мы сталкивались в метро или в магазинах и расходились в разные стороны, не зная, что являемся самыми близкими людьми на свете. Почему она так со мной поступила? За что?

Я стукнула кулаком по рулю и тут же услышала писк телефона.

— Эй, ты ревешь? — спросил Пузиков.

— В моей машине установлена видеокамера? — огрызнулась я.

— Нет, — растерялся Фима, — просто голос такой... странный... Что случилось?

Я хотела привычно ответить:

«Все супер», — но тут в груди словно что-то лопнуло.

Воздух со свистом вырвался из горла, потом полились слова, впервые в жизни со мной приключилась истерика. Слава богу, длилось это не так уж долго, минут через пять я опомнилась, вытерла лицо рукавом и прошептала:

— Извини.

— Ерунда, — ответил Фима, — перестань размазывать рукавом сопли по морде.

— Откуда ты знаешь, что я делаю?

— У тебя никогда нет в сумке носового платка, — ответил Ефим.

— Верно, — слабо улыбнулась я, — постоянно забываю положить в бардачок упаковку.

— Это ерунда, — воскликнул Пузиков, — ты ведь знакома с Алиной Карякиной?

— Естественно, — подтвердила я.

— Алинка посмотрела фильм про то, как одна американка сгорела при автомобильной аварии, потому что не смогла открыть дверь машины и разбить лобовое стекло.

Я шмыгнула носом.

— Печально.

— Вот-вот, — сказал Фима, — Карякина решила, что с ней подобное произойти не должно, и теперь всегда возит с собой молоток. Если ее заклинит в салоне, Алина живо долбанет по стеклу и вылезет наружу.

— Предусмотрительно, — одобрила я.

— Погоди, ты не дослушала. Молоток Карякина держит в багажнике.

Мне стало смешно.

— Интересно, каким образом она собирается при аварии достать инструмент?

— Женская логика, — заржал Ефим, — главное, что кувалда есть, а как ее в нужный момент вытащить, уже неинтересно! Хочешь мой совет?

— Ну?

— Выпей кофе, приведи себя в порядок, поезжай в магазин и накупи барахла. Шопинг-терапия лучшее средство от стресса.

— Я собралась к Корольковой!

— Лучше поезжай завтра!

— Нет! Сейчас!

— Ты не в форме.

— Я уже спокойна.

— А то я не слышу твой дрожащий голос.

— Глупости!

— Ярость и обида плохие помощники при непростом разговоре, — заметил Фима.

— С чего ты взял, что я гневаюсь?

Ефим протяжно вздохнул:

— Представил себя на твоем месте и испытал весьма негативные эмоции. Езжай, развейся!

— Наверное, ты прав, — согласилась я. — Почему-то я чувствую себя невероятно усталой, словно таскала на плечах бетонные блоки.

— Стресс, — повторил Фима, — в кровь поступает адреналин, он начинает будоражить человека, и происходит сосудистый спазм. Я был не прав, лучше не пей кофе, а тяпни коньячку.

— За рулем?

— Ладно, я мальчик-идиот, выпей валерьянки.

— Лучше поеду в книжный за детективами, а потом на «Горбушку» за сериалами.

— Отличная идея, — обрадовался Пузиков, — накупи фильмов про пиф-паф и наслаждайся. Хочешь еще совет?

— Давай, — разрешила я.

— Не рассказывай пока домашним про Анну, не стоит!

— Предлагаешь скрыть от них информацию о внезапно обнаруженной матери?

Фима откашлялся.

— Королькова обвинялась в воровстве.

— Сто лет назад.

— Сумма ущерба, нанесенного твоими родителями государству, огромна!

— И что? Я не участвовала в ограблении.

— Аркадий адвокат, Дегтярев полковник милиции, у них на работе могут появиться проблемы. Клиенты не станут обращаться к законнику, чьи родственники совершили преступление, а Александр Михайлович вынужден будет доложить о происшедшем начальству, таков порядок.

Я молчала.

— Получается, ты обманывала всех, указывая в анкетах, что родители скончались.

— Так ведь я не знала правду!

— И кто тебе поверит? Лучше пока держать язык за зубами, — предостерег Фима, — завтра съездишь к матери, попробуешь с ней поговорить. Вероятно, она тебя выгонит. А может, Королькова в маразме. У нее есть дети?

— Дочь Марина, — сухо ответила я, — моя сводная сестра.

— Предполагаю, эта Марина не испытает эйфории при виде Дашутки, — заявил Фима. — Небось она считает себя единственной наследницей матери. А тут, бац, еще одна доченька! Делиться придется.

— Мне не нужны их материальные блага!

— Но сестричке это неизвестно! — перебил Пузиков. — Лучше отдохни, успокойся, завтра побеседуешь с ними, и тебе станет ясно: нужно ли своих домашних напрягать.

— Ладно, — согласилась я.

— И последнее. — Пузиков упорно не желал отсоединяться. — Бедным родственникам, внезапно возникшим из небытия, никто не рад. Ты оденься поприличнее, не в джинсы, прихвати торт, конфеты подороже. А то они решат, что ты хочешь им на шею сесть.

Я молча нажала на отбой, сил слушать поучения Фимы больше не было, хотя кое в чем он безусловно прав: не следует пороть горячку.

Глава 7

Приехав на «Горбушку», я подошла к одному из ларьков и спросила:

— Чего хорошее есть?

— Сериал «Дети любви», — зевнул продавец, на бейджике которого было написано «Костя», — все пять сезонов[1].

— Детектив? — оживилась я.

— Не, романтическая драма.

— Фу! Хочу криминальное кино, — воскликнула я.

Парень порылся на стенде и бросил на прилавок пару коробок.

— Во! «Череп».

— А это о чем?

Торговец почесал бритую макушку.

— Американские криминалисты ищут маньяков, вскрывают трупы, изучают их. Классно!

— Ой, не надо!

— Вы ж хотели про убийства?

— Верно, но так, чтобы без трупов!

Ларечник сдвинул брови.

— Иди в третий павильон. Там Макс мультиками торгует!

---

[1] Все названия фильмов выдуманы автором, совпадения случайны.

— Издеваетесь?

— Неа, ты первая начала! «Дайте про убийства без трупов». Где найти такое кино?

— Не хочу смотреть репортаж из морга, — объяснила я. — Пусть кого-нибудь убьют, но тихо и не демонстрируют во весь экран окровавленное тело.

— Могу предложить советское кино про Анну Каренину, — оживился парень, — прямо для вас! Бабу убили! И ничего не показали! Один паровоз во весь экран!

Внезапно плохое настроение меня покинуло.

— Спасибо, про Анну Каренину не надо.

— А зря, — соблазнял покупательницу продавец, — лента на любой вкус! Там и любовь, и смерть, и скачки. Правда, не из современной жизни, про тысяча пятьсот тридцать седьмой год!

— Каренина бросилась под паровоз! — напомнила я.

— Ну? Вот и труп!

— В шестнадцатом веке никто про железную дорогу не знал, — я ввела его в курс дела. — Фильм снят по книге Льва Николаевича Толстого.

— Ага, — кивнул продавец, — его жена на телике программу ведет! У них там все родственники, баба в студии, мужик кинушки снимает, а ихние дети в сериале играют. Мафия!

Я потрясла головой.

— Чья жена телеведущая?

— Ну... эта... — защелкал пальцами «киновед», — забыл... имя странное! От нее еще тараканы убежали!

Я на всякий случай попятилась от прилавка, но любопытство всегда было сильнее меня, поэтому я решила уточнить, о ком говорит продавец.

— От кого сбежали тараканы?

Парень скорчил страдальческую гримасу.

— Она не умывалась... ну... из маминой спальни выходит типа кран...

— Мойдодыр! — озарило меня.

— О! — обрадовался собеседник. — В точку.

— И какое отношение он имеет к Анне Карениной? — обалдела я.

— Так у жены имя, как у той, с тараканами, — заулыбался Костя, — ща, из головы вылетело. У меня сынишка, ему жена недавно вслух читала!

— Анну Каренину? — изумилась я. — Маленькому ребенку? Конечно, нужно приучать отпрыска к классической литературе, но роман о даме, изменившей своему мужу, не лучший выбор для ребенка. И, простите, вы запамятовали, как зовут вашу супругу?

— Я че, идиот? — нахмурился Костя. — Наташка! За фигом вам про нее знать?

— Сами сказали «имя у жены заковыристое», — я попыталась превратить идиотскую беседу в разговор разумных людей.

— Так я не о Натке балакал, — засмеялся продавец, — во, про него! Мужик, Лев Толстой, снял кинушку, дюдик с любовью, а его жена на телевидении светится! Имя у бабы, как у стиха про тараканов! А моя Наташка Мишке читала! Понятно?

Я откашлялась.

— Супругу Льва Николаевича Толстого звали Софья Андреевна, она, на мой взгляд, была очень несчастлива в семейной жизни, граф вел себя некрасиво по отношению к ней. Но госпожа Толстая скончалась задолго до изобретения телевизора!

— Она померла, а он второй раз женился на молоденькой, — не сдался Костя, — обычное дело.

— Писатель Лев Толстой умер в тысяча девятьсот десятом году.

— Этта вы путаете, — отрезал продавец, — я сам видел его бабу! Ниче, хорошенькая! Черт! Ну и имя у нее! Про посуду!

— Про посуду? — в полнейшем недоумении повторила я. — Телеведущую зовут, как кухонную утварь?

— Ага, — кивнул парень.

— Сковородка?

— Неа.

— Кастрюля?

— Да вы че!

— Вилка? Хлебопечка? Плита? — тупо перечисляла я.

— Ну, е-мое, — Костя хлопнул рукой по прилавку, — знаете вы расчудесно и девку, и книжку! Просто забыли! От нее все ушли... по полям, по лугам.

— Федорино горе! — воскликнула я.

— Федора! — подпрыгнул Костя. — Вау! Точно!

— Детские стихи про плохую хозяйку написал Корней Иванович Чуковский, — менторски произнесла я. — Он не имеет никакого отношения к Льву Николаевичу Толстому!

— Вы ваще без понятия, — заявил Костя, — Федорой зовут телеведущую, которая жена Толстого. Ясно?

Я оперлась о прилавок:

— Не Федора, а Фекла, Фекла Толстая, очень симпатичная и умная девушка, она хорошо образована и прочитала горы книг. Вот только супругой Льва Николаевича Фекла никогда не была.

— Как же она на телик попала? — хитро прищурился Костя. — Туда только своих берут.

— А писательница Татьяна Толстая, которая тоже работает в «Останкино»? — засмеялась я. — По-вашему, и она жена нашего классика? Толстых в русской литературе было много. Несмотря на одинаковые фамилии, Фекла и Татьяна не родственницы. Первая имеет прямое отношение к Льву Толстому, а вторая к Алексею, тоже замечательному писателю.

— Они там все в родстве. Простому человеку не пролезть, — уверенно заявил Костя. — Меня, например, не приглашали на телевидение. А почему? Ясно ж, кому нужен парень с улицы. Так берете дюдик про Каренину?

— Спасибо, не надо, — отказалась я, — пойду дальше.

— Во народ, — разочарованно забубнил Костя, — сами не знают, чего хотят! Возьмите документальный фильм «Подвалы Лубянки»[1]. Его снял журналист, которого убили за то, что он кучу тайн понараскрывал. Шоколадное кино получилось, все правда! Забирайте последний диск, недорого отдам, со скидкой.

Чтобы не разочаровывать парня, я протянула ему деньги, сунула покупку в сумку, вышла на улицу и услышала недовольный звон мобильного.

— Дашунчик, ты где? — зачирикала Галя Мысина. — Мы с Александром Михайловичем уже

[1] Название придумано автором.

приехали! Он очень нервничает, даже от ужина отказался, бедняжка!

— Если Дегтярев пропустит прием пищи, ему от этого станет только лучше, — ответила я, садясь в машину. — У нашего борца с преступностью десять лишних килограммов веса.

— При чем тут полковник? — удивилась Галка. — Ты забыла про мою просьбу?

— Нет, — возразила я, тщетно пытаясь вспомнить, по какой причине Мысина решила посетить Ложкино, — у меня с памятью полнейший порядок. И что вы там поделываете с Александром Михайловичем?

— Он весь на нервах, — затараторила Галка, — сначала носился по лестницам с первого этажа до мансарды: вверх-вниз и обратно. Я оторопела от его скорости, прямо в глазах зарябило!

Я чуть не врезалась во впереди идущую машину, но, слава богу, успела вовремя крутануть рулем и, краем уха слушая раздавшиеся недовольные гудки, спросила:

— Бегал по лестнице? Александр Михайлович?

— Ага, — подтвердила Галя, — четверть часа гонял. Наверное, от стресса.

Я опешила, полковник терпеть не может физические упражнения. В свое время мы с Машей пытались заставить его посещать спортзал, даже подарили абонемент в фитнес-клуб, но толстяк заглянул туда всего один раз. Больше всего он уважает два вида упражнений: плотный ужин и крепкий сон. Никакие рассказы о гиподинамии, необходимости движения и грозящих тучному человеку болезнях не пугают приятеля. Он, правда, периодически садится на диету и стоически выдерживает ее в промежутке между завтраком и обедом. Скакать по лестницам совершенно не в духе Дегтярева, он ходит по ступенькам медленно, осторожно, со скоростью беременного бегемота. Что происходит у нас дома?

— И где ты? — вопрошала тем временем Галка. — Далеко до Ложкина?

— Может, за час доберусь, — оптимистично пообещала я, — хотя ничего гарантировать не могу.

— Боюсь, я не смогу тебя дождаться, — огорчилась Мысина.

Я испытала радость, но постаралась скрыть ее и лицемерно воскликнула:

— Вот жалость!

На самом деле у меня не было ни малейшего желания общаться с Галкой и выслушивать сплетни, которыми ей не терпелось поделиться, но неприлично же сообщать об этом Мысиной. Мы с ней явно договорились встретиться, Галка не из тех людей, которые сваливаются на голову без предупреждения. Я просто начисто забыла о запланированном приезде гостьи, и это неудивительно, учитывая мое потрясение после известия о живой матери.

— Я могу опоздать на самолет, — объясняла ничего не подозревавшая о моих мыслях подруга, — поэтому оставляю тебе Александра Михайловича и сматываюсь. Пожалуйста, присмотри за ним, бедная Нинка с ума сойдет, если любимчик захворает.

В моей голове словно включился свет. Ну конечно же! Утром Галка попросила меня пригреть на недельку некоего Александра Михайловича, тезку нашего Дегтярева, кавалера Галкиной сестры Нины. Значит, это он, а не полковник со скоростью звука носился по лестнице. Похоже, дядечка не совсем нормален, он не способен находиться один дома, Мысина побоялась отпустить сего джентльмена к нам без сопровождения, а, прибыв в гости, этот тип стал использовать лестницу в качестве тренажера. Хотя Галя упоминала о том, что Александр Михайлович спортсмен, чемпион, вероятно, он боится потерять форму и использует каждую возможность для тренировки. Ну что ж, такое поведение похвально, надеюсь, Дегтярев вдохновится его примером и тоже будет изредка шевелить ластами!

— Не обидишься, если я сейчас уеду? — спросила Мысина.

— Нет, — не подумав, ляпнула я и тут же исправила оплошность. — Жаль, конечно, что мы не пообщались, но работа важнее.

— Я тебя обожаю! — ажиотированно воскликнула Мысина. — Сейчас чаю глотну и унесусь! Ирка испекла чудо-пирог! С ягодами.

— Она отлично готовит, — я решила не выдавать домработницу, которая абсолютно не умеет печь пироги.

Откуда взялась аппетитная выпечка? Ира просто разморозила готовое изделие и ничтоже сумняшеся выдала его за собственное творение.

Я нажала на газ и... домчалась до нашего дома за пятнадцать минут. Можете мне не верить, но Кутузовский проспект, МКАД и Ново-Рижское шоссе были практически пусты. В шесть часов вечера это казалось невероятным, и я на всякий случай включила радио, вдруг в Москве приземлились инопланетяне и все автолюбители ринулись к месту их посадки. Другая причина отсутствия пробок просто не пришла мне в голову.

Не успела я войти в дом, как в холл выскочила страшно довольная Галка.

— Дашута! Ты летела ракетой! — воскликнула она.

— Невероятное везение, — не скрыла я удивления, — по дорогам ехало три с половиной автомобиля.

— Отлично! — возликовала Мысина. — Сейчас познакомлю тебя с Александром Михайловичем. Он милашка! Душка! Очаровашка!

— Прекрасно, — кивала я, не понимая, почему наши собаки не выбежали, как обычно, в прихожую.

— Эй, эй, — закричала Галка, — Александр Михайлович! Иди сюда! Милый, поторопись!

Из столовой важно, словно авианосец, выплыл Дегтярев.

— Что случилось? — без особой радости спросил он. — Пожар? Зачем мне бежать во весь опор? Только сел попить чаю!

— Ты вернулся из командировки, — улыбнулась я, — как съездил?

— Отвратительно, — заявил полковник, — поэтому рассчитываю без эксцессов насладиться чаем вкупе со сливовым пирогом. Говорите, чего хотите, и оставьте меня в покое!

— Тебе нужен Дегтярев? — повернулась ко мне Мысина.

— Нет, — замотала я головой, — вернее, сейчас нет.

— Зачем тогда меня звали? — начал злиться полковник. — Орали: Александр Михайлович!

— Это не тебя, — засмеялась Галка.

Дегтярев покраснел.

— У нас завелся еще один Александр Михайлович?

— Точно! — подтвердила Мысина.

— Он здесь временно поживет, — быстро сказала я, — всего недельку.

Полковник закатил глаза, но удержался от комментариев, однако Мысина чутко уловила недовольство толстяка и зачастила:

— Никаких проблем не будет. Веселый, контактный, с чувством юмора, аппетит прекрасный, он очень аккуратный, вообще без недостатков! Сейчас вас познакомлю. Эй! Александр Михайлович! Сюда! Эй, фью, фью...

Вытянув губы трубочкой, Мысина засвистела, мне стало любопытно: как выглядит мужчина, которого подзывают таким оригинальным образом?

Сверху послышался быстрый дробный топот.

— Кто это скачет на втором этаже, в библиотеке? — задрал голову полковник.

— Увидишь, — загадочно ответила Галка и заорала еще отчаянней:

— Эгей! Александр Михайлович! Живо! Пст!

Дегтярев сделал было шаг по направлению к Галке и тут же побагровел, я прикусила губу, чтобы не рассмеяться. Топот переместился левее, стал приближаться, в конце концов на лестнице показалось маленькое бело-рыжее тельце, несущееся к нам со скоростью камня, выпущенного из пращи. Я попятилась и уперлась спиной в стену. Собака! Пес, размером меньше Хуча, но больше Жюли и, похоже, у него шестнадцать лап. Ни один из членов нашей стаи не способен передвигаться с такой безумной скоростью.

Внезапно собачка замерла.

— Дорогой, — пропела Галка, — иди сюда, познакомься!

Кобелек взвизгнул, подпрыгнул и кубарем скатился по ступенькам, по дороге он задел одну из напольных ваз, украшавших лестничную площадку. Она покачнулась, шлепнулась на бок и покатилась вниз. Песик добавил скорости и очутился у ног Дегтярева. Через секунду к домашним тапкам полковника добралась ваза и рассыпалась веером осколков.

— И-и-а-а, — визгливо заорала собачка, потом присела на задние лапы и взвилась в воздух.

Я много лет общаюсь с животными и считаю себя почти ветеринаром. Конечно, оперировать под общим наркозом я никогда не возьмусь, но постричь когти, почистить уши, сделать укол, обработать рану, короче говоря, оказать первую помощь могу легко и хорошо знаю, на что способны собаки. В Ложкино часто привозят на передержку представителей самых разных пород. Был у нас спаниель, самозабвенно плавающий в пруду, алабай, без проблем спавший по несколько часов в сугробе, пудель, игравший в футбол лучше Бэкхема, но, поверьте, мне никогда в жизни не встречался пес, способный с места допрыгнуть до лица взрослого человека, облизать его, а потом, не приземляясь на пол, перелететь ко второму гомо сапиенс и повторить сладкий поцелуй.

Глава 8

— Это Александр Михайлович? — ошарашенно спросил Дегтярев, вытирая рукой щеку.

— Да, — кивнула Галка.

— Он собака? — отмерла я.

— Ну конечно, — пожала плечами Мысина, — кто ж еще?

Действительно, я задала глупый вопрос. Ну кого, кроме безумного пса, можно назвать Александром Михайловичем? Не взрослого ведь мужчину! «Александр Михайлович» — самая распространенная кличка для четвероногих.

— Милашка, — умилилась Галка и попыталась погладить без устали скачущего песика.

— Ты вроде говорила, что он спортсмен, — съязвила я.

— Чемпион, — гордо ответила Мысина.

— По шахматам? — вырвалось у меня.

Подруга засмеялась, потом ухватила пса за хвост:

— Эй, Александр Михайлович, сядь!

Дегтярев вздрогнул.

— Куда? На пол? Тут же нет стульев.

— Я собаке говорю, — заржала Мысина.

Полковник стал медленно наливаться краской.

— А можно это чудовище именовать по-другому?

— Как? — поинтересовалась Галка. — Его кличка Александр Михайлович!

— Черт побери, — не вынес полковник, — нельзя звать пса, как человека!

Галка заморгала.

— Почему?

— Это не принято! — взревел Дегтярев, шумно вздохнул и чуть тише добавил: — У кобелей не бывает отчества!

— У дворовых и тех, кто живет без документов, да. Но он! — Галка попыталась удержать отчаянно вертящееся, покрытое короткой шерстью тело. — Он назван в честь Александра Македонского, отец у нашего чемпиона был Михаил Пятый Феликс Австрийский-Варшавский из Литл-Хамера на Эльбе. Следовательно, сын — Александр Михайлович Феликс Австрийский-Варшавский из Литл-Хамера на Эльбе с московским клеймом!

— Жесть, — выронил приятель.

— И в отличие от тебя, — ополчилась Мысина на несчастного полковника, — он знает своих родственников до восемнадцатого колена! А ну, немедленно отвечай, как звали твою прабабушку?

— Понятия не имею, — растерялся Дегтярев, — даже не уверен, что она у меня была!

— Здорово, — подпрыгнула Мысина и вытащила из сумки небольшую книжечку. — Это родословная песика! Читаем! Прабабушка: Элиза Эдуардовна фон Рок из замка Бец Бон в Шотландской Виргинии с киевским клеймом! Ты можешь похвастаться родственницей из Шотландской Виргинии с киевским клеймом?

— Нет, — честно признался полковник.

— Вот и молчи, — фыркнула Галя.

— И в каком же виде спорта он чемпион? — спросила тихо стоявшая до сих пор Ирка.

— Предполагаю, что по фигурному катанию, — не утерпел приятель, — или по стрельбе из лука!

— Боже! — закатила глаза Мысина. — Вы невероятные люди!

Галка вновь залезла в сумку, вытащила оттуда довольно большую кожаную коробку и протянула мне.

— Смотри!

Я открыла крышку и увидела странные ярко-желтые зажимы.

— Заколки для галстуков? Зачем столько?

Мысина посмотрела на меня с превосходством.

— Чукча! Это ежедневные медали! Неужели никогда не видела?

— Если эти железки, как ты выразилась, ежедневные медали, значит, есть еще и праздничные знаки отличия? — предположил полковник.

Мысина повертела пальцем у виска:

— Вы беспросветная темнота! Разве военные таскают на мундирах ордена? У них есть такие разноцветные полосочки!

— Планки, — уточнил Дегтярев.

— Французы называют их «фруктовый салат», — я не упустила момента продемонстрировать глубину своих знаний.

Галка потрясла коробкой.

— Это собачьи планки, их цепляют на попону или пальтишко! Александр Михайлович без знаков отличия гулять не пойдет, а медали только на выставках демонстрируют. Он трехкратный чемпион мира по доставанию бобров из нор.

— Ох и ни фига себе, — воскликнула Ирка, — охотник, значит.

— Ужасно! — возмутилась я. — Несчастные бобры! Какое право имеет собака выгонять их из собственных квартир?

— А шубки? — алчно воскликнула Мысина. — Манто из бобра шикарная вещь.

Мне захотелось стукнуть Галку, носить пальто из шкуры животного бесчеловечно!

Послышался тихий скрип, я машинально посмотрела в сторону лестницы. Из-за балясин выглядывал Хучик, мопс прятался на площадке между первым и вторым этажом, там где лестница делает поворот. Поведение Хуча меня удивило, как правило, он весело встречает хозяйку у входной двери, бежит впереди стаи, а сейчас опасливо высовывается из укрытия.

— Милый, иди сюда, — позвала я.

Мопс деликатно кашлянул, чемпион вздрогнул, взвизгнул и стрелой полетел вверх по ступенькам, походя спихнув вторую напольную вазу, которая тоже скатилась к ногам Дегтярева и превратилась в фарфоровую пыль.

— Слава богу, — всплеснула руками Ирка, — до чего мне надоело с этих дур пыль вытирать!

— Куда он так ринулся? — спросил Дегтярев.

Я открыла рот, и тут же услышала яростное рычание и визг Хуча.

— Убивают! — завопила Ирка.

— Сейчас же отцепись, — раздался Машин крик, — откуда ты взялся!

Я ринулась в библиотеку и застала там душераздирающую картину. Хуч лежал на спине, задрав все четыре лапы, у него на животе гордо восседал

Александр Михайлович (надеюсь, вы понимаете, что речь идет не о полковнике) и пытался укусить бедолагу за толстую шею.

С быстротой кошки я схватила чемпиона за хвост и сдернула на пол, Хуч, проявив невероятную резвость, испарился в мгновение ока.

— Он хотел сожрать мопса! — ожила Маша.

— Перепутал его с бобром, — подал голос появившийся Дегтярев.

— Убийца, — припечатала запыхавшаяся Ирка, — ну, Дарь Иванна, и зачем вы только согласились его передержать!

— Полагала, что Александр Михайлович мужчина, — промямлила я.

— А теперь возникли сомнения? — начал злиться полковник.

— Я имею в виду собаку, — уточнила я. — Галка ничего не сказала про нее и...

— Надо немедленно вернуть ей пса! — встрепенулась Маша и побежала вниз.

Я, держа под мышкой успокоившегося чемпиона, пошла за ней. В холле было пусто, мы с Маней выглянули во двор и увидели, что машины Мысиной нет. Звонки на мобильный не дали результата, Галка не снимала трубку.

— Не знаю, как вы, а я, пока в доме охотится на бобров это чудовище, отказываюсь выходить из спальни, — гордо заявил Дегтярев и удалился.

— Неприятная ситуация, — констатировала Машка.

— Ума не приложу, что делать, — призналась я, — может, водить гостя по дому на поводке?

— Только на меня не рассчитывайте, — испугалась Ирка, — я боюсь таких злобных!

— Он просто хорошо выполняет свою работу, — защитила Александра Михайловича Маня, — думаю, ему надо объяснить наши порядки.

— Шикарная идея, — согласилась Ирка, — и как это сделать? Я не владею разговорным лаем.

Маня выхватила у меня чемпиона:

— Мы идем в гостиную, а вы зовите туда ребят.

Мы с Иркой отправились искать собак. Хуч был обнаружен в гардеробной, за коробкой с босоножками, Банди нашелся в бане, он тихо лежал в пустом джакузи, Черри спала в гостевой комнате под ковром, Снапа я выковырнула из-под буфета, а Жюли выудила из корзинки с картошкой. Наша стая никогда не проявляет агрессивности, вот и сейчас никто не щелкал зубами, не рычал с угрожающим видом, просто собаки не хотели общаться с наглым гостем.

Когда все очутились в гостиной, Маня стала по очереди подносить чемпиона к морде каждой собаки и говорить:

— Это не бобер, изволь с ним подружиться! Ты понял? Никакой охоты!

Потом она посадила хулигана на ковер и заявила:

— Ты будешь Чемп!

Охотник моргнул и покосился на Снапа.

— Мы не можем звать тебя Александр Михайлович, — продолжала Маруся, — ну как, скажи, ужин подавать? Позовем тебя, к миске прибежит Дегтярев. Чемп отличная кличка, все поймут, что ты настоящий чемпион.

— Так он тебя и понял, — засмеялась Ирка.

Чемп чихнул, потом упал на живот, подполз к

Хучу и перевернулся на спину, продемонстрировав мопсу розовое брюхо.

— Один ноль в нашу пользу, — подпрыгнула Маруська, — нечеловеческого ума пес, с первого раза усек проблему, он просит у Хучика прощения.

— Притворяется, — отрезала Ирка, — при нас паинькой прикидывается, а ночью он мопса, как бобра, перекусит.

Чемп повернул голову, наградил домработницу презрительным взглядом, затем облизал морду Банди, который ранее с некоторой опаской наблюдал за братанием гостя и Хуча.

— Можно спокойно заниматься своими делами, — запрыгала в восторге Маня и убежала.

— Если услышишь звуки драки, — попросила я Ирку, — немедленно вылей на дерущихся воду и зови нас.

— Не хочу с ведром по дому рассекать, — мрачно ответила Ирка, — и пока вы добежите, этот, с позволения сказать, Чемп, меня сожрет.

— Он охотится на бобров, — напомнила я, — ты намного крупнее.

— По-вашему, я жутко жирная? — нахмурилась Ирка.

— Нет, конечно, но, согласись, человек больше бобра, — улыбнулась я.

— Значит, я толстая! — со слезами в голосе настаивала Ира.

— Ты мощнее бобра, и это естественно.

— Отвратительная корова!

— Речь идет о не очень больших млекопитающих!

— Свинья просто! — прошептала домработница.

— При чем здесь хрюшки? — не поняла я.

— Они безостановочно едят и носят халаты семьдесят шестого размера, — захлюпала носом Ирка.

— Ты меня не поняла!

— Расчудесно все слышала! У меня отличный слух!

— Пусть так, но услышать и слушать — разные глаголы.

— Я глухая, да? Жирная, да еще с больными ушами, — застонала домработница. — Взяли и обидели.

— Ира, успокойся, — утешила ее я, — выпей чаю, посмотри телик.

— Ой, не к добру такая забота, — запричитала Ирка.

Я поспешила уйти из гостиной, иногда у нашей прислуги в мозгу происходит короткое замыкание. Скорей всего, Ирка здорово испугалась Александра Михайловича, то есть Чемпа, поэтому и впала в ступор.

Сейчас в доме царила полнейшая тишина. Многолетнее посещение кружка при Ветеринарной академии принесло свои плоды, Маруська замечательно разбирается в психологии собак, вон как быстро она приструнила Чемпа.

В ту же секунду из столовой донеслось тихое позвякивание, сопение и довольное урчание. Я тихо вошла в комнату, большую часть которой занимает длинный овальный стол с двенадцатью стульями, и онемела от негодования. На зеленой шелковой скатерти стоял Хучик и, обмирая от восторга, лопал из хрустальной «лодочки» мармелад. А по длинной столешнице туда-сюда с космической скоростью метался Чемп, ухитрявшийся одновременно воровать зефир, облизывать шоколад и грызть курабье.

— Хулиганье! — ошалело произнесла я.

Бело-рыжее тело со скоростью молнии сигануло вниз и пропало. Хуч растерялся, поднял морду и выпучил свои и без того огромные глаза.

— Приличные мопсы не тырят сладкое, даже если их подбивают на это отвязные охотники за бобрами, — укорила я Хучика, — сам бы ты ни за какие пряники не додумался сюда забраться. Дорогу к лакомствам тебе указал Чемп. Ну а теперь оцени нового приятеля по достоинству. Он сбежал, а тебя бросил, это красиво?

Хучик начал тихо выть, я взяла его на руки, поставила на пол и заявила:

— Сделай нужные выводы, не ходи с Александром Михайловичем в разведку. Кстати, тебе вреден сахар во всех его видах, живот заболит, уши зачешутся. На первый раз я тебя прощаю, но помни, ты взрослая собака, живи своим умом, не проказничай с Чемпом.

— Чего случилось? — заглянула в столовую Ирка.

— Хочу форточку закрыть, — я решила не выдавать Хуча, — дует.

На следующий день около полудня я, припарковав машину возле небольшого магазинчика, пошла к кирпичной пятиэтажке, серевшей в глубине двора. Сто восемьдесят третья квартира оказалась на четвертом этаже, лифт в доме отсутствовал, а на крохотной лестничной клетке, куда выходили еще три двери, было не повернуться. Тут стояли детская коляска, санки, ящик из-под бананов, набитый деревяшками, и два пакета с мусором.

Стараясь глубоко не дышать, я нажала на звонок.

— Чего надо? — прохрипело из квартиры.

Голос был слишком низким для женщины и слишком высоким, чтобы принадлежать мужчине.

— Анна Королькова здесь проживает? — ответила я вопросом на вопрос.

Послышался скрип, ободранная дверь приотворилась, мне в лицо пахнуло отвратительным «букетом» из кошачьей мочи, протухшей рыбы и чеснока. Толстая бабища в замызганном спортивном костюме и в массивных мужских ботинках глянула на меня из-под челки, «сосульками» падающей на лоб.

— И чего надо? — апатично повторила она.

— Позовите Анну Королькову, — попросила я.

— Бабку, штоль?

— Да, пожалуйста.

— Она уехала, — почесывая голову грязными пальцами, заявила тетка.

— Скоро вернется? — спросила я.

— Ну... может, через три месяца, — зевнула бабища.

— Куда же могла так надолго отправиться пожилая женщина? — удивилась я.

— Отдыхать. В деревню.

— Зимой?

— И че? Там хорошо, воздух свежий.

— Простите, как вас зовут? — решила я наладить контакт с непривлекательной особой.

— Марина, — прогудела хозяйка. — Слышь, одолжи сотняшку, трубы горят!

— У вас пожар? — не поняла я.

— Сушняк, — пояснила грязнуля.

И тут до меня дошел смысл услышанного.

— Вы Марина? Дочь Анны Корольковой?

— Ты не ошиблась, — прокашляла в ответ пьяница, — так че про сотенку? Окажешь помощь инвалиду?

Ноги приросли к полу, по спине пробежали мурашки, потом лопатки вспотели. Я вижу свою сводную сестру! Люди, скажите мне, что это сон!

Глава 9

— Ты че, больная? — насторожилась Марина.

Я, стряхнув с себя оцепенение, вынула кошелек, нашла розовую бумажку, протянула алкоголичке и осипшим голосом спросила:

— Можно войти?

Неожиданно обретенная родственница спрятала купюру за пазуху и вполне вежливо ответила:

— Заходи!

Я ввинтилась в крошечную прихожую и поняла, что очутилась в копии своей давней квартиры в Медведково.

— Из собеса, что ли? — скривилась Марина, но быстро исправилась: — Не, они денег просто так не дадут!

Я, уже успев прийти в себя, постаралась улыбнуться и равнодушным голосом заявила:

— Я представляю общество «Дружба».

— Чего? — вытаращила глаза хозяйка.

Я не успела придумать дальше, потому что распахнулась дверь санузла и оттуда вышла девушка в одних трусиках, голову ее украшал тюрбан из рваного полотенца.

— Навставали тут, — заругалась она, — не пройти. Че у двери топчетесь?

— Ну ваще, ты даешь, — нахмурилась Марина, — Ленка, хоть прикройся!

— Жарко, — заявила та, направляясь в комнату.

— Без стыда совсем, — укорила Марина, — чужой человек пришел!

— Я у себя дома, — огрызнулась Лена и исчезла.

— Ваша дочь? — завязала я разговор.

— Никогда, — отрезала Марина, — слава богу, у меня детей нет. Это соседка, Ленка.

— Здесь коммунальная квартира? — поразилась я.

Марина сложила руки на груди.

— А жить как? Я больная, работать долго не могу! Только начну шваброй по полу шкрябать, голова кружится, кровь приливает, давление скачет. Ведро с водой не поднять, а жрать охота! И мамоньку кормить надо! Лекарства ей покупать! Мама у человека одна! Дай еще сотняшку! Вишь, как нам плохо? Пустила за деньги Ленку пожить, а та не платит и хамит. Голая из ванной выскакивает. Из-за нее мамочка в деревню укатила! Нервы не выдержали!

По опухшим щекам алкоголички поползли две мутные, как капли самогонки, слезы.

— А не бреши-ка. Все она врет! Вы из собеса? — закричала Лена, выскакивая из комнаты.

Я опять не успела ответить, жиличка, натянувшая джинсы и ярко-красный свитер, с пулеметной скоростью затараторила:

— Ни слова правды от Маринки не услышите! Первого числа за ее халупу я шесть тысяч рублей отдаю, ни разу не задержала! А она деньги схапает и через два дня начинает: плати за воду, много льешь, добавь на газ, ты картошку варишь. А электричество? Я за весь счетчик вношу!

— Это по справедливости! — взвизгнула Марина. — Мне свет не нужен, спать ложусь рано, а ты до утра колобродишь! Всю кухню прокурила!

— У тебя там дерьмом несет, — завизжала Лена, — я от вони спасаюсь! Кто у меня платок украл?

— Я?

— Ты!

— Сука!

— ...!

— ...!

— Прекратите! — прикрикнула я.

— Она первая начала, — не успокоилась Лена.

— Это Ленка хай завела, — в унисон подхватила Марина.

Меня стало подташнивать, но я посоветовала девице:

— Елена, если вы не можете найти контакт с хозяйкой, смените квартиру! Это легко сделать хоть сейчас!

— Я заплатила за январь, — почти мирно ответила Лена, — и мне удобно здесь, рынок через дорогу, на работу за минуту добегаю. Маринка не плохая, с ней договориться можно, но пьет, отсюда и беда!

— А ты наркоманка! — вскипела Марина.

— Я?

— Ты!

— Сука!

— ...!

— ...!

Понимая, что происходящее начинает напоминать день сурка, я открыла кошелек.

— Марина!

— Ась? — отвлеклась от скандала хозяйка.

— Видите купюру?

— Тыща! — воскликнула алкоголичка.

— Вы ее получите, если скажете, где находится сейчас Анна Королькова.

— Деревня Ивановка, — мигом выпалила хозяйка, — от Москвы недалеко!

Я протянула Марине ассигнацию.

— Теперь назовите улицу и номер дома и по какому шоссе из столицы туда ехать?

— Там один проспект, — заржала пьянчуга, хватая «гонорар» и кидаясь в комнату, — от магазина до старого кладбища! А изба последняя, за ней овраг! Про шоссе не помню, то ли на север, то ли на юг! Ну, покедова!

— Вы уже не молодая, а наивная, — протянула Лена, когда дверь за хозяйкой захлопнулась, — она ж вас обманула! А кто такая Королькова?

— Мать Марины, — пояснила я.

— Бабка?

— Да уж не девочка, — вздохнула я, — ей немало лет.

Лена схватила меня за руку и с заговорщицким видом прошептала:

— Она давно померла!

— Королькова? — уточнила я.

— Мамашка Маринкина, — кивнула Лена.

— Зачем же дочь говорит, что мать в деревне?

— А пенсия? — фыркнула Лена. — Бабке она положена, там хорошая сумма набегает, несколько тысяч. Знаете, че Маринка придумала? Над ней, в сто восемьдесят седьмой, бабулек живет, тетя Рая. Вот они и сговорились, каждый раз, когда пенсию приносят, баба Рая тут поджидает, покажет паспорт доставщику, он ей рублики и вручает, а потом они с Ленкой чужой приход делят.

— Неплохая идея, — кивнула я, — но, думаю, вы ошибаетесь. По документам Раисы пенсию Корольковой не дадут!

— Мозг нагрей, — посоветовала Лена, — она не свой паспорт показывает!!

— Если Королькова умерла, то загс, выдавая справку о смерти, аннулировал бы паспорт покойной, сообщил в собес, и выплаты не было бы, — разъяснила я.

— Наивняк, — с жалостью усмехнулась Лена, — совсем жизни не знаешь! Не так умные люди поступают! Бабку из Москвы увезли, паспорт себе оставили. Она в деревне померла, там земли много, не город, закопали под елкой и забыли. Никаких справок не надо, для государства она живая, соседка ейные рублики получает! Супер-пупер всем!

Я не поверила Лене:

— Интересно, но фото в паспорте другое!

Лена взъерошила рукой влажные волосы:

— Документ ей хрен знает когда выдали, на снимке она еще ничего себе тетка, вполне приличная. А через годы она старухой стала, на карточку ваще не похожа! Кто их, старперов, друг от друга отличит? Вы с бабой Раей потолкуйте, она много чего знает! В отличие от Маринки положительная, не пьет, не курит!

— Только пенсию ворует, — не утерпела я.

— Государство виновато, — резонно заявила Марина. — На подачку от правительства не прожить, вот и крутятся старухи! Хорошо, если дети помогают! Но у многих они, как Маринка, не просыхают! Приходится выживать самостоятельно.

— Я хочу продолжить разговор с Мариной, — вздохнула я.

— Не о чем нам болтать, — сказала хозяйка, появляясь в прихожей и хватая с вешалки замызганный китайский пуховик, — мне пахать пора!

— И где вы служите? — спросила я.

— Государственная тайна, — провозгласила алкоголичка.

— У метро в магазине полы метет, — сообщила Лена, — очень важная работа, о ней нельзя трепаться.

— Пошла ты, — огрызнулась хозяйка и выскочила на лестницу.

Я хотела кинуться за ней, но была остановлена Леной.

— Бесполезняк, — сказала девушка, удерживая меня за рукав, — зря ты ей деньги дала, теперь, пока не пропьет, не вернется.

— Глупо вышло, — расстроилась я, — но мне действительно надо узнать, где находится Анна Королькова.

— Завтра утром приходи, — посоветовала Лена, — она с похмелья будет маяться, вот здесь и прижмешь ей хвост. Но тока в руки рублики не суй, пусть сначала все выложит! Перед носом купюрой маши, а в лапы не давай! И тыща — это слишком! Сотни за глаза хватит!

— Спасибо за поддержку, — улыбнулась я девушке.

— К алкоголикам особый подход нужен, — засмеялась в ответ Елена, — у меня папашка запойный, я знаю все их штучки.

— Когда-то у меня был муж, горький пьяница, — неожиданно разоткровенничалась я. — Хуже нет, чем жить вместе с любителем спиртного.

— Чего ж сейчас клювом щелкала?

— Растерялась, — ответила я и повернулась к двери, — до свидания, завтра непременно приду. Во сколько лучше объявиться?

— После полудня, — посоветовала жиличка, — раньше она не очмоняется. Эй, ты к бабе Рае-то загляни! Старуха пугливая, топнешь на нее, сразу признается.

Я стала медленно подниматься на последний этаж. В подростковом возрасте каждый человек испытывает приступы тоски и одиночества. Восьмиклассница Даша Васильева не являлась исключением, порой мне казалось, что весь мир настроен ко мне враждебно, не с кем поделиться, рассказать о своих мыслях и чувствах, учителей волнуют лишь оценки, подруги поглощены мальчиками, а бабушке ничего не объяснить, Фася не поймет моих проблем. Как же я завидовала Вере Крыловой, у которой была старшая сестра Фаина, как же мне хотелось тоже иметь сестру, почти одногодку, я мечтала о дружбе, которая могла бы нас связывать!

И вот, пожалуйста, желание сбылось. У меня обнаружилась сестричка, правда, сводная, но все равно, у нас половина общей крови. И почему я не испытываю счастья? Может, права французская поговорка?[1]

Я остановилась у окна и перевела дух. Спокойно, лучше подумаю об Анне Корольковой. Она явно не открыла Марине тайны про сокровища.

---

[1] Бойся своих желаний, они могут исполниться.

Скромная жилплощадь и дочь-уборщица. Не похоже на семью, в которой водятся деньги. Но откуда взялся золотой бокал? Если предположить, что Королькова продала его, то даже за один она получила бы огромную сумму. Лена убеждена, что мать Марины мертва, но, вероятно, жиличка ошибается. И где же пожилая дама? Почему она, много лет не трогая награбленное, сейчас залезла в тайник и взяла бокал? У Корольковой случилось нечто экстраординарное, ей внезапно понадобились деньги!

Я села на подоконник и вытащила сигареты. Сергей Петрович хочет найти украденные из музея экспонаты. Но, внимательно изучив документы Корольковой, Сергей составил психологический портрет воровки и понял: если много лет назад, даже под угрозой расстрела, она не призналась, то и сейчас нет ни малейших шансов на ее откровенность. Похоже, Анна человек несгибаемой силы воли, она мастерски прикинулась сумасшедшей, обвела вокруг пальца и следователя Панина, и психиатров. Почему Королькова не открыла им, где тайник? Ответ прост. Боялась, что ее расстреляют. Анна была очень умна и поняла: никому, а в особенности сотрудникам КГБ, верить нельзя. Ей обещают в обмен на правду маленький срок, но как только Панин разнюхает, где хранятся раритеты, он их выроет, и Королькова потеряет для него всякую ценность. Единственная возможность сохранить жизнь — это крепко прикусить язык. Пока сокровища тщательно спрятаны, Анна может спать спокойно.

Водоносов сообразил, что Королькова ничего ему не расскажет, и решил действовать окольными путями, отправил к старухе родную, никогда ею не виденную дочь. Сергей Петрович проявил иезуитскую хитрость, он все верно рассчитал. Я тут же согласилась пойти к Корольковой. Водоносов рассчитывает на мою жадность и на сентиментальность Корольковой. По его плану Анна должна была прослезиться, обнять потерянное дитятко и рано или поздно сдернуть завесу тайны.

Но меня абсолютно не волнуют сокровища, у нашей семьи достаточно денег для безбедного существования, я хочу посмотреть в глаза своей матери, поговорить с ней, задать вопросы о дедушках, бабушках, тех, о которых ничего не слышала, мне не очень приятно ощущать себя перекати-полем, оторванным от корней. Мне вдруг стало не по себе: мои родители воры — это не слишком приятно. Сестра — запойная алкоголичка, тоже «подарок». Должна ли я помогать Марине, устраивать ее на лечение, пытаться ее образумить? Или прав Фима? Не стоит никому рассказывать о нечаянно открывшейся истине. Как отнесутся Аркаша и Маша к известию об Анне и Игоре? Что скажет Дегтярев? Вероятно, они не обрадуются!

Я слезла с подоконника и медленно пошла вверх по лестнице. Из песни слов не выкинешь, Анна Королькова моя мать. Она отказалась от дочери, чтобы не ломать ей судьбу, она любила новорожденную и страдала, лишившись девочки. Вероятно, мысли об оставленной малышке придавали Анне решимости, и она смогла пройти через ад советской психиатрии. Но почему после падения коммунистического режима мама меня не отыскала? Есть лишь один ответ на этот вопрос.

Большинство отсидевших в советское время людей было напугано навсегда, страх оказался для бывших узников самой сильной эмоцией, и смена власти никоим образом не повлияла на их менталитет. Может, Анна издали наблюдала за мной, но познакомиться не решилась. Похоже, она сейчас в беде, Королькова слаба физически, Марина куда-то увезла несчастную, хотела получить в свое распоряжение пенсию. Или...

Я вздрогнула. Анна жива, иначе бы на свет не всплыл один из кубков. Старуху похитили, ее украл некто, узнавший про сокровища. Корольковой немало лет, в ней уже нет той стойкости, что была в молодые годы, вероятно, Анну пытали, и она выдала часть вещей из тайника. Я должна как можно скорее отыскать ее.

Глава 10

— Вы ко мне? — приветливо спросила милая старушка в теплом халате. — Извините, я не одета, не ждала гостей.

— Дарья Васильева, — представилась я, — из собеса.

Баба Рая поправила аккуратно подстриженные седые волосы.

— Заходите, что случилось? Ботиночки снимите, мне убирать тяжело, хоть и невелика квартира, да силы с каждым днем убывают.

— У вас очень уютно, — отметила я, очутившись в крохотной кухне, — цветы красивые.

— Радуют гераньки, — закивала баба Рая, — распускаются круглый год, от того и моли нет, лучше всяких дорогих средств работают!

— Можно посмотреть ваше пенсионное удостоверение, — я попыталась изобразить суровую чиновницу.

— Пожалуйста, — засуетилась старуха и потрусила в комнату.

Через пару минут она вернулась с жестяной коробочкой, открыла крышку и громко сказала:

— Умирать скоро, вот я и приготовилась. Родных нет, муж давно на том свете, детей не нажила. Сначала времени не было, о чужих заботилась, а потом по здоровью не получилось. Одежду себе в гроб приготовила, платье новое, белье, туфли, платок, денег насобирала и все бумаги сложила, чтобы долго не искали. Вот: паспорт, пенсионное, карточка из поликлиники...

Я взяла одни «корочки» и раскрыла их.

— Логинова Раиса Матвеевна?

— Она самая! — закивала старушка.

— Фотография вроде не ваша.

— Что вы такое говорите, — испугалась она.

— Прическа совсем другая.

— Так это когда снято, — всплеснула руками Раиса Матвеевна, — с тех пор много воды утекло, меня и не узнать! С годами краше не делаешься!

— По-разному бывает, — не согласилась я, — в пожилом возрасте на лице проступает характер, хотя вы правы, жадность сильно уродует.

Баба Рая притихла.

— Зачем вы пришли? — осторожно осведомилась она, когда пауза в беседе слишком затянулась. — Меня раньше никогда из собеса дома не беспокоили, сама к вам хожу.

— Все когда-нибудь случается впервые, — строго сказала я, — вам знакома Анна Львовна Королькова?

— Нет, — слишком быстро ответила баба Рая, — мы никогда не встречались!

— Верится с трудом, — по-прежнему без улыбки сказала я, — если учесть, что Анна Львовна живет в квартире под вами.

— Ах, вы про Нюшу! — «вспомнила» старуха. — Понятия не имею об ее отчестве!

— Значит, с Корольковой вы знакомы?

— Выходит, так.

— Давно заходили к ней в гости?

— Мы лишь во дворе сталкивались, — врала баба Рая, — поздороваемся и в разные стороны.

— А вот свидетель утверждает, что вы захаживаете в сто восемьдесят третью квартиру! Раз в месяц непременно!

— По-соседски, — изменила свои показания Раиса Матвеевна, — соли попросить, сахару! Иногда лень в магазин-то бежать.

— Но вы посещаете Королькову в строго определенные дни, когда ей приносят пенсию.

— Это для нас праздник, — запричитала Раиса, — ждем денег как манны небесной, и на радостях чаек пьем. Пастилы купим и пируем.

— С Мариной? — усмехнулась я. — Она скорее специалист по спиртным напиткам.

— Ой, горе, — махнула рукой Логинова, — поглядишь на чужих деток и обрадуешься, что своих нет. Я всю жизнь в садике воспитателем провертелась и скажу вам, что ребята встречаются порочные, с горшка подлые.

— Полагаю, из них вырастают такие же взрослые, — перебила я бабу Раю, — когда они стареют, договариваются с новой порослью плохих деток о мошеннических операциях.

Логинова приросла к стулу.

— Хотите, расскажу, как дальше будут развиваться события? — спросила я и, не дождавшись ответа, продолжила: — Милиция изымет ведомости, где вы расписывались за Королькову, и дверь в камеру захлопнется. Проведете остаток жизни за решеткой, правда, тратить деньги на еду и оплату квартиры вам не придется, государство предоставит и баланду и койку.

— Я старая, — еле слышно прошептала Раиса Матвеевна.

— Увы. Уголовный кодекс не делает послабления для пожилых людей, — не останавливалась я, — на снисхождение может рассчитывать только ребенок.

— Миленькая, — застонала баба Рая, — простите! Бес попутал! Одна живу! Денег нет! А тут...

Непрерывно всхлипывая и вытирая рукавом халата сухие глаза, старуха быстро изложила некрасивую историю.

Некоторое время назад к ней пришла Марина и предложила:

— Хочешь заработать?

— Конечно, — кивнула Раиса, — а что надо делать?

— Посидеть в моей квартире и расписаться за мать в ведомости, — разъяснила пьяница, — пенсию поделим.

Раисе Матвеевне план показался удачным, и мошенницы стали получать чужие деньги.

— Как же вас не поймали? Неужели доставщик не сообразил, что в разных квартирах живут одинаковые старухи, он же, наверное, прямо от Корольковой к вам шел, — удивилась я.

— Пенсию можно и на книжку перечислять, — объяснила Раиса, — мне ее переводят, а к Анне на дом приносят.

— Ловко вы устроились!

— Бедность проклятая, — заныла Раиса Матвеевна, — нищета доконала.

Я окинула взглядом недавно отремонтированную кухню, новую электроплиту, хороший холодильник, современный плоский телевизор на стене и поняла, что бабуля врет, она совсем не церковная мышь.

— Вы вокруг-то не глядите, — стала оправдываться бабка, — пасынок старается, сын мужа от первого брака. Но он мне денег ни копейки не дает, продукты привозит и вещи, а дальше крутись сама.

Мне стало противно.

— Вы обворовывали Анну!

— Так ей ничего не нужно, — выпучила блеклые глаза Раиса, — она живет в свое удовольствие! Роскошно! В санатории! За ней врач глядит! И медсестры!

— Кто же вам рассказал о шикарном существовании Анны?

— Марина, — похоже, искренне ответила старуха, — она с мамой не ладила. Аньке не нравилось, что дочурка слишком веселая! А девчонка курить стала, Аня же никогда не дымила, прямо ненавидела табак, сразу кашлять начинала! Но Нюся любила дочку...

Я молча слушала Логинову.

Пятиэтажка, в которой проживает Раиса Матвеевна, ранее была общежитием одного из московских заводов. В каждой квартире ютилось по семье, но потом предприятие возвело несколько зданий и стало улучшать условия жизни своих сотрудников. Одну часть отселили в новый дом, вторую оставили на старом месте. Раисе, конечно, хотелось получить метры в новостройке, но ее отговорил муж.

— Нам до работы будет два часа езды, — сказал он жене. — А тут метро под боком, в магазины и на службу пять минут пехом.

— Зато там стены с иголочки, — вздохнула жена, — кухня большая, ванная раздельная.

— Ерунда, — отрезал супруг, — заживем своей семьей в двушке, ремонт сделаем, красота получится!

Вот так Логиновы остались на месте, а в сто восемьдесят третью квартиру перебрались Анна и Марина, которые раньше жили в первом подъезде.

Аня служила в заводоуправлении художником, рисовала всякие плакаты, объявления, оформляла клуб к праздникам. Королькова была слишком гордой, с бабами во дворе не общалась, да и на работе не отличалась разговорчивостью. «Да, нет, хорошо», — вот и все слова, которые произносила Анна. Утром она шла на работу, вечером в одно и то же время возвращалась. Изредка художница заходила в продуктовый магазин, покупки она всегда несла в непрозрачной сумке, и любопытные соседки не имели возможности узнать, чем питаются Корольковы. Но Рая несколько раз сталкивалась с Аней у помойки, видела, что соседка высыпает в мусор, и понимала: у художницы туго с деньгами. Из ведра Корольковой сыпались пустые пакеты из-под кефира, упаковки от круп и макарон, иногда яичная скорлупа и совсем редко куриные кости, Аня явно экономила на питании. Одевались соседи просто, Анна много лет носила зимой зеленое драповое пальто с норковым воротником, а когда мех окончательно вытерся, заменила его полоской из плюшевой чебурашки. Марина тоже не выглядела щеголихой. А еще местные сплетницы ничего не знали о Корольковой. Ясное дело, когда-то у нее был мужчина, иначе откуда взяться дочери? Но был ли он законным мужем, любовником и куда подевался теперь, осталось тайной.

Однажды Аня пришла к Раисе и попросила:

— Не взялись бы вы позаниматься с Мариной, у нее проблемы в школе.

— Я работаю в садике, — напомнила Логинова, — с подростком не справлюсь, лучше нанять учительницу.

— У меня денег нет ей платить, — откровенно призналась Королькова, — а вы дорого не возьмете, у вас пасынок чуть старше Марины, почему бы не попробовать? Девочка от рук отбивается, я около восьми возвращаюсь, она сама себе предоставлена, а вы сменами работаете.

— Ладно, — согласилась Раиса.

В свободные дни Логинова заходила к Марине, и скоро жизнь соседки открылась перед ней как на ладони. Аня дома была молчалива и терпеть не могла домашнее хозяйство. Грязь в квартире была необыкновенная, пол и мебель медленно покрывались толстым слоем пыли, но хозяйку это не травмировало. Готовила Королькова отвратительно, ей не удавалось нормально сварить даже сосиски, они лопались в кипятке и выворачивались «мясом» наружу. Апофеозом кулинарных изысков Ани был гороховый суп из пакета. Картошку она никогда не чистила, свеклу тоже.

— Пальцы пачкаются, — пояснила она однажды, — потом ходи с черными руками.

Логинова промолчала, на ее взгляд, от красок, которыми Аня писала картины, руки пачкались намного сильнее, и из-за них в квартире едко пахло. Мольберт прятался в крохотной спаленке, которая принадлежала матери. Раиса иногда из элементарного любопытства заглядывала туда в отсутствие хозяйки и рассматривала полотна. Анна рисовала странные сюжеты: комнаты, набитые кроватями, клумбы с засохшими цветами, реки крови, небо, где вместо звезд белели отрубленные человеческие головы. Логиновой «искусство» Корольковой казалось жуткой мазней, но Аня обожала рисовать.

— Мама всегда у мольберта, — откровенничала Марина, — если не поработает один день, начинает плакать.

Постепенно у Раисы Матвеевны появились сомнения в психическом здоровье соседки. Аня принимала очень много лекарств. На тумбочке у кровати стояли баночки со снотворным и с какими-то таблетками. Как-то раз Раиса заболела и не смогла спуститься к Марине. Посреди дня школьница сама пришла к «учительнице» и спросила:

— Может, сходить для вас в аптеку?

— Спасибо, деточка, — прокашляла Раиса и зарыдала.

— Что случилось? — испугалась Марина.

— Сегодня годовщина смерти моего мужа, — ответила Логинова, — Андрей скончался в свой день рождения.

— Не повезло, — посочувствовала Марина.

— Лежу и думаю, какой раньше у нас был праздник, гости, танцы, подарки, — плакала Раиса, — а нынче горе и темнота. Да еще я простудилась! Жить не хочется, камень на сердце лежит, не засну никак! Настроение ужасное! Спасибо тебе за заботу, но от горя лекарств не бывает.

— Сейчас принесу, — пообещала Марина и кинулась домой.

Вернулась девочка с двумя пилюлями: желтой и голубой.

— Пейте, — велела она воспитательнице.

— Что это, и где ты взяла таблетки? — поинтересовалась Рая.

— Вы не волнуйтесь, — защебетала Марина, — мама их всю жизнь ест! Утром и вечером.

Только высокой температурой и депрессией можно объяснить то, что Логинова проглотила пилюли и тут же пожалела о содеянном. Спустя двадцать минут Раисе стало жарко, появилось хорошее настроение, жизнь перестала казаться кошмаром, и женщина спокойно уснула.

Справившись с простудой, Раиса спросила у Анны:

— Что за лекарства ты принимаешь?

Королькова спокойно ответила:

— До рождения Марины я серьезно болела, лежала в клинике, где мне выписали снотворное, витамины и средство, регулирующее давление, этот набор я должна пожизненно пить. А почему ты интересуешься?

— Марина меня таблетками угостила, — пояснила Рая, — они мне здорово помогли, я сразу заснула, и настроение потом было отличное.

Анна кивнула:

— Ничего удивительного, снотворное для сна придумали, что же касается внутреннего состояния... Сходи к врачу, может, у тебя, как у меня, давление скачет. Имей в виду, если пилюли пропишут, их надо глотать регулярно, не пропускать прием, и вообще, беречься. Вниз головой не стоять.

— Я вроде не циркачка, на руках не хожу, — парировала Раиса.

— Полы часто моешь, — вздохнула Аня, — это вредно. Чем меньше убираешься, тем дольше живешь.

— Пятьсот лет никто не протянет, — засмеялась Рая.

— Может, мне удастся, — серьезно ответила Королькова.

Через год Марина поступила в художественное училище на отделение стекла и керамики, дочери передался талант матери, девочка хорошо рисовала и лепила. Необходимость делать уроки отпала, Раиса перестала ходить к Корольковым.

Время бежало, Марина устроилась на работу, познакомилась с каким-то парнем, непризнанным скульптором. Тот крепко выпивал и приучил молодую женщину к водке.

— Быстро она скатилась, — без всякого сожаления заметила Раиса, — сейчас полы мусолит в магазине у метро. Вот как бывает!

— А где Анна? — спросила я воспитательницу.

Логинова похрустела пальцами.

— Ее приятель устроил в загородный дом престарелых, там шикарно! Кормят шесть раз в день!

— Это вам Марина сказала?

— Ну да!

— И вы поверили запойной пьянице? — возмутилась я. — Получаете пенсию Анны и не волнуетесь?

Раиса открыла ящик стола и вытащила открытку.

— Читайте.

Глава 11

Я взяла почтовую открытку. «Добрый день, Рая. После аварии я пришла в себя и сейчас снова рисую. Живу в роскошном санатории для одиноких пожилых людей. Здесь очень красиво: река, лес и милые люди. Я одна в комнате. Кормят хорошо, по-домашнему, есть врач, медсестра и большая библиотека. Я рада, что не мучаюсь в Москве вместе с Мариной. Из-за нее тогда со мной случилось несчастье, поэтому хочу забыть человека, который по недоразумению считается моей дочерью. Спасибо тому, кто меня сюда устроил. Раиса, я счастлива, у меня новая жизнь и вспоминать о прошлом не желаю. Я нацелена в будущее, сейчас готовлю картину на выставку. Простить Марину не могу. Любые призраки из прошлого меня нервируют. Переписываться нам не стоит. Я жива, здорова и счастлива. Надеюсь, ты тоже. Прощай. Анна Королькова».

— Когда Марина предложила поделить материну пенсию, я все-таки испугалась, — тихо сказала Рая, — и спросила: «Нас не поймают?» На что Марина ответила:

— Никогда, она же не выписана, по документам в квартире числится.

— Куда же Анна подевалась? — поинтересовалась Раиса.

— У нее после наезда с головой беда и ноги

плохие, — ответила Марина, — ей постоянный уход нужен, она в санатории живет...

Логинова замолчала, потом изобразила рыдание.

— Ой, как плохо остаться на свете старой, больной, никому не нужной, ой...

— О каком наезде идет речь? — остановила я ее стоны.

Раиса вздрогнула, отвела в сторону глаза и быстро ответила:

— Под автобус она попала! Лет пять-шесть назад, уж не припомню точно. Аня зимой на остановке стояла, скользко было, тротуар нечищеный, кто-то ее пихнул, она упала и под колеса угодила, хорошо, шофер внимательный оказался, с места тронулся, услышал, что народ заорал, и тут же встал! Иначе бы переехал несчастную насмерть! Ногу она сломала и головой помутилась. Ударилась о бордюр и память потеряла.

Я уточнила:

— У Корольковой был инсульт?

Раиса пожала плечами:

— Точно не знаю, доктор говорил, что от удара сотрясение мозга вышло, а еще она испугалась! Вообще позабыла, как ее зовут. Я пришла Аню проведать, она лежит никакая, глазами хлопает, чушь бормочет! Ну я и успокоилась...

Логинова испуганно замолчала.

— Успокоилась? — зацепилась я за странный в таком контексте глагол. — Почему?

Раиса вздрогнула:

— Что?

— Почему вы успокоились, поняв, что соседка лишилась рассудка?

Старуха заморгала, попыталась изобразить улыбку, но губы ее не слушались, затряслись и побелели.

— Раиса Матвеевна, хотите денег? — нежно спросила я. — У меня есть при себе приличная сумма, которой я с удовольствием с вами поделюсь. Если вы сейчас мне расскажете правду, я ни одной живой душе не сообщу про ваши махинации с чужой пенсией. Выбирайте: деньги и мое молчание или визит милиции и неминуемый арест за подделку чужой подписи и присвоение денег.

Логинова вцепилась пальцами в стол и перестала корчить из себя малообразованную бабу.

— Я ее до дрожи боюсь, оттого и согласилась на аферу с получением денег.

— Вы боитесь Марины? — уточнила я.

— Дочь Корольковой страшный человек, — зашептала баба Рая, — убьет меня, как Аню.

— Марина лишила мать жизни?

— Пыталась, да не вышло, — еле слышно сказала Раиса. — Иди-ка сюда.

Старуха встала и поманила меня рукой в коридор, там она распахнула небольшой стенной шкаф, в котором висела верхняя одежда, и приложила палец к губам.

— Тсс!

Я замерла и услышала негромкое фальшивое пение:

— «Мой мармеладный, я не права», — бойко выводил девичий голосок. — Муси-пуси, джагаджага, о-ля-ля...

— Ах ты б... дура сучья, — вклинился мужской голос, — руки пообрывать, да...

Баба Рая захлопнула шкаф, на цыпочках вернулась в кухню, села за стол, подождала, пока я устроюсь напротив, и спросила:

— Слышала? Чего-то в нашей квартире строители намудрили, в других такого эффекта не наблюдается. Девка, которая пела, это Лена, жиличка Маринина, а мужик — Николай, они с женой надо мной живут, вечно матерятся, но это у них разговор такой. На самом деле у Коли с Ритой семья дружная, обзываются без злобы. А вот Марина с матерью друг друга ненавидели.

Начались скандалы после того, как девушка, познакомившись со скульптором, стала выпивать. Сперва Аня просто упрашивала загулявшую дочь образумиться, потом стала прятать от нее деньги. Марина злилась, орала, отнимала у матери пенсию. В день, когда произошел несчастный случай, они поругались насмерть.

— Не смей приближаться к парню, — потребовала Анна, — он мерзавец!

— Не твое дело, — завизжала дочь.

— Сам алкоголик, и тебя губит, — не останавливалась старшая Королькова.

— Я его люблю, — орала в ответ Марина.

В таком тоне беседа продолжалась около часа, а потом всегда державшая себя в руках Анна сорвалась. Раиса, которая в тот момент собралась за продуктами и застегивала на ногах сапоги, услышала звон и вопль Корольковой:

— Хватит! Прямо сейчас поеду к его матери! Пусть сына на цепь посадит! Расскажу про художества парня! Он не смеет мою дочь спаивать.

— Стой, сука! — завопили в ответ.

До слуха Раисы долетели треск, стук, а потом звенящий от злобы голос Марины:

— Ну погоди, я тебя убью! Убью! Убью!!!

Раиса схватила сумку и ушла, лишний раз радуясь, что не обзавелась собственными детьми, из-за пасынка, что бы он ни делал, не станешь переживать до слез.

В ближайшем магазине цены не обрадовали, Логинова решила съездить на рынок и пошла на автобусную остановку, там, как всегда, собралась толпа народа. Стояла зима, с неба сыпал снег, дорогу не чистили, транспорт работал с перебоями, и Рая приуныла, она даже хотела вернуться домой, но тут увидела Анну и обратилась к ней с вопросом:

— Куда собралась?

— По делам, — сквозь зубы ответила Королькова и отвернулась, давая понять, что не хочет говорить с Логиновой.

Раиса Матвеевна обиделась, но тут подъехал «Икарус», народ заволновался, Королькова оказалась непосредственно перед Логиновой, внезапно воспитательница почувствовала толчок в спину, да такой сильный, что стала заваливаться на бок. Дальнейшие события заняли считаные секунды: чтобы не упасть, Раиса попыталась уцепиться за плечо Анны, соседка обернулась, но Логинову снова пнули. Рая по инерции мотнулась вперед и сбила с ног Королькову, та упала, покатилась на мостовую, успев вскрикнуть:

— Рая!

Логинова зацепилась за какого-то мужчину, автобус дернулся, раздался вопль. Раису больно ткнули под ребра чем-то жестким, она повернула голову и встретилась взглядом с Мариной, которая, яростно орудуя локтями, пыталась выбраться из толпы.

— Задавили, — орали люди, — насмерть! Старуху переехали! Зовите «Скорую».

У Раи, которая, в отличие от остальных, поняла, что произошло, подогнулись ноги, с огромным трудом она выбралась из человеческой массы и рухнула на скамейку. Марина решила убить мать. Девушка действовала хитро, сама не стала толкать Анну под автобус, толкнула того, кто стоял за Корольковой. Очевидно, пьяница не узнала Логинову, зато Анна рассмотрела Раису, падая под колеса, она успела выкрикнуть имя той, кого приняла за убийцу. Совершив ужасный поступок, Марина поторопилась удрать, в момент побега она сообразила, кого избрала орудием преступления.

С ревом подъехала «Скорая».

— Жива, жива, — бубнили люди.

Логинова вскочила на ноги и с воплем: «Я ее знаю», — ринулась к врачам.

Сообщив медикам имя и фамилию пострадавшей, Раиса спросила:

— Куда вы повезете Анну?

— В больницу имени Расторгуева[1], — ответил фельдшер.

— Она будет жить? — не успокаивалась Раиса.

— Пока дышит, — огрызнулся парень, потом, очевидно, устыдился собственной грубости и объяснил: — Нога сломана и травма головы. Не тридцать лет бабке, организм уже не молодой.

Так и не купив продукты, Раиса приплелась домой и открыла шкаф, чтобы узнать, что творится в квартире Корольковой, но снизу не доносилось ни звука.

---

[1] Название придумано автором, совпадения случайны.

Около двух недель Раиса вздрагивала от каждого шороха, потом поехала в клинику. С одной стороны, она боялась Марину, если та решилась убить родную мать, жизнь соседки для нее ничего не стоит. С другой — Анна могла пойти на поправку и рассказать, что ее под колеса толкнула соседка. Доказывай потом, что не виновата, никто не поверит.

В больнице Раю приняли любезно, молодой врач, лечивший Анну, сказал:

— С переломом мы справимся, а вот с головой сложнее.

— Что случилось? — встрепенулась Логинова.

— Ваша подруга потеряла память, — вздохнул доктор, — она не агрессивна, спокойна, но ничего не помнит. Ни своего имени, ни фамилии, даже дочь не узнала!

— Не пускайте сюда Марину! — воскликнула Логинова и прикусила язык.

— Я понял проблему, — кивнул медик, — девушка, похоже, алкоголичка. Но сейчас не о ней речь. Королькова отнеслась к своему ребенку, как к чужому человеку.

— Ужасно, — поежилась Рая, — она вообще ничего не помнит, меня тоже не узнала. Аня выздоровеет?

— Мы проводим лечение, — ответил врач.

Раиса больше не ходила к Анне, а потом вдруг к Логиновой заявилась Марина и предложила трюк с пенсией.

— И вас не заинтересовала судьба Анны? — воскликнула я.

Логинова смутилась:

— Так письмо по почте пришло и... и...

— Что? — сердито спросила я.

— Я сказала Марине, что виновата, меня в толпе пнули, я не видела кто и упала на Аню, — еле слышно пробормотала Раиса Матвеевна, — и пенсию получаю от страха! Мне совсем немного достается, большую часть Маринка берет! Вот! Боюсь пьяницу! Она может убить человека. Если уж на мать руку подняла, то меня и подавно не пожалеет.

— Ясно, — кивнула я, — как звали доктора?

— Не помню, — ответила Логинова, — молодой был, но уже с лысинкой, маленького роста, на колобка похож.

Сев в машину, я позвонила Оксане.

— Алло, — весело ответила подруга, — Дашута, ты? Как дела! Эй, стой!

— Я никуда не еду! — удивилась я.

— Подожди, не тебе говорю, Нинка, не режь здесь, не видишь, там печень с желчным пузырем! Куда ножиком тычешь, сейчас прорвешь, и всю тушку выкинуть придется! Осторожно надо, без спешки.

Я замерла с трубкой около уха, а Ксюта продолжала сердиться на неведомую мне Нину.

— Такое ощущение, что за тобой бешеные крокодилы гонятся! Мы ставим рекорд по скорости? Нет? Вот и будь аккуратной. Ну Нинка! Это желудок! Не тискай его, отрезай нежно, иначе...

— Ты стоишь у хирургического стола? — прошептала я.

Никогда раньше Оксанка не брала мобильный во время работы, да и нельзя хирургу на операции пользоваться сотовым.

— ...пожарить не сможем, — завершила подруга, — будет невкусно.

— Мама! — пискнула я.

— Что случилось? — моментально отреагировала Оксанка.

— Кого ты там режешь? — пролепетала я. — И чьи потроха собралась жарить?

— Нина, медсестра, купила на рынке гуся, ох уж эта молодежь неприспособленная! Гусик непотрошеный, а Нинок у нас дитя супермаркета, разделывать птицу не умеет, вот я и даю курс молодого бойца. Куда жир снимаешь! Без него весь вкус пропадет. Отойди! Я сама тушку обработаю, не могу смотреть, как гуся уродуют! Из хорошего продукта получится дрянь несусветная, — нервничала Ксюта.

— Ну Оксана Степановна, — раздался вдалеке тоненький голосок, — я не умею, как вы, готовить! Только замуж вышла!

— И не научишься, если будешь полуфабрикатами пользоваться. Что в семейной жизни главное? Не хихикай, это не то, что ты подумала, а горячий ужин! — наставляла медсестру Оксана.

— Перезвоню чуть позже, — сказала я.

— Если ничего срочного, то лучше через час, — попросила Ксюта, — нам его еще нафаршировать надо, яблоки с кашей припустить или овощи, я пока не решила!

Я не один раз лакомилась гусем, приготовленным Оксанкой, и сейчас, сглотнув слюну, сказала:

— Хорошо, — и решила пойти перекусить.

Марина жила в районе, жители которого, похоже, не любят посещать кафе. Я медленно ехала по улице и читала вывески: «Сантехника», «Плитка и кафель», «Лучшие унитазы», «Трубы для вас», «Французские ванны немецкого качества». Последнее название меня удивило, так откуда ванны, из Парижа или Берлина?

В конце концов на глаза попался огромный магазин, я решила, что там непременно найдется кусок сыра, батон и бутылка минералки. Лучше слопать незатейливый бутерброд из свежих продуктов, чем полакомиться в неизвестной харчевне креветками третьей свежести, которые залили чесночным соусом, чтобы отбить запах тухлятины.

Сыр и «нарезной» я нашла в супермаркете сразу, осталось выбрать минералку. Среди стеллажей, забитых разнокалиберными бутылками, я увидела только одну покупательницу, хрупкую старушку, одетую в темные брюки и молодежную куртку ярко-красного цвета. Она пыталась стащить с полки большой картонный ящик. Некоторые великовозрастные детки полагают, что родители созданы для их обслуживания, и, не церемонясь, отправляют стариков на рынок за овощами или в магазины за продуктами. Ну кому могло прийти в голову попросить божьего одуванчика припереть в дом месячный запас питьевой воды?

— Давайте помогу, — сказала я старушке.

— Очень уж плотно втиснут, — откликнулась та и обернулась.

— Ада Марковна! — подпрыгнула я. — Что вы тут делаете?

— Дашенька! — воскликнула дама. — Вот уж неожиданная встреча! Ты же не скажешь Фиме, да?

— Возле вашего дома находится гипермаркет, — покачала я головой. — Как вы очутились на другом конце города?

Ада Марковна покраснела:

— Ефим целыми днями работает! Ему деньги тяжело достаются. Вот я и стараюсь сэкономить!

Я непонимающе заморгала, мама Пузикова отпустила ящик, вынула из кармана рекламу из газеты и протянула мне.

— «Предъявителю талона скидка десять процентов, оптовым покупателям пятнадцать, бонусы суммируются», — озвучила я текст.

Ада Марковна одернула курточку.

— Фима пьет минералку и правильно делает, в день у него бутылка уходит, вот я и ищу в газетах распродажу. Сейчас возьму ящик и сэкономлю! Возле дома такая бутылочка стоит двадцать рублей, а здесь она мне обойдется...

Ада Марковна вытащила из другого кармана калькулятор и принялась азартно нажимать кнопки, приговаривая:

— Делим на сто, умножим, отнимем... в пятнадцать рубликов! В ящике двадцать пять бутылок, в нашем маркете я его за пятьсот рублей приобрету, а тут за триста семьдесят пять! Здорово?

— Замечательно, — улыбнулась я, — а как ящик повезете?

— Сюда на метро добралась, назад такси возьму, за двести рублей любой с ветерком домчит, — поделилась своими планами мать Ефима.

Я постаралась удержаться от комментариев. Значит, в двух шагах от квартиры за воду нужно отдать полтыщи, а тут меньше четырехсот целковых. Экономия? Теперь прибавьте цену за такси, и что получим? Ада Марковна сегодня потратит на семьдесят пять рублей больше, но при этом она абсолютно уверена, что отлично распорядилась семейной кассой. Всякий раз, когда вам захочется в целях экономии смотаться за дешевым хлебом во Владивосток, посчитайте, сколько стоит авиабилет, и подумайте: может, лучше приобрести дорогой батон в тонаре за углом?

— Я вполне способна обеспечить семью водой, — хорохорилась Ада Марковна, — конечно, внешне я произвожу впечатление немощной, но на самом деле у меня в руках железная сила! Смотри!

Она вцепилась в короб с бутылками и дернула его, ящик даже не шелохнулся, зато Аду Марковну повело в сторону, желая продемонстрировать мне свою потрясающую физическую форму, мать Фимы совершила слишком резкое движение, и у нее закружилась голова. Я бросилась ей на помощь, Ада Марковна, чтобы не упасть, правой рукой ухватилась за соседний стеллаж и задела одну из стеклянных бутылок с кетчупом. Две литровые емкости упали на пол и в мгновение ока разбились. Темно-красные капли разлетелись в разные стороны, одна из них попала на сапог Ады Марковны и «украсила» добротную зимнюю обувь на устойчивой серой подметке.

— Ой! Вот беда, — расстроилась старушка.

— Это ерунда, — улыбнулась я, — хозяин любого магазина всегда планирует убытки. Не о чем переживать! Пойдемте отсюда!

Глава 12

Я сняла картонный короб с полки, плюхнула его в тележку и сказала:

— Довезу вас!

— Ой, солнышко, — испугалась Ада Марковна, — не стоит из-за меня свои планы менять! Ты же, наверное, тоже за продуктами приехала! Не волнуйся и спасибо за предложение.

— Зашла купить что-нибудь себе на обед, я совершенно свободна и с огромным удовольствием доставлю вас домой, — заявила я.

— Мне повезло, — после легкого колебания воскликнула Ада Марковна, — а я угощу тебя своими пирожками, идет?

— Ради вашей кулебяки я готова бежать на край света, — сказала я. — Ни у кого так не получаются пироги с мясом.

Если честно, это не правда, готовит Ада Марковна отвратительно. Встречаются такие женщины, у них вечно каша подгорает, тесто не поднимается, а макароны слипаются в монолитный комок. Но ведь нельзя обижать милую даму! С мамой Ефиму крупно повезло, насколько я знаю, она всю жизнь работала, но находила время и на единственного сына. Есть женщины, которые душат детей своей любовью, постоянно следуют за ними, поучают и даже в пятидесятилетнем возрасте считают их неразумными отроками, встречаются и матери-калькуляторы, они любят повторять чаду:

— Родила тебя, в люди вывела, теперь отдавай долг, ухаживай за мной, исполняй мои просьбы, сиди дома, читай мне газеты вслух.

И уж совсем часто попадаются дамы, уверенные, что лучше них на свете никого нет, ни одна невестка не может приблизиться даже на километр к идеалу, все отвратительно готовят, убирают, рожают неполноценных детей, думают только о деньгах и пристают к мужьям с сексуальными домогательствами. Ясно, что сыночку лучше всегда жить с мамой, только она способна на истинное чувство и является безупречной хозяйкой, идеальной во всех отношениях женщиной.

Ада Марковна не принадлежала ни к одной из этих категорий. По рассказам Фимы, когда он закончил десятый класс, она ему сказала:

— Иди в армию, потом без проблем поступишь в любой московский вуз, бывшим солдатам предоставляют льготы.

— А как же ты? — засопротивлялся Ефим. — Папа умер, ты останешься одна.

— У меня подруг полно, — отмахнулась Ада Марковна, — а тебе непременно надо поступить в институт в Москве, в нашем захолустье нет никаких перспектив.

Фима потерял два года в казарме и очутился на студенческой скамье. Ада Марковна изо всех сил помогала сыну, она ухитрялась присылать ему деньги.

Когда Ефим получил работу, приличную зарплату и обзавелся своей квартирой, он стал звать мать в Москву, но та наотрез отказывалась, говорила:

— С насиженного места трудно сдвинуться,

здесь подруги, дом, налаженный быт. Ты найдешь жену, не стоит съезжаться.

Как Фима ни уламывал мать, та не слушала сына. Но лет пять-шесть назад Ада Марковна упала и сломала шейку бедра. Не желая беспокоить Ефима, она ничего ему не сообщила, однако состояние ее здоровья не улучшалось, и одна из подруг дамы позвонила Пузикову в Москву с выговором.

— Ада лежит в палате с десятью соседками, — гневалась она, — врачам на нее наплевать, сыну, похоже, тоже!

Ефим мгновенно вылетел на родину, нашел мать в очень плохих условиях и, ужаснувшись, увез ее в столицу. Почти год у Ады Марковны ушел на реабилитацию. Фима трепетно ухаживал за ней, нашел медсестру, домработницу, покупал деликатесы и исполнял все желания матери. В конце концов она оправилась от травмы и осталась в столице. Тогда я с ней и познакомилась. Ефим продолжает заботиться о матери, квартиру убирает молодая девушка-украинка, Ада Марковна только готовит, ей собственная стряпня кажется очень вкусной. Фима стоически поглощает ее варево и не забывает хвалить матушку. Ефим не женат, но периодически в его квартире появляются невесты. Аде Марковне нравятся все претендентки на роль супруги сына, и она бывает крайне разочарована, когда он дает им отставку. Самое интересное, что несостоявшиеся жены потом быстро и весьма удачно устраивают свою судьбу и поддерживают дружбу с Адой Марковной, приглашают старушку в гости и советуются с ней. Один раз она, вернувшись от очередной бывшей девушки Пузикова, сказала мне, случайно заглянувшей на огонек:

— Ефим, как трамплин, оттолкнутся от него девочки и летят вверх.

Одно время Ада Марковна усиленно пыталась свести нас с Фимой, но потом поняла, что мы просто хорошие друзья, и прекратила работать свахой. Но все равно, стоит мне очутиться у Пузиковых, как хозяйка с самым невинным видом интересуется:

— Дашенька, тебе не кажется, что современные женщины зря отворачиваются от брака? Личное счастье можно обрести в любом возрасте, даже при наличии взрослых детей и внуков!

Но сегодня, когда мы с Адой Марковной поднялись в квартиру, она испугалась и воскликнула:

— Ох, незадача!

— Что-то случилось? — пропыхтела я, ставя ящик с бутылками на тумбочку у вешалки.

Ада Марковна ткнула пальцами в здоровенные грязные ботинки, стоявшие под вешалкой, и прошептала:

— Фима пришел! Дашенька, не говори ему, где меня встретила! Мальчик рассердится, заругается, он против разумной экономии, вечно мне нотации читает: «Мама, два выгаданных рубля не стоят подорванного здоровья. Помни о своей ноге!» А чего про нее думать, я даже не хромаю!

— Ладно, — понизив голос, ответила я, — молчу, как пиранья. Скажу ему, мимо ехала, решила зайти, кофейку попить!

Ада Марковна расплылась в улыбке и крикнула:

— Фима! Смотри, кого я привела! Фимушка!

Но в ответ не раздалось ни звука.

— Похоже, его нет, — констатировала я, глядя на ботинки, заляпанные глиной.

Ада Марковна всплеснула руками и пошла по коридору, я сняла куртку, сапожки, вытащила пластиковые тапки и услышала укоризненное ворчание Ады Марковны, возвращавшейся в холл.

— Вот безобразник! Все расшвырял! Рубашка в одном углу, носки в другом, нет бы в бачок положить! Жена ему нужна, чтобы привила аккуратность, у матери не получилось!

Я постаралась не рассмеяться, Ада Марковна в своем духе.

— А эти жуткие ботинищи! — продолжала возмущаться старушка. — Изгваздался по уши! Прилетел домой, кинул грязь и на работу! Нет, ему нужно срочно жениться, вот умру я, кто его приструнит? Дашенька, как считаешь, брак — это хорошее дело?

— Интересно, где Фима так извозился, — я увела беседу подальше от свадебной темы.

— Участок ищет, — пояснила Ада Марковна, — надумал дачу строить, вот и ездит по пригородам.

— Зимой? — удивилась я.

— В холодное время сотки дешевле отдают, да и нету теперь морозов, слякоть, как осенью, — деловито отметила Ада Марковна и стала орудовать веником, заметая на совок комочки глины и небольшие камушки серо-розового гравия, которые валялись у входа. — Нет бы ему ботинки-то обстучать, — не успокаивалась она, — ох уж эти мужчины! До седых волос дети! Дашенька, мой руки, чайник скоро закипит. Я штиблеты пока на балкон вынесу, потом почищу. Что за погода, январь, а слякоть! Снега нет, и тепло!

— Зато летом мороз был, — усмехнулась я, направляясь в ванную.

Через час, напившись ароматного цейлонского чая и с трудом проглотив жесткий, словно картонный, пирожок, я стала прощаться.

— Дашенька, давай не скажем Фиме, что ты приходила, — попросила Ада Марковна, — а то он начнет интересоваться: где встретились, как вместе оказались. Ефим пытливый, а у меня врать плохо получается, нафантазирую и забуду, через десять минут совсем другое скажу. Фима до истины докопается, злиться будет!

— У женщин должны быть свои секреты, меня тут не было, — ответила я, застегивая сапоги.

— Ох спасибо, Дашенька, ты милая девочка, — обрадовалась Ада Марковна, моргая очень яркими для преклонного возраста карими глазами.

Я поцеловала старушку и спустилась к машине. Приятно, что на свете еще остались люди, для которых я «милая девочка», а не хорошо сохранившаяся бабушка, радостно ощущать себя неразумным дитятей.

Позвоню Оксане, надеюсь, они с медсестрой уже закончили колдовать над гусем, нафаршировали его и сунули в духовку. Ксюта знает огромное количество врачей, с одними вместе училась, с другими работала, с третьими встречалась на семинарах и конференциях, она непременно мне поможет.

Больница имени Расторгуева оказалась армией корпусов-близнецов, построенных из красного кирпича. Побродив по аллеям и продрогнув от промозглого сырого ветра, я наконец добралась до нужного здания и сказала секретарше, бдительно стерегущей дверь в кабинет начальника.

— Меня зовут Дарья Васильева, господин Харченко предупрежден о нашей встрече.

Помощница нажала пальцем кнопку селектора.

— Хр-бр-бр-фр, — донеслось из динамика.

— Владимир Сергеевич, к вам Васильева.

— Хр-бр-бр-фр, — повторила коробка.

— Вас ждут, — секретарь перевела фразу на понятный язык, — проходите.

Следующий час я моталась по больнице, словно мяч, который пинают расшалившиеся дети. Харченко отправил меня к Ильцеву, своему заместителю, тот перебросил к начальнику архива, оттуда я поспешила в травматологию и была переадресована в неврологию, где милая Мария Степановна, порывшись в компьютере, воскликнула:

— Все верно. Анна Львовна Королькова, скоропомощный случай, перелом шейки бедра, черепно-мозговая травма, выписана пять лет назад в удовлетворительном состоянии с частичной амнезией. Лечащий врач Борис Петрович Молотков.

— Доктор по-прежнему здесь работает? — с отчаянием спросила я, устав от беготни.

— Конечно! — воскликнула Мария Степановна. — У нас практически нет текучки, коллектив замечательный.

— Здорово, — обрадовалась я. — Да только Молотков, наверное, уже ушел домой?

— Боря сегодня дежурит, он в ординаторской, — прозвучало в ответ, — последняя дверь справа по коридору.

Бог удачи явно решил сжалиться надо мной, наградить за утомительную суету.

Борис Петрович мирно пил чай с сушками.

— Анна Львовна Королькова? — удивился он. — Не помню, здесь поток, вылечился и уходи, мы стараемся долго никого не держать. А зачем вам она?

— Я из инюрколлегии, — соврала я, — Анне Львовне оставили наследство в США, вот и ищу даму.

Молотков поставил кружку:

— Много денег?

— Пара миллионов, причем не рублей, — вдохновенно соврала я.

— Черт! Повезло старухе, — с завистью отметил доктор. — Вы у нее дома были?

— Заглядывала, но Корольковой там нет.

— Умерла?

Я пожала плечами.

— Числится среди живых.

— А что родственники говорят? — поинтересовался Борис Петрович.

— Дочь алкоголичка, от нее ничего нельзя добиться, уверяет, будто мать отправили в роскошный дом престарелых и она там до сих пор живет. Адреса приюта пьяница не знает, назвала какое-то село, но у меня есть сильное подозрение, что она все выдумала.

— Интересно, — потер руки Борис Петрович и включил компьютер. — Сейчас поищу историю болезни. Да вы садитесь. Хотите чаю? Берите сушки, правда, они как из камня.

Я вежливо отказалась от угощения и, оседлав стул, стала ждать, когда Молотков обнаружит необходимые документы.

— Оказывается, я ее распрекрасно помню! —

обрадовался Борис Петрович. — Перелом шейки бедра! Я к ней психиатра вызывал!

— Королькова буянила?

— Ну почему у людей психиатрия ассоциируется только с возбуждением? — укоризненно спросил врач. — Когда больной очень тихий, тоже неладно. Анна Львовна при падении ударилась затылком о край тротуара. Шок, стресс, много ли пожилому человеку надо, вот память ей и отшибло. Андрей Филиппович даже не хотел ей операцию на бедре делать, но сын его уговорил. Вот в этой комнате мы разговаривали, и сын воскликнул: «Анна Львовна очень деятельный человек, она не сможет остаток жизни провести в кровати». «А если она не выдержит вмешательства? — не поддался хирург. — Возраст отнюдь не юный, да еще травма головы». — «Она сильная, справится», — твердо сказал сын.

— Откуда у сына вашего Андрея Филипповича взялась уверенность в больших резервах организма Корольковой? — поразилась я. — Он тоже врач?

— Кто? — не понял Молотков.

— Родственник.

— Чей? — выразил недоумение Борис Петрович.

Тупость доктора стала меня веселить.

— Сын Андрея Филипповича!

— У него нет сыновей, только дочери — Таня и Наташа.

— Вы же только что сказали: «Хирург не хотел делать операцию, но сын его уговорил».

— Правильно, — согласился Борис Петрович.

— А теперь говорите о девочках!

— Так сын Корольковой, — засмеялся Молотков.

— У Анны Львовны дочь, — возразила я.

— Сын, — уперся Борис.

— Не спорьте, дочь зовут Марина, она пьяница, — настаивала я.

Молотков ущипнул себя за подбородок:

— Так. Попытаюсь восстановить события. Старуху привезли днем, по «Скорой», она упала под автобус, потом милиция приходила, им фельдшер сообщил. Но дело квалифицировали несчастным случаем. Анну Львовну положили в коридоре, мест в палатах не было! Ее готовили к простой операции, грубо говоря, гвоздь вбить, чтобы кое-как шевелиться могла.

— Разве в таком случае не ставят эндопротез?

— Только если вы его купите, — пояснил Молотков. — Титановый сустав дорогое удовольствие, бесплатно стальной штырь получают, но в этом случае нога часто короче делается, ходить потом не всякий сможет, поэтому люди для своих родственников выкладываются. Но не все. Перелом шейки бедра, как правило, бывает у пожилых, вот некоторые дети и думают: «Чего тратиться? Как-нибудь остаток лет доживет». Но Анна Львовна получила эндопротез.

— И кто его купил?

— Сын, — с непоколебимой уверенностью ответил Борис Петрович. — Я его вспомнил! Очень приятный человек, заботливый и внимательный, мы с ним обсуждали разные суставы, я честно его предупредил: «Немецкие лучшие, двадцать пять лет гарантии и хорошая статистика по реабилитации. Но они самые дорогие, можно подешевле найти». А сын возмутился: «Мне для мамы ничего не жаль! Вшиваем наиболее качественный! Хочу, чтобы она на ноги встала и подольше без проблем прожила».

Глава 13

— Благородно, — пробормотала я, — вы уверены, что беседовали с мужчиной?

Борис Петрович взял чайник, налил в кружку воду и спокойно ответил:

— Конечно. У Королькова были борода и усы.

— Отличная примета, — хмыкнула я.

— Мне ни разу не встречались женщины с буйной растительностью на лице, — хмыкнул Молотков, — хотя в учебниках сообщается о подобных казусах.

Я схватила баранку и сломала ее. Конечно, усатая тетенька не частое явление в нашей действительности, но если надеть пиджачную пару и приклеить себе бороду, можно сойти за парня.

— У Анны дочь, — тупо повторила я, — Марина.

— Сын, — вновь не согласился Борис. — Корольков Лев! Он еще сказал, что его назвали в честь деда!

— А паспорт вы у него спрашивали?

— Зачем? — искренне удивился доктор.

Я разозлилась на Гиппократа-пофигиста.

— Анна Королькова потеряла память, и вы отдали старуху мужчине, который представился ее сыном, не изучив его документы? А вдруг это самозванец, решивший похитить бабушку?

Молотков расхохотался.

— Ничего смешного нет, — я попыталась пресечь гоготание.

Борис Петрович кое-как справился с приступом смеха.

— Уважаемая Дарья, ни разу в жизни я не слышал более забавной шутки. Ладно бы Корольковой исполнилось восемнадцать лет, красивая, молодая женщина может пригодиться для разных целей. Или у Анны Львовны водились бы влиятельные родственники-олигархи. Но ни первое, ни второе не соответствует действительности. Старуха со сломанной ногой и практически умершей памятью! Таких не крадут, от них родичи, наоборот, пытаются избавиться, всеми правдами и неправдами хотят подольше их в клинике задержать! Какой смысл Льву Королькову тратить на постороннего человека большие деньги? Это нонсенс! У нее был сын! А в чем, собственно говоря, дело? Вы кто?

— Дарья Васильева, вам звонили от главврача, просили со мной поговорить.

— Верно, — протянул доктор.

— Поэтому не задавайте вопросов, на которые я не могу ответить, — решила я напустить туману, — болтаем по-дружески. Никаких протоколов. С другой стороны, ордера у меня нет, вы легко можете отказаться от показаний.

Молотков запустил руку в пакет с сушками.

— У вас есть начальство?

Я кивнула.

— И как оно отнесется, если вы проигнорируете его просьбу? — кисло спросил Борис.

— Возможны варианты.

— А у нас нет! Поэтому спрашивайте, я постараюсь дать исчерпывающие ответы, — пообещал врач.

— Можете вспомнить, как развивались события, когда привезли Анну Львовну?

Молотков захрумкал сушкой.

— Стандартно. «Скорая» доставила пострадавшую в приемный покой, там ее оформили и вызвали дежурного врача, то есть меня.

— Королькова была в сознании?

— В шоке.

— У нее в сумочке был паспорт?

— Нет, но старуха имела при себе пенсионное удостоверение и страховку. «Скорая» назвала все ее данные, — пояснил Борис Петрович, — а уж как их фельдшер узнал, мне неинтересно. Кстати, пациентов оформляют в приемном покое, с бумагами там возятся. Я только лечу.

— Хорошо, дальше.

— Подняли ее в отделение, совершили ряд манипуляций, положили в коридоре. На следующий день были консультации невропатолога и психиатра, анализы, ну, обычное дело.

— Почему же ее сразу не отправили в операционную штырь ставить?

Молотков моргнул.

— Но так не делают! Угрозы жизни не наблюдалось, возраст пожилой, следовало определить перспективу...

— Ясно, а когда появился сын?

Борис Петрович уставился в компьютер.

— Не помню! Хотя... ее привезли двенадцатого, пятнадцатого Олег Ефимович смотрел, восемнадцатого хотели суставом заняться... Да, четырнадцатого Лев пришел.

— Как он сюда попал?

— Просто, вошел в дверь.

— И что сказал?

Борис хмыкнул:

— Наверное, «Здрассти, я сын больной Корольковой», как-то так.

— И вы стали с ним беседовать, не проверив паспорт?

Молотков издал протяжный вздох.

— Дарья, тут больница, скоропомощная, сюда с травмами везут со всего города. У нас люди кубарем проносятся, родственники, милиция, страховые агенты. Мне что, у каждого удостоверение личности проверять?

— Значит, если я назовусь дочкой какой-нибудь Ольги Петровой, вы отдадите мне ее? С амнезией? — возмутилась я.

Борис Петрович скрипнул зубами:

— Лев оплатил протез и комфортабельную палату. А потом забрал Королькову! Вы готовы пойти на такой расход ради постороннего человека? Мы жуем одну тему!

— Куда Лев отвез мать? — задала я главный вопрос.

Молотков нахмурился:

— Домой, наверное.

— Наверное?! Вы точно не знаете?

— Нет! — гаркнул врач.

— Почему?

Борис Петрович встал.

— Дарья! Я не проверяю, где оказываются бывшие пациенты. Моя ответственность за них оканчивается на пороге клиники.

— То есть родственник может увезти старуху куда угодно?

— Это его право. Мы оформили документы, сделали назначение, долечиваться Корольковой предстояло либо в районной поликлинике, либо у платного специалиста. Кажется, Лев сказал, что он мать куда-то прикрепил, вел речь о массажисте.

— Мне непременно надо узнать, куда он увез Анну Львовну, — с отчаянием воскликнула я. — Ну попытайтесь хоть что-нибудь вспомнить, поможет любая зацепочка!

Молотков выпятил нижнюю губу, потом вдруг сказал:

— Надо позвать Алису, медсестру, которая по платным палатам старшая, она с больными и родственниками в более тесном контакте.

— Отличная идея, — обрадовалась я.

Когда в ординаторскую вошла симпатичная брюнетка в голубом халате, Молотков сурово сказал:

— Алиса, знакомься, это Дарья. Ее прислали от главврача, дело государственной важности. Ты помнишь Королькову?

— Неа, — тут же ответила медсестра, — а что?

Врач ткнул пальцем в монитор.

— Читай.

Алиса близоруко прищурилась.

— А-а-а, — закивала она через минуту, — шейка бедра с потерей памяти. Симпотная бабушка, все меня печеньем угощала. Ей сын приносил, она его обижать не хотела, складывала в тумбочку, но не ела!

— Почему? — спросила я.

— Не нравилось, — улыбнулась Алиса, — родственники часто приносят такие продукты, которые больным в горло не лезут. Хотя сын у Корольковой очень хороший, не женатый, да! Такие добрые мужчины редко встречаются! Я еще подумала, что кому-то с ним ну очень повезет, внешне страшный, смуглый такой, на цыгана похож, борода клочками, брови лохматые, волосы нестриженые... А душа ласковая! Думаю, он художник или скульптор. Наверное, ему от мамы талант достался! Мне один раз поручили объявление сделать, на бумаге, красивыми буквами, я на дежурстве этим занялась, до ночи проковырялась — не выходит, рука кривая, черчу плохо. А тут Анна Львовна из палаты выходит.

— Выходит? — изумилась я. — Со сломанной ногой?

Медсестра и врач засмеялись.

— Ей же сустав вшили, — пояснила Алиса, — на третьи сутки ходуночки приносят, и вы начинаете двигаться. Многие через неделю бойко бегают, если терпеливые и не ленятся. Подковыляла она к столу, чего-то ей понадобилось, увидела мое «творчество» и говорит:

— Давай, помогу!

Села и враз написала, да так красиво, без линейки. Я наутро Льву и сказала:

— Ваша мама прямо художница.

А он ответил:

— Это у нас от предков дар, в семье все с искусством связаны.

Алиса примолкла, потом вздохнула.

— Очень добрый человек, никогда таких не встречала.

— В чем же проявилась столь поразившая вас доброта? — не поняла я.

Алиса повернулась к Молоткову:

— Ахметшину помните?

— М-м-м, — протянул Борис Петрович.

— Ну тот сустав, который лишний, — подсказала медсестра.

— А-а-а, — посветлел лицом доктор.

— Помните, через полгода Королькова к нам вернулась. Боли у нее начались в тазобедренной области. Мы ее обследовали, и оказалось, что протез ни при чем, у нее был ишиаз. Ее подлечили, а пока она лежала, с Ахметшиной познакомилась.

— Извините, но я ничего не понимаю, — остановила я девушку, — кто такая Ахметшина?

— Старушка, ее из дома привезли, — стала просвещать меня Алиса, — зять бедолагу ударил, она упала и ногу сломала! В семье у них все алкоголики, кроме старушки, ясное дело, никто сустав не купит. А тут к Александру Юльевичу олигарх пришел. Хоть у нас и муниципальная больница, да есть гениальный хирург по фамилии Каза. Прямо волшебник, к нему все попасть хотят, ну и приехал очень богатый мужик, привез жену и два сустава. Цирк! Он на всякий случай лишний купил, вдруг врач один протез испортит? Ерунда полнейшая, но у богатых свои причуды. Александр Юльевич все замечательно сделал и хотел вернуть второй сустав. А олигарх испугался.

— Ничего не возьму, плохая примета из больницы домой вещь тащить, оставьте себе.

Вот так и образовался лишний протез, Каза его Ахметшиной поставил, пожалел ее. Бабка потом по палатам ходила, свою историю рассказывала, и к Корольковой забредала. Один раз я ее в туалете нашла, в слезах, ну и спросила:

— Болит нога?

Ахметшина помотала головой:

— Нет. От зависти плачу. Вон у Анны Львовны сын какой, будто на работу сюда бегает. Моя же дочь запойная, кто меня отсюда заберет? Вечно в больнице держать не станут, выпишут, и как до дома добираться? Денег нет! А зять! Видишь шрам на руке? Это дочерин муж меня ножом порезал, я к врачу не пошла, не захотела позора! Вон как криво зарос!

Наверное, она и Корольковой пожаловалась, потому что Лев ее на такси отвез и никому ни слова не сказал о своем поступке!

— А вы откуда узнали? — намекнула я на нестыковку в рассказе.

Алиса схватила сушку.

— У нас на входе раньше бомбисты дежурили, их недавно прогнали, шлагбаум поставили, сделали платную парковку. Лев мать одел и меня попросил: «Сделайте любезность, помогите мне Анну Львовну отвести к машине, я сумки понесу».

Алиса взяла старуху под руку, сын подхватил вещи, троица вышла к поджидавшему их автомобилю, и тут Лев воскликнул:

— Вот олух беспамятный! Не взял таблетки! Мне Борис Петрович лекарство приготовил, такое в аптеке не купить. Пожалуйста, побудьте с мамой, я мигом обернусь!

Алисе он нравился, поэтому она согласилась:

— Конечно, можете не спешить.

Лев ушел, Анна Львовна тихо сидела на заднем сиденье, шофер выглянул в окно и, подмигнув медсестре, сказал:

— Ну что, опять с дурами бабками поедем?

— Как вам не стыдно! — возмутилась Алиса.

— Чего сказал-то? — набычился водитель.

— Она не дура, просто пожилая женщина, — сердито заявила медсестра, — еще неизвестно, какой сам к семидесяти годам станешь!

Бомбила сплюнул на мостовую:

— Я никого не обзывал. Вчера этот мужик отсюда другую старуху увозил, в деревню, название стебное — Дураково-Бабкино, я чуть со смеху не умер, когда услышал. Может, и эту он туда же повезет? Хорошо бы, путь не близкий!

— Вчера? — удивилась Алиса. — Вы что-то путаете!

— Уж не идиот, — отрезал шофер, — тоже старуха была, в красной шапке не по возрасту. Все причитала: «Как жить буду? Ой, страшно!» А он ей в ответ: не беспокойтесь, Равиля Шамс... Бамс... отчество мне не выговорить!

— Шамсудиновна, — подсказала Алиса.

— О! Точно! — обрадовался водитель. — Короче, она бухтела, мужик ее успокаивал, мне хорошо заплатил. А сегодня гляжу, он новую старушонку везет!

Тут из дверей вынырнул Лев, и беседа прекратилась.

— Равиля Шамсудиновна это Ахметшина, — уточнила Алиса. — Вот какой у Корольковой сын оказался! Сделал втихаря доброе дело! Я ведь...

Медсестра замолчала, потом воскликнула:

— Если больше не нужна, то пойду, на посту никого нет!

— Корольков не говорил, где живет? — спросила я.

— Нет, — после колебания сообщила Алиса.

Глава 14

Выйдя из ординаторской, я пошла по коридору и увидела Алису, которая сидела за столом, перебирая какие-то бумаги.

— Огромное вам спасибо, — сказала я.

— Не за что, — приветливо отозвалась девушка.

— Скажите, вы не пытались встретиться со Львом после того, как он забрал мать?

Алиса молчала.

— Пожалуйста, — взмолилась я, — мне крайне необходимо найти Анну Львовну!

Медсестра отложила листочки:

— Ну ладно! Только не подумайте, что я вешаюсь мужикам на шею!

— Что вы, никогда! — заверила я.

Алиса навалилась грудью на стол.

— В день, когда Анну Львовну выписывали, я Льву свой телефон дала и предупредила: звоните в любое время, прибегу укол сделать или массаж.

— Вы проявили редкостную доброту! — похвалила я медсестру.

Алиса махнула рукой:

— А толку? Он, конечно, поблагодарил, но было понятно, спасибкает из хорошего воспитания. Тут я совсем обнаглела и у него номерок попросила.

— И он дал?

— Нет, — грустно призналась Алиса, — видно, я ему не понравилась. Вежливенько меня на три буквы послал, нет, он, конечно, не матерился, сказал: «Я вам сам звякну!» Но, конечно, ни разу мне не позвонил.

Я вышла из клиники и, стараясь не попасть замшевыми сапожками в грязь, пошла к парковке. Очень часто теща ненавидит зятя, а тот платит ей той же монетой, на эту тему есть масса анекдотов. Но иногда бывает наоборот, неприязненные отношения складываются у дочки и родной матери, а зятя она зовет «сыночек». Вероятно, Лев тот самый художник или скульптор, с которым связалась Марина. Хотя, нет, Раиса Матвеевна утверждала, что любовник младшей Корольковой пил. Может, Лева воздыхатель, который тщетно ухаживал за непутевой девушкой, нравился ее маме, и именно ему Анна Львовна и позвонила из больницы? Хотя, она же потеряла память! Что-то не складывается.

А вдруг дело обстояло так: Лев звякнул Анне, не застал ее дома, стал волноваться, кинулся искать Королькову, обнаружил ее в клинике и увез к себе, не предупредив Марину?

Я села за руль. Если Королькова страдает амнезией, то ей никогда не вспомнить про тайник. Откуда тогда взялся кубок? А если Анна Львовна в здравом уме и твердой памяти, то почему она исчезла из дома? Кто такой Лев? Он явно не чужой человек. Доктор-пофигист прав, о посторонней старухе так заботиться не станут, эндопротез не копеечная вещь. Есть еще одна заноза, Марина обманом забирает пенсию Корольковой, почему алкоголичка не боится возвращения матери? Похоже, она уверена, что Анна Львовна не переступит порог с вопросом:

— Доча, куда девается моя пенсия?

Сказочка про дом престарелых не выдерживает никакой критики. Я не знаю, какие порядки в интернатах, где проживают одинокие старики, но полагаю, что их выписывают из старой квартиры и только потом ставят на учет в приюте. Значит, пенсию Корольковой если и принесут, то по адресу интерната. Так, надо звонить Водоносову, мне необходима его помощь.

По телефону Сергея Петровича ответил женский голос:

— Муж не может подойти.

— Простите, я думала это мобильный, не предполагала беспокоить Сергея Петровича дома, — извинилась я.

— Вы не ошиблись, позвонили по сотовому, — тихо сказала дама, — Сережа умер.

Я опешила и замолчала.

Послышалось шуршание, потом прозвучал грубый баритон.

— Кто ищет Водоносова?

— Знакомая.

— Это фамилия или имя? — схамил мужчина.

— Мне этот номер дал Сергей Петрович, — с возмущением сказала я, — у нас с ним дело.

— Вы не поняли? Он умер.

— Вы шутите? Я недавно с ним встречалась, он не жаловался на здоровье, выглядел замечательно.

— И где вы виделись?

— На конспиративной квартире, — от растерянности я сказала правду.

Из трубки снова раздался треск, потом прорезался визгливый тенор:

— Девушка, в семье горе, если вы по поводу похорон, то звоните на работу Марченковой Тамаре, у нее вся информация.

— Дайте номер, — попросила я.

До Марченковой мне удалось дозвониться лишь через полчаса.

— Приемная, — устало прозвучало из трубки.

— Я по поводу похорон Водоносова, скажите...

— В пятницу, в полдень прощание в клубе, — перебила меня Тамара, — оттуда автобус поедет на Митино, не опаздывайте, ждать никого не будем.

— Меня пустят в клуб?

— Естественно.

— Я не сотрудница КГБ.

Марченкова затихла, я тут же сообразила, что теперь организация называется по-другому, и поправилась.

— То есть я не служу в ФСБ, простите, если опять ошиблась и ваша фирма, вернее, контора или, ну в общем, понимаете, носит иное название, я воспитывалась в советские времена, поэтому и брякнула про комитет госбезопасности и...

— Девушка, вы пьяны? — перебила Тамара.

— Нет, я иногда употребляю коньяк, в основном в качестве средства от простуды, а почему вы интересуетесь?

— Чушь несете! При чем тут все эти ФСБ, ГКО?

— КГБ, — машинально поправила я, — разве я не на Лубянку звоню?

— Нет, в заводоуправление, — вдруг вежливо ответила Тамара, — мы производим сейфы.

— Простите, Водоносов Сергей Петрович ваш сотрудник?

— Он у нас был начальником охраны.

— Извините, — окончательно запутавшись, промямлила я, — я считала, что Водоносов человек с погонами, боец невидимого фронта, следователь.

Марченкова кашлянула.

— У нас тут разные люди работают, я деталей их биографии не знаю.

— От чего скончался Сергей Петрович? — проявила я неуместное любопытство.

— Инфаркт, — объяснила Тамара, — у него в прошлом году операция была, велели курить бросить, но разве у мужиков сила воли есть? Прямо на рабочем месте в одночасье скончался, семья в шоке. Да, вот еще, вы венок не заказывайте, покойного все равно не на кладбище понесут, в крематорий, цветы там не нужны. Да и мы от завода ему корзину заказали. Лучше положите деньги в конверт и вдове передайте, у них внучка больна, лейкоз, Водоносовы ей на лекарства огромные суммы тратили.

С гудящей от новых сведений головой я вытащила сигареты и закурила. Подведем итог. Водоносов, оказывается, служит на предприятии, где собирают сейфы. Вероятно, ранее он имел отношение к «Большому дому» на Лубянке, но на момент беседы со мной командовал отрядом пенсионеров с берданками, а может, проверял на входе пропуска. И откуда у него дело моих родителей? Конечно, Сергей Петрович дал мне почитать ксерокопии, но они были сделаны с подлинных бумаг. Давайте, не стану описывать признаки, по которым я поняла, что пересняты настоящие документы, просто поверьте, ошибки нет. Фото бабушки тоже не вызывало сомнений, на нем была Фася с крохотной девочкой. И на свете существуют Анна Львовна с Мариной. Но зачем Сергей Петрович отправил меня к Корольковой? Он хотел, чтобы я разузнала информацию о тайнике, значит, Водоносов был стопроцентно уверен: Дарья Васильева родная дочь Анны Львовны. Почему именно сейчас вспомнили о той музейной краже? Водоносов рассказал о кубке, найденном у некоего Майкла, и о его таинственной смерти. Какого черта Пузиков напел мне, что Сергей Петрович сотрудник КГБ?

Я набрала номер Фимы.

— Квартира Ефима Николаевича, — торжественно объявила Ада Марковна.

— Это Даша Васильева, можно Фиму?

— Девочка, я рада тебя слышать, мальчик еще не пришел, что ему передать?

— Я позвоню ему на мобильный.

— Конечно, я непременно скажу Фиме, что ты его искала. Мы ведь не сообщим ему о нашей случайной встрече в магазине?

— Никогда, — успокоила я Аду Марковну и опять принялась тиранить сотовый.

Ефим находился вне зоны доступа или выключил телефон. Я порылась в записной книжке и соединилась с Антоном Войцеховским.

— Дашута, — обрадовался старый знакомый, — во что ты влипла на этот раз?

— Почему «влипла»? — удивилась я.

— Ты звонишь всегда с одной просьбой, — засмеялся Антон, — вот сейчас скажешь: «Тоша, помоги, пожалуйста, речь идет об очень важном деле». Ну?

Я действительно собиралась произнести именно такую фразу, поэтому прикусила язык.

— Один ноль, Войцеховский ведет счет, — веселился приятель, — выкладывай.

— Ладно! Речь идет...

— ...об очень важном деле!

— Записывай данные, — рявкнула я.

— Весь внимание, — загудел Антон, — «Клава» наточена, пальцы на старте.

— Водоносов Сергей Петрович. Вся информация о нем.

— Угу.

— Королькова Анна Львовна и ее дочь Марина. Нарой на них всю подноготную.

— Эге.

— И еще, был ли недавно в Домодедово случай, связанный с задержанием англичанина Майкла Степли, он попался на контрабанде, пытался вывезти из России музейную редкость, выдав ее за новодел. Когда обман раскрылся, мошенник покончил с собой прямо в комнате, где его содержали.

— Красиво, — хмыкнул Антон, — усе? Как-то мелко для тебя! И мне неинтересно! Чисто техническая работа, без творческого полета. Вот когда ты захотела выяснить, где живет мальчик по имени Андрюша Николаев, не зная ни отчества, ни года рождения, вообще ничего, это было увлекательно. И ведь ты еще злилась, сучила ногами и фыркала на бедного Антошу за справедливое замечание: Андрюш Николаевых у нас многовато, как из них нужного выделить!

— Злопамятность не мужская черта, — перебила я Войцеховского, — еще запиши Ахметшину Равилю Шамсудиновну, Николаев не пришелся тебе по душе из-за простой фамилии, теперь получи удовольствие.

— И когда нужны сведения?

— Вчера!

— Я не сомневался в ответе, — засмеялся Антон, — отлично. Договор прежний? Фамилия — пластинка?

— Естественно, — заверила я, — составляй список!

У нас с Антоном давно налажен бартер. Войцеховский страстный коллекционер виниловых дисков, весьма дорогое хобби для мужчины, чья жена не работает, а сидит с близнецами. Антоша имеет доступ к самой разнообразной информации, я использую его как канал для получения нужных мне сведений, а потом привожу ему записи из Парижа. Во Франции винил дешевле, чем в России, и выбор там значительно шире.

Обеспечив Войцеховского работой, я посмотрела на часы и собралась ехать домой, оставалось решить, какой путь выбрать, где пробка окажется меньше: на Волоколамском шоссе или на Кутузовском проспекте? Впрочем, если я поеду в сторону метро «Сокол», то самый большой затор будет там, а если выберу путь через Триумфальную арку, тогда застряну в пробке уже на съезде с моста через Москву-реку. Помаявшись минут пять, я решительно повернула налево и довольно быстро домчалась до автомобильно-дорожного института, дальше движение было парализовано. От тоски я стала включать разные радиостанции, но везде передавали одинаковые мелодии. Наконец из динамика зазвучал бодрый голос диджея.

— И о положении на дорогах. Гигантский затор

на Ленинградском проспекте, стоит также Волоколамское шоссе, затруднен съезд на МКАД. К огромному удивлению, абсолютно свободен Кутузовский, машины летят, как на гонках, что еще раз доказывает: наш город полон сюрпризов.

Я глянула в окно, надо было ехать не здесь. Я всегда делаю неправильный выбор. С другой стороны, у меня в последнее время возникла стойкая уверенность: движение в Москве парализуется там, где находится мой коняшка. Направь я колеса по Садовому кольцу в другую сторону, тогда бы на Ленинградке сейчас было свободно, а некогда основная правительственная трасса не вмещала бы всей массы автомобилей. А еще я умею менять погоду, всякие колдуны и ведьмы мне в подметки не годятся. Служители потусторонних сил долго готовятся к обряду, приносят жертвы, поют песни, но как они ни стараются, ни капли дождя не падает на выжженную зноем землю. Крестьянам, страдающим от засухи, нужно звать госпожу Васильеву, я приеду в пустыню, помою машину, отполирую ее с помощью дорогих средств и тут же с безоблачно-синего неба начнет хлестать ливень. Чистая машина к осадкам, эта примета срабатывает всегда, исключений не бывает.

Я зевнула и вдруг увидела на доме вывеску «Товары для животных. Экипировка и тренажеры, фитнес-центр». Меня охватило любопытство, в конце концов, пробку лучше переждать в магазине, шляться по торговому залу намного интереснее, чем медленно ехать в нескончаемом потоке автомобилей.

Не успела я войти в залитое мягким светом помещение, как мужик на ресепшен расцвел улыбкой, словно майская роза.

— Очень, очень, очень рад, — с восторгом произнес он, — в чем ваша проблема? Ожирение? Гиподинамия? Плохое настроение? Уныние? Депрессия? Тоска? Потеря интереса к жизни? Я Леонид. Здравствуйте. Вам нужен особый подход? Занятия у нас индивидуальные. Консультация врача? Анализы? Не сомневайтесь, у нас дипломы ветеринарной академии! Составим диеты. В тяжелом случае — липосакция! Имеем салон красоты! Массаж! Маски! Удаление отеков! Маникюр! Прическа! Окрашивание ресниц! Пирсинг, татуировки...

Леонид захлебнулся словами, я получила возможность вставить слово в его монолог:

— На вывеске указаны товары для животных, это здесь?

— Да! Да!! Да!!! — вновь впал в истерический восторг Леонид. — Кроссовки, костюмы, бейсболки, гантели, купальники, плавки, велошорты, футболки, спортивное питание, витамины...

— Простите, у меня собаки! Наверное, я вошла не в ту дверь, — попятилась я.

— Нет, нет, это к нам! Фитнес-клуб для домашних любимцев, — закатил глаза Леонид.

Я вздрогнула: бедный парень, не все способны выдержать бешеный ритм современной жизни, кое-кто, как говорит Маня, «теряет крышу». Вероятно, нужно позвать управляющего и деликатно ему намекнуть:

— Ваш сотрудник сошел с ума.

Из коридора выпорхнула очаровательная девушка, в руках она несла весьма жирного кота, наряженного в красно-синюю футболку с надписью «№ 1». Лапы перса были втиснуты в кроссовки.

— Марио, — засюсюкал Леонид, — как ты сегодня? Старался?

— Жуткий лентяй, — устало воскликнула хозяйка, — совсем не желает шевелиться, вот ключ, спасибо, Леня!

Администратор погладил кота, апатично свесившего хвост.

— Настенька, не будьте строги к Марио.

— Позор, он двадцатиграммовые гантели не может поднять! Я чуть не сгорела со стыда, даже Бригитта его опередила, — пожаловалась Настя.

— Начинать всегда трудно, — посочувствовал Леонид.

Я, затаив дыхание, слушала их диалог, не понимая что происходит. Какие гантели?

— Может, вам тренера сменить? — посерьезнел Леня. — Вы ведь у Юрия занимаетесь? Он бывает слишком суров, хотите, переведу Марио к Максу?

— А это поможет? — оживилась Настя.

— Чихуа-хуа Белла уже на велосипед перешла.

— Давайте, — воспряла духом девушка, — еще запишите нас на укладку и мелирование, а то Марио на старый половик похож.

Когда девица с котом удалилась, я взглянула на Леню:

— Фитнес для зверей?

— О! Да! Они страдают в квартирах от гиподинамии!

— Как же можно заставить кошку приседать с гантелями? И чем она их держит? Когтями? Зубами? — растерялась я.

— Скажете тоже, — развеселился администратор. — На тело надевается специальная попонка, к ней привешиваются утяжелители. У вас киска?

— Две штуки и пять псов, не считая гостя, — вздохнула я.

— К нам! Непременно! Давайте покажу вам зал! Спа! Джакузи! — запрыгал от возбуждения парень.

— Спасибо, но я не смогу возить сюда стаю, очень далеко живу, — выкрутилась я.

— Инструктор приедет к вам! С тренажерами! Цена договорная! Скидки! Абонемент!

— Благодарю, мы скоро улетаем в Париж, — отбила я и эту подачу.

— Жаль, — пригорюнился Леонид и тут же оживился, — термокостюм! Идеальная вещь для создания образцовой фигуры пса! Ботиночки для развития мускулатуры лап! Шапочка, тренирующая уши! Натягиватель хвоста!

— Все уже есть, — замахала я руками, мелкими шажочками пробираясь к двери.

— Стойте, — с отчаянием выкрикнул Леонид, — увлажнитель носа! Силиконовые накладки для подушечек лап! Неужели вам ничего не надо? Вот беда! Секунду! От бегуна еще никто не отказывался!

Глава 15

Леонид бросился к шкафу, стоявшему между окнами, и вытащил каталог.

— Вот! Новейшая разработка! Всего неделю как поступила из Америки! Бегун! Вы можете его не покупать, сейчас объясню принцип его действия.

Я облокотилась о стойку ресепшен. С одной стороны, спешить мне некуда, на проспекте по-прежнему затор, с другой — Леонид невероятно услужлив. Не знаю как вы, а я всегда смущаюсь, если приходится уходить из магазина, оставив заботливого продавца ни с чем. Как-то неудобно ничего не купить, если тобой занимались полчаса.

— С удовольствием выслушаю про прыгуна, — кивнула я.

— Бегуна, — засмеялся Леонид и ткнул пальцем в картинку с изображением комка рыжего меха, из которого торчала остроносая морда грызуна.

— Это он? — спросила я.

— Первый раз вижу даму, которая сразу ухватила суть дела, — польстил мне Леонид. — Бегун выполнен из экологически чистых материалов, ни грамма синтетики. Он разработан для животных, страдающих от малой подвижности.

Я кивала в такт словам парня, а тот разливался соловьем.

— Батарейка на месяц непрерывной работы...

трансформер... шесть самопереключающихся скоростей... разнообразные звуки... фотодатчики... натуральный мех.

Меня стало укачивать, а распорядитель звериного фитнеса болтал без умолку.

— ...включение пультом... от легкого нажатия активизируется... отлично плавает... лазает... функции обезьяны... интеллект слона... берете? Девушка, очнитесь!

— Да? — вздрогнула я, выплывая из дремоты. — Да.

— Я пробиваю чек?

Моя голова автоматически кивнула, я машинально повторила:

— Да!

Леонид ткнул пальцем в кассовый аппарат, раздался бодрый стрекот.

— Стойте, — опомнилась я, но было поздно.

— Поздравляю, — возвестил Леонид, — вы стали первой в России обладательницей бегуна, поэтому фирма-изготовитель дарит вам подарок, я положу его сверху в пакет. Внимание! Здесь пульт, храните его отдельно! Нажмете на кнопочку, приспособление для занятий фитнесом приходит в действие. Хотите, я еще раз объясню правила пользования бегуном?

Именно в этот момент я увидела сумму на чеке и выпалила:

— О! Нет!

— Там есть инструкция, — долдонил Леонид, — вы, наверное, правы, лучше самой разобраться. Но, знаете, никаких сложностей не будете. Карточкой оплатите?

И что мне оставалось делать? Ощутив себя мышью, по оплошности влезшей в ловушку, где не было ни кусочка сыра, я протянула Леониду кредитку.

Решив не рассказывать домашним о совершенной глупости, я тихо вошла в дом, незаметно прошмыгнула в пустую гостевую комнату и полезла в пакет, где лежал бегун. Леонид постарался, замотал мою покупку в невероятное количество бумаги. Распотрошив упаковку, я увидела наконец свое дорогостоящее приобретение и тут же обозлилась. Естественно, в реальности бегун выглядел совсем не так, как на картинке. Он оказался небольшим и сделанным не из настоящего меха, а из синтетики. Даже цвет не совпадал с рекламным фото. Леонид показал мне картинку, на которой красовалось нечто, похожее на рыжую шапку-ушанку с головой грызуна, а в пакете я обнаружила кустарную игрушку черно-серого цвета, отдаленно напоминающую таксу. Я бросила бегуна на пол и нажала на пульт, он заморгал зеленым огоньком, но ничего не случилось. Несмотря на обещания сладкоречивого Лео, тренажер для собак не ожил, не побежал по комнате, он даже не вздрогнул. Я удрученно смотрела на свою совсем не дешевую покупку. Ну сколько раз можно наступать на одни и те же грабли? Ведь я знаю, что приобретать вещи по каталогу нельзя, непременно получишь совсем не то, что выбрала, голубой свитер окажется зеленым, круглый вырез — квадратным, вместо молнии будут пуговицы, и размер не подойдет! Так зачем я приобрела бегуна?

Горестно вздыхая, я пошла к двери, услышала тихое шуршание, оглянулась... Звук стих. На секунду мне показалось, что огромный пакет, набитый большим количеством бумаги, призванный убедить подобных мне дурочек о внушительном размере упакованного тренажера, зашевелился. Но я быстро сообразила, что обертка не может двигаться, и пошла в свою спальню. Сейчас приму душ и лягу в кровать, езда по столице становится невыносимой, может, пересесть на метро? Жаль, его не проложили до Ложкина!

Очутившись на своей половине, я включила воду в ванной и обнаружила, что пропала моя любимая губка. Я изучила бортики ванны, раковину, заглянула во все шкафчики и пришла к неутешительному выводу: симпатичный зайчик из поролона исчез без следа. Этот банный аксессуар стоит три копейки, но купить его очень трудно. Нет, мочалок на прилавках в избытке, но одни слишком жесткие, другие излишне мягкие, третьи противно пахнут, четвертые неприятны на ощупь, а вот зайчик подходил мне идеально. И кому он мог понадобиться?

Глупо расстраиваться из-за ерунды, но я огорчилась! Зачем заходить в отсутствие хозяйки в ванную и брать без спроса ее вещи?

— Просто безобразие! — возмутилась я вслух. — Кто утащил мою губку?

Внезапно из-под ванны послышалось натужное пыхтение. Я в испуге отпрыгнула в сторону и громко приказала:

— Немедленно вылезайте!

Из-под ванны выскочил бело-рыжий пес с губкой в зубах.

— Александр Михайлович! — заорала я. — Наглый вор! В отсутствии бобров решил поохотиться на мочалку? Подпрыгнул, сдернул ее с крючка, а потом уволок в единственную в нашем доме нору? Ты мерзавец! И где второй зайчик? Здесь были две одинаковые губки? Александр Михайлович!!!

Пес незамедлительно юркнул назад, я встала на колени и попыталась рукой дотянуться до чемпиона, но пальцы нащупали цементный пол и мелкие камушки, строители всегда ставят ванну, забыв предварительно подмести пол. Хитрый пес, понимая, что хозяйка дома разозлилась не на шутку, затаился в самом дальнем углу, он сообразил, что у меня не двухметровые руки, и сидел тихо-тихо!

— Мерзавец! — с чувством произнесла я. — Отвязный безобразник! Александр Михайлович! Иди сюда! Живо, к ноге!

— Мусик, ты кого зовешь? — раздался за спиной голос Маши.

Я села на пол, обернулась и ответила:

— Гадостного Александра Михайловича! Спер мою губку! Заполз под чугунину!

— Как же полковник ухитрился туда втиснуться? — изумилась Маша.

— Я здесь! — заявил Дегтярев. — И незачем так орать! Что случилось?

Маруська захихикала.

— Мама полагает, что ты украл ее мочалку!

Полковник округлил глаза.

— Зачем? То есть почему? Кстати, я пользуюсь только щетками на длинной ручке, ими очень удобно спину тереть.

Я горько вздохнула, а Маня продолжила:

— А потом ты заполз под ванну!

— Не он, а пес, — устало пояснила я, — чемпион по ловле бобров!

— Когда-нибудь нам принесут на передержку обезьяну по имени Даша Васильева, и тогда ты поймешь мои теперешние ощущения, — с интонацией короля Лира произнес приятель и прислонился к косяку.

— Вообще-то мы решили звать его Чемп, — напомнила Маша, ложась на пол и пытаясь проникнуть под ванну, — однако здесь узко!

— Ничего, ничего, — трагическим шепотом заявил Дегтярев, — скоро я привыкну и перестану с усердием дворняги нестись на зов!

— Попался! — обрадовалась Маруська, вытаскивая собаку за хвост. — Держи, мусенька, вот она, твоя губка.

Я посмотрела на изжеванного зайчика.

— Думаю, Чемп может оставить добычу себе!

— Мудрое решение, — тут же влез с новым замечанием Александр Михайлович, — вору всегда надо отдавать награбленное, это поможет ему осознать всю тяжесть содеянного и предотвратит антиобщественное поведение в будущем! Теперь Чемп будет тырить все, что плохо лежит!

— Мочалка выполнена в виде зайца, очевидно, пес принял ее за настоящую дичь, — решила защитить Чемпа Маша.

— Значит, мой тезка идиот, — объявил полковник, — и почему-то от осознания данного факта мне стало еще неприятнее.

Маруся заморгала, а я собралась сказать, что отвязный охотник за бобрами просто мелкий пакостник, но тут с первого этажа донесся визг Ирки.

— Людиии! Спааасите!

Не сговариваясь, мы бросились к лестнице, впереди, по-прежнему держа в зубах поролонового зайца, летел Чемп. Домработница стояла посреди столовой с закрытыми глазами.

— Что случилось? — хором воскликнули Дегтярев и Манюня.

— Прекрати вопить, — приказала я Ирке, — собак перепугала!

Банди, Снап, Черри и Жюли с растерянным видом топтались у большого серванта. Члены стаи, почуяв опасность, предпочитают держаться вместе, и если вы полагаете, что руководят бандой питбуль Банди или ротвейлер Снап, то жестоко ошибаетесь. Атаман у нас килограммовый йоркширский терьер Жюли, а правой рукой храброго командира служит старуха Черри, которая перед очередным сражением таинственным образом обретает молодость, у нее пропадает артрит, обостряются слух и нюх, а взор делается орлиным. Жюли и Черри полководцы, а суровые охранные псы просто пушистые кролики.

Домработница приоткрыла один глаз.

— Оно ушло?

— Кто? — в унисон поинтересовались полковник и Маня.

Ирка указала пальцем в сторону окна.

— Я пришла сюда... вдруг шорох странный... звук удивительный... вижу... о... о! Вон он!!! Пасюк-мутант!

Издав оглушительный визг, Ира нырнула под стол, Дегтярев машинально сунул руку под мышку, потом сообразил, что табельное оружие при пижаме не носят, и приказал:

— Стой! Стрелять буду!

— Так тебя крыса и послушается, — не удержалась я, — не забудь при аресте напомнить грызуну про его право на адвоката... а... а... а!

Не следует считать меня трусихой, которая лишается чувств при виде небольшой мыши. Конечно, никакой радости от встречи с ней я не испытаю, но и вопить сиреной не стану, только сейчас столовую пересекало никогда не виданное мною и явно опасное существо.

Серо-коричневое лохматое тело размерами превосходило Черри, а она не карликовый, а, так называемый, малый пудель. Ноги у неизвестного зверя практически отсутствовали, издали казалось, что он передвигается ползком. Иногда над передней частью существа вздымались два комка, похожие на уши, лохматые пряди спереди раздвигались, и на свет показывалась хищная длинноносая морда, сверкали острые зубы и вспыхивали огнем маленькие злобные глазки. В довершение ко всему по столовой разносился писк, временами переходивший в угрожающее рычание.

Я попятилась к серванту.

— Ты вроде говорила, что в лаборатории ветакадемии проводили эксперименты с радиацией? — шепотом спросил у Машки Дегтярев.

— Было, но очень давно, — ответила она, — нас к ним не допускали.

— Может, ты по доброте душевной пожалела одного из мутантов и притащила его домой? — предположил Александр Михайлович.

— Нет, нет, — быстро сказала Маня, — оно же серое! И вовсе даже не крыса!

— А кто? — запищала из-под стола Ирка. — Что у нас в доме поселилось? Откуда пришло? Его надо поймать!

И тут Жюли с оглушительным лаем ринулась на чудище. Зверь резво повернулся и кинулся под скатерть, свисавшую до пола, Ирка издала звук, которому могла бы позавидовать пожарная сирена, вскочила и ударилась спиной о столешницу. Как назло, она задела одну из раздвижных частей, доска встала перпендикулярно, вазочки с печеньем и конфетами опрокинулись, варенье струйкой полилось на пол.

— Оно меня съест! — завопила домработница. — Уже нацелилось!

Услышав ее отчаянный крик, Черри ломанулась в эпицентр событий, Дегтярев порысил к лестнице, Маша поспешила в кухню, Банди привычно описался, а Снап вжался в пол и притворился мертвым. Я провела несколько секунд в растерянности, потом, победив ужас, шагнула вперед и заорала:

— Ира! Не волнуйся, я иду к тебе на помощь!

— И я, — завопила Маня, вскакивая в столовую с мраморной скалкой в руке. — Чип и Дейл рядом! Давай руку!

Домработница протянула из-под скатерти дрожащую кисть, и тут стол рухнул.

Сначала раздался сильный треск, затем такой звук, словно рядом сбросил весь груз многотонный самосвал, следом — звон разбитой посуды, истерический собачий визг, вой Ирки, и воцарилась мертвая тишина, прерываемая мелодичным журчанием. В момент опасности почки Банди срабатывают безотказно, он у нас мастер художественного пописа.

— Все живы? — в ужасе спросила Маня.

Я попыталась что-то вякнуть, потерпела неудачу и уставилась на руины, громоздившиеся в центре столовой. В свое время мы не пожалели денег на обустройство дома, мебель в Ложкино изготовлена из цельного массива дуба, страшно представить, сколько весит стол!

Маня уронила скалку, она угодила на хвост Банди, питбуль тут же напрудил третью лужу.

— Ирочка, — прерывающимся голосом прохрипела я, — как ты себя чувствуешь?

Более идиотского вопроса в данной ситуации нельзя было и придумать, задав его, я ощутила себя героиней американского боевика, которая после схватки с бандитами подбегает к напарнику, лежащему с перерезанным горлом и пулевыми ранениями во все жизненно важные органы, с восклицанием:

— Джо? Ты в порядке? Держись парень, «Скорая помощь» уже едет!

И ведь Джо непременно спасут, в конце фильма он получит орден и женится на любимой девушке!

Скатерть заколыхалась, из-под нее выползла Ира.

— Как я себя чувствую? — проблеяла она. — Как сосиска, которую пропустили через миксер!

— Фу! — выдохнула я и села на лежавшего трупом Снапа.

— Собаки! — заорала Маня. — Черри! Жюли! Надо немедленно разбирать завал!

— Боюсь, у нас не хватит сил приподнять столешницу, — пробормотала я, — ее сюда вносили четыре здоровенных грузчика.

— Тогда я сама туда полезу, — решительно заявила Манюня, — псам нужна помощь!

Скатерть пошла волнами, перед нами возникла Черри, в пасти она держала взлохмаченную Жюли.

— Все живы! — запрыгала от восторга Маня.

— Надеюсь, крысу-мутанта придавило насмерть, — мрачно сказала Ирка.

— Нам все равно придется растаскивать завал, — покачала я головой, — Ира, зови Ивана.

— Стой, а то стрелять буду, — раздалось из коридора.

Маня, успевшая подобрать скалку, снова уронила ее на хвост Банди. Угадайте, как отреагировал отчаянно храбрый, рожденный на свет для драки с тиграми пес? Правильно, море на полу стало еще шире.

Я вздрогнула, Ирка завизжала, Снап перестал дышать, Черри выплюнула Жюли, йоркшириха с оглушительным лаем кинулась в холл.

— Эй, эй, — закричал Дегтярев, — с ума сошла? Это же я!

Глава 16

— Куда ты исчез? — спросила я у полковника, когда тот наконец вошел в столовую.

— За пистолетом побежал, — ответил Александр Михайлович.

— Не слишком-то ты спешил назад, — укорила я приятеля.

Дегтярев засопел, и тут к действующим лицам присоединился Иван.

— Ох! Ёжкин кот, — почесал в затылке садовник, — че случилось?

— Не видишь? Стол упал! — налетела на супруга Ирка.

— А зачем? — спросил Иван.

Ко мне мигом вернулось отличное настроение, Иван мастер задавать вопросы, на которые практически не найти ответа. Зачем упал стол? Правда, гениально?

— Давайте его поднимать, — вздохнула Маша.

— Не, — протянул Иван, — тут бабы, то есть, простите, конечно, женщины, не помощницы. Пойду позову с охраны Гошу и Петьку, а вы спать ложитесь!

— Верно. Покиньте место происшествия, — велел Александр Михайлович, — а парни под моим мудрым руководством устранят последствия форс-мажора.

Иван втянул голову в плечи, я великолепно понимала, что садовнику не хочется попасть в подчинение Александру Михайловичу. На службе полковник незаменим, он обладает большим авторитетом и умеет быстро находить нестандартные решения трудных задач. Но в доме от него нет никакого проку, Дегтярев не принадлежит к категории рукастых мужчин, способных из пустых спичечных коробков сделать бегающий автомобиль. Но полковник уверен, что знает абсолютно все, поэтому без малейшего сомнения учит Ивана подрезать деревья, Ирку — гладить пододеяльники и даже иногда пытается поправить мое французское произношение.

— Иван! Ступай за парнями, — командовал Дегтярев, — Маша, уводи собак! Остальные спать!

Когда Ира убежала, я сказала приятелю:

— Завтра обязательно скажи во время завтрака, что под завалом обнаружили останки мутанта и отнесли их в мусорный бак за пределами поселка.

— Не уверен на сто процентов, что крыса еще там, — привычно стал спорить полковник.

— Даже если никого не найдешь, все равно скажи о смерти чудовища, — настаивала я.

— А какой смысл врать? — насупился Дегтярев.

— Ира напугана до полусмерти, пусть думает, что в доме безопасно.

— Ага! И вскоре она опять увидит зверушку, — скривился полковник.

— Надеюсь, грызун от испуга удрал навсегда! — протянула я.

— Он может появиться! — стоял на своем Александр Михайлович.

— Вот тогда и скажем, что это... ну... крысиный

ребенок или муж, — рассердилась я, — сделай, как прошу!

— Хорошо, — отмахнулся приятель, — а сейчас уходи!

Добравшись до кровати, я откинула одеяло и увидела нечто толстое, серо-бежевое, устроившееся на простыне. У меня от ужаса пропал голос. Потом мозг обработал визуальную информацию, и сердце перестало колотиться с бешеной скоростью. Хучик!

— Значит, пока все обитатели дома сражаются с жутким существом, ты тихо кемаришь под пуховой перинкой, — укорила я мопса, устраиваясь на матрасе. Неожиданно ноги ощутили влагу, я села, увидела мокрое пятно и потрясла Хучика.

— Эй! Ты здоров?

Мопс сладко засопел, я наклонилась прямо к его морде и сердито спросила:

— Что у нас происходит? Мне теперь из-за твоей странной выходки предстоит менять белье. Ненавижу возиться с пододеяльниками и наволочками.

Хуч лениво поднял голову, похоже, он не испытывал ни малейшего раскаяния.

— А что у тебя под передними лапами? — изумилась я и вытащила кусок поролона, который при детальном изучении оказался остатками губки.

— Вот почему на матрасе лужа, — пробормотала я, — и ясно, куда подевалась вторая мочалка. Хуч, ты связался с плохой компанией! Чемп научил тебя залезать на стол, воровать конфеты и тырить из ванной губки. Что дальше? Ты вставишь себе золотой зуб и начнешь взламывать сейфы? Немедленно уходи из кровати, я не сплю с бандитами!

Хуч, не забыв прихватить недоеденного зайчика, кряхтя слез на пол. Я отняла у него губку, поменяла простыню и рухнула под одеяло. В следующий раз, когда кто-нибудь из подруг притащит на передержку представителя фауны, я первым делом поинтересуюсь, является ли зверушка победителем соревнований. Отныне всем чемпионам вход в Ложкино закрыт навсегда.

Около полудня, когда я уже выруливала на шоссе, которое должно было привести меня в деревеньку со странным названием Дураково-Бабкино, позвонил Фима.

— Извини, я вчера очень поздно вернулся, — зачастил он, — мама сказала, что ты меня искала, но в два часа ночи неудобно друзей беспокоить.

— Зачем ты сказал мне, что Водоносов работает в КГБ? — налетела я на Пузикова.

— Кто сказал? — удивился Ефим.

— Ты!

— Я?

— Неужели не помнишь? Я спросила у тебя, что за человек Сергей Петрович, а ты заверил: «Я давно его знаю, он служит в КГБ».

— И что?

— Твой Водоносов не имеет никакого отношения к чекистам! Он был начальником охраны завода по производству сейфов!

— Послушай, произошло недоразумение. Я сказал: «Сергей служил в КГБ», это чистая правда. Но мы с Водоносовым давно не общались, вероятно, он вышел на пенсию и устроился в службу безопасности. Петрович отличный мужик!

— Откуда ты его знаешь? — не успокаивалась я.

— Раньше мы дружили с Колей Сидякиным, —

воскликнул Ефим, — может, помнишь, он у нас на факультете был секретарем бюро комсомола. Мы учились на втором курсе, Колька на четвертом.

— Вероятно, — бормотнула я, — много лет прошло. И я никогда не была активной комсомолкой.

— Точно, — заржал Фима, — ты все замуж выходила, даже субботники косячила. Кстати, я тебя благодаря дружбе с Сидякиным всегда покрывал, ставил в нужной графе крестик.

— Я не знала, ты никогда об этом не рассказывал.

— Зачем зря болтать?

— Спасибо, — поблагодарила я, — очень мило было с твоей стороны меня отмазывать.

— Лучше услышать от тебя ласковые слова поздно, чем никогда, — развеселился Ефим, — из-за службы в армии я оказался самым старшим на курсе, вас детьми считал. Колька же тоже два года в армии оттрубил, вот мы и скорефанились. Серега Водоносов был старше нас, он служил в КГБ, и в конце концов Колька тоже надел погоны, а я не захотел, несмотря на отличный соцпакет. Мне предложили через пару лет работы на Лубянке благоустроенную квартиру, участок под дачу, талон на машину. Весьма соблазнительно и престижно. Лейтенант из «Большого дома» приравнивался к обычному майору. Ну и оклад, конечно, достойный, паек.

— Почему же ты отказался?

— Испугался, — честно признался Фима, — стремная контора, из нее по своей воле не уйти. Знаешь, как там говорят? «Уволенных чекистов не бывает, есть те, кто находится в запасе». Одно время я жалел об упущенной возможности, потом в стране бардак начался, и стало понятно: я правильно сделал, что не нацепил рубашку с погонами. Водоносов был приличным человеком, но мы с ним давно не общались.

— Сергей Петрович скончался.

— Умер? — растерянно переспросил Ефим. — Серега меня ненамного старше.

— На работе пояснили, что у Водоносова было шунтирование сердца, но операция не спасла его от нового инфаркта.

— Ах ты господи, — пробормотал Пузиков, — вот несчастье.

Не успела я положить трубку, как телефон зачирикал, теперь на том конце провода оказался Антон Войцеховский.

— У Анны Корольковой непростая биография, — с места в карьер начал он, — в юные года она побывала под следствием, но ее признали невменяемой, отправили в спецбольницу, где Королькова провела немало времени. Когда выписалась, Анна устроилась работать на предприятие, выпускающее бытовую химию, это вредное производство, народ туда идти не хотел, поэтому администрация брала всех без разбора, даже сидевших или психов. Анна получила комнату в заводском общежитии, забеременела неизвестно от кого, родила дочь Марину. Несмотря на криминальное прошлое, Королькова взялась за ум, отлично работала, считалась передовиком производства, и ее через пару лет наградили комнатой в коммуналке. Затем фабрика построила для своих сотрудников благоустроенный дом, и ветеранам труда дали отдельные квартиры. Семья Корольковых осталась на прежнем месте, но мать и дочь стали обладательницами двушки и с тех пор там и живут. Анна давно на пенсии, Марина числится уборщицей в магазине.

— И где сейчас Королькова? — спросила я, когда Войцеховский замолчал.

— По месту прописки, — ответил Антон.

— Это де-юре, а меня интересует де-факто.

— Я работаю с документами, — напомнил любитель виниловых пластинок, — из них следует: Королькова жива, прописана в Москве. А уж где она тусуется, я не отвечу. Уехала на дачу, к подруге, к дальним родственникам в другой город, сняла квартирку и кайфует одна. Вариантов масса.

— Хорошо, давай об Ахметшиной.

— Равиля на пенсии. Она, в отличие от Корольковой, никогда не конфликтовала с законом, под следствием не была, но в остальном их судьбы удивительно схожи. Женщина работала на кондитерской фабрике, сначала получила комнату в коммуналке, затем предприятие предоставило ей квартиру. Равиля родила дочь Соню, девочка никогда не видела своего отца. Старшая Ахметшина сейчас на пенсии, Соня работает дворником, она замужем. Ее супруг, Константин Попов, нигде не работает, инвалид, получает небольшое пособие. У них был ребенок, но он умер в пять лет от запущенного аппендицита.

— Говори адрес Ахметшиной, — велела я и тут же увидела на обочине указатель «Дураково-Бабкино — 2 км».

С относительно благоустроенного шоссе пришлось съехать на проселочную дорогу, которая, бесконечно изгибаясь, привела меня к полуразрушенной церкви. Рядом располагался магазин, торгующий хлебом, водкой, сигаретами и прочей ерундой. Хозяйничала за прилавком крепко сбитая блондинка с ярко-голубыми тенями на опухших веках.

— Равиля Ахметшина? — с удивлением переспросила она. — Такой в деревне нет!

— Вы уверены? — огорчилась я. — Может, вы не всех знаете?

Продавщица засмеялась:

— Тут всего тридцать домов, в каждом по старухе. Летом, правда, народ наезжает, но зимой пусто. Я вам не только имена с фамилиями местных назову, но и расскажу, кто чего ест и у кого что болит. Я же бизнесмен, товар под спрос привожу.

— Ясно, — уныло пробормотала я, жалея потраченное зря время.

Ну почему я поверила, что Лев отвез Равилю в это самое Дураково-Бабкино? По какой причине решила, что старуха до сих пор живет здесь и поддерживает отношения с непонятно откуда взявшимся сыном Анны?

— Если без ума торговать, вмиг прогоришь, — частила тем временем толстушка, — притащу, к примеру, десять коробок шоколадных конфет, и что? Кто их тут у меня возьмет? Поседеют ассорти, со срока сойдут! Я тонко действую! Майонеза — две банки, его только Федоровна любит, кетчуп одна бутылка, им Тамара Ниловна пользуется, зато макароны все варят! Спагетти надо ящиком приволакивать. Вот почему у меня бизнес хорошо идет: расчет и порядок. Кстати, вы курите? Могу предложить суперские сигареты, вон на полке, французские!

Я машинально перевела взор левее и удивилась.

— «Житан»? Кто же у вас употребляет такое крепкое курево? Эти сигареты дорогие, даже в Москве их не часто встретишь, мало любителей. Я, правда, одно время увлекалась ими, но стала сильно кашлять и перешла на другую марку. Однако отлично помню, что в столицу «Житан» поступал с перебоями, мне приходилось просить приятелей присылать их из Парижа.

— У меня целый блок, — оживилась блондинка. — Отдам по оптовой цене, только заберите!

— Неправильно рассчитали количество пачек? — улыбнулась я. — Табак не портится, еще успеете продать.

— Нет, — пригорюнилась торговка, — «Житан» курила одна баба Аня, уж кто ее на такую экзотику подсадил! Дым убойно вонючий! И верно вы про цену заметили, это не дешевка. Местные предпочитают «Приму» или, как дед Павел, свой табак на огороде растят, пенсии у людей крохотные. А баба Аня не нуждалась, хвасталась, что ее дочь содержит, и, похоже, не врала. Раз в месяц она в Москву каталась, утром на электричку сядет, вечером в девятнадцать сорок пять назад прикатывает. И от станции не на автобусе тряслась, такси брала. Во как! Другие старухи копейки выгадывают, на маршрутку не посмотрят, за нее платить надо, будут рейсовый ждать, туда их кондуктор по пенсионному удостоверению бесплатно пускает. Только баба Аня шиковала! И она у меня хорошо отоваривалась: сыр, творог, йогурты, сигареты, газеты выписывала, тоже нынче не дешево, а вот конфеты не ела, говорила:

— Я ими в молодости объелась, даже смотреть на шоколад не могу.

— Значит, вы зря переживаете, — поддержала я бессмысленный разговор, — старушке еще понадобится курево.

— Умерла Королькова, — мрачно сказала блондинка, — вчера преставилась. Все под богом ходим, суетимся, щеки надуваем и... хлоп! Конец! Уж какая баба Аня рукодельница была! Картины вышивала...

— Королькова? — подпрыгнула я. — Баба Аня? Она курила «Житан»?

— Паровозом дымила, — подтвердила продавщица, — поэтому я блоком и запаслась. А кому он теперь нужен? Возьмете?

— Давайте, — я решила задобрить блондинку, — а где изба Корольковой?

— На отшибе, — махнула рукой продавщица, — деревню пересечь надо, за старый коровник завернуть и к речке чуток спуститься, там и увидите дом.

Глава 17

Я совсем не боюсь собак, поэтому без всякой опаски вошла во двор и поднялась на крылечко. Дверь оказалась незапертой, я заглянула в сени и закричала:

— Есть кто-нибудь?

— Заходите, — донеслось в ответ, — я в спальне.

Миновав террасу, большую комнату и узкий коридорчик, я очутилась в небольшой светелке, почти все пространство которой занимала громоздкая кровать и здоровенный трехстворчатый гардероб с мутным зеркалом. Возле его раскрытых дверок стояла субтильная пожилая женщина, похожая на встрепанного воробья.

— Приехала! — всплеснула она руками. — Вот хорошо-то! Адреса я не нашла, и телефона тоже, посеяла бумажку, голова садовая! Положила к важным вещам и шмырк! Пропала! Я прямо вся издергалась! А ты почуяла! Ох, недаром говорят: между матерью и дочкой связь никогда не рвется, тянется ниточка, пока они живы! Я Вера Сергеевна, но ты зови меня бабой Верой. Мы с твоей мамой дружили, вместе вышивали! Как я рада, что ты приехала. Гора с плеч. Теперь есть кому заниматься и похоронами, и поминками. Тело Ани в больничный морг увезли.

Я попыталась раскрыть рот, но баба Вера не дала мне издать и звука, она трещала как обезумевшая сорока.

— Когда Аня сюда переехала, я к ней сразу заглянула, чтобы предупредить: надо газовую трубу на кухне поменять. Она в аварийном состоянии, хорошо, на воздух прежний хозяин не взлетел. Я, конечно, при торге не присутствовала, но уж так рассудила: если от домушки избавиться решили, навряд ли обо всех плохих местах рассказали. Брат твой человек интеллигентный, его легко обжулить!

— Чей брат? — попыталась я разобраться в бестолковом рассказе бабы Веры.

Старушка быстро юркнула за шкаф, вытащила оттуда круглую табуретку, хлопнула по ней морщинистой рукой, сама устроилась на кровати и, сказав: «Садись, в ногах правды нет», — вновь принялась тарахтеть.

Баба Вера принадлежит к породе людей, которые по пять-шесть раз повторяют одно и то же, обычно это меня утомляет, но сегодня я сумела понять суть только потому, что услышала информацию многократно.

Изба, в которой я находилась, ранее принадлежала семье Стефановых. Много лет назад Дураково-Бабкино было процветающим поселком, сплошь состоявшим из дач работников завода имени Байкова[1]. Земельные наделы начальство и лучшие сотрудники предприятия стали получать давным-давно. Семья Стефановых, отец, мать и сыновья, тоже имела здесь надел. Родители построили дом, баню, сарай и две беседки. По тем временам ни о какой

---

[1] Название придумано автором.

свободной продаже земли речи не было, а пресловутые участки в шесть соток стали обычными в конце шестидесятых. Ранее власти не жадничали, Стефановы получили почти полгектара и зажили в свое удовольствие. Лес, грибы, ягоды, свой огород, колодец неподалеку от забора, рядом речка, ну что еще нужно людям для полноценного летнего отдыха? Стефановы проводили в Дураково-Бабино время с мая по сентябрь, а потом уезжали в Москву. Ключи от основного дома и избушки они оставляли матери бабы Веры, зимой та ходила раз в неделю протапливать чужую дачу и за небольшое вознаграждение следила, чтобы на участок не забрели воры.

Андрей Григорьевич Стефанов работал на заводе замдиректора, его жена Алевтина преподавала историю в техническом училище при предприятии. Трудолюбивую семью уважали, награждали грамотами и ценными подарками. Среди заводчан было немало женщин, и все они завидовали Алевтине Глебовне.

— Сама страшная, прическу никогда не сделает, носа не попудрит, а такого мужика отхватила, — вздыхали бабы, — повезло ей по полной программе.

Андрей Григорьевич и впрямь казался идеальным человеком, не пил, не курил, любую копейку нес в семью, никогда не ругался с тещей, уважительно звал ее «мамой» и не переживал, что она живет с ними в одной квартире. Сыновей Андрей Григорьевич любил, но не баловал, о жене заботился. Любо-дорого было посмотреть, как Андрей и Алевтина утром спешили на работу, зимой они выходили из дома в добротных драповых пальто, меховых шапках и ладной обуви, летом муж облачался в светлый костюм, а жена щеголяла в шелковом платье.

Правда, вещи супруги носили годами, Андрей Григорьевич не был модником, Аля никогда не пользовалась косметикой и наряжаться не любила. Зато она хорошо готовила, твердой рукой вела домашнее хозяйство, умела экономить и летом отправляла детей на собственную дачу. И как было не позавидовать столь лучезарному счастью.

Но мать Веры Евдокия, служившая на заводе медсестрой, знала, что в действительности дело обстояло не так уж и здорово. Андрей Григорьевич был невероятно скуп, на питание выдавал Але скудные копейки и при этом не забывал напомнить:

— Если начнем сырничать, умрем в нищете. Лучше деньги в сберкассу отнести, на старость скопить.

Платья себе Аля мастерила сама, ездила в магазин при ткацком комбинате, брала там по дешевке остатки материи, так называемый лоскут, и садилась за швейную машинку. Алевтина умела и перелицовывать вещи, перешивала старые костюмы мужа для мальчиков, вот обувь приходилось покупать новую, и глава семьи очень нервничал по этому поводу. Теща Ольга Карповна всегда поддерживала зятя. Она постоянно напоминала дочери:

— Спорить с мужем, как в себя плевать, никогда правой не будешь, действовать надо лаской, не зли Андрея, он золотой. И вовсе не жадный, просто хозяйственный, но это же лучше, чем мот и выпивоха. Посмотри вокруг и поблагодари бога.

Аля понимала, что мать, как обычно, права. Когда на свет появился первый внук Леонид, Ольга Карповна стала брать работу на дом. Потом родился Юрочка, и бабушка ушла на пенсию, последнего мальчика, Глеба, она воспитала, уже уйдя со службы.

Если в семье есть один пацан, матери можно забыть про покой, если пареньков двое, нужно научиться разнимать драки, лечить синяки-ссадины и никогда не терять присутствия духа, а уж если вы обзавелись тремя мальчишками, тут запасайтесь литровыми бутылями валерьянки.

С тещей Андрею Григорьевичу повезло еще больше, чем с обожавшей его женой. Ольга Карповна преклонялась перед зятем, считала его лучшим из лучших и никогда не забывала повторять дочери:

— Муж — это главный человек в твоей жизни. Что он прикажет, то и делай. Ни в коем случае нельзя с ним спорить, давить на него или свое «я» демонстрировать. Женщина мужчине покоряется, не нами такой порядок заведен, не нам его и отменять. Хочет Андрей тебя на службе видеть? Работай изо всех сил, а я уж по хозяйству управлюсь, угожу зятю родному.

Ольга Карповна очень старалась уследить за сорванцами, но у нее это не всегда получалось, мальчики росли хулиганистыми и плохо учились. Андрей и Аля целыми днями пропадали на работе, детей видели редко, по выходным и во время отпуска, Ольга Карповна не хотела нервировать дочь, поэтому не сообщала ей о проказах и двойках, которые парни охапками получали в школе. Перед окончанием четверти старуха надевала парадное платье, вешала на него боевые награды, полученные во время Великой Отечественной войны, прихватывала припрятанные коробки конфет и шла в школу на поклон к учителям. В результате в табеле внуков появлялись четверки, и сорванцы избегали встречи с отцовским ремнем.

Неизвестно, как бы жизнь юных безобразников текла дальше, но в один далеко не прекрасный день бабушка скончалась.

Похоронив и оплакав маму, Аля поняла глобальность нависшей над семьей проблемы. Леониду исполнилось шестнадцать, он перешел в десятый класс, Юрочка справил тринадцатилетие, Глебу было всего шесть. Лето только начиналось, следовало срочно найти женщину, которая согласится присматривать за выводком во время каникул. Но няньке нужно платить, а Андрей категорически не желал расставаться с деньгами.

Как-то раз Верочка рано утром пошла в сарай за дровами и услышала усталый мужской голос.

— Ну хватит! В сотый раз на эту тему говорим!

Девушка великолепно знала, что по ту сторону сараюшки у соседей находятся умывальник и летний душ, Стефановы, очевидно, собирались на работу и обсуждали семейные дела.

— Парни уже взрослые, — продолжал Андрей, — одни посидят! Леня школу заканчивает, я в его возрасте уже на заводе работал.

— Пригляд за ними нужен, — перебила мужа Алевтина, — обед подать, ужин, белье постирать. И Леня болеет, вдруг ему плохо станет!

— Тьфу, — начал злиться Андрей, — а подгузники им менять не потребуется? Сами еду возьмут, дом ты в выходной отмоешь, а Ленька полежит, да встанет!

— Можно договориться за недорого с соседкой, — гнула свою линию Алевтина.

— Хватит, — резко оборвал ее муж.

И младшее поколение семьи Стефановых осталось предоставленным само себе. Ясное дело, едва родители уезжали, в доме начинались веселые гулянки, из окон доносилась музыка, принарядившиеся местные девчонки постоянно шныряли мимо ворот, за которыми жили москвичи. Веру на танцы не позвали ни разу, она была на год старше Леонида и, наверное, считалась у парней Стефановых пенсионеркой.

Наивные родители не знали, как проводит время молодежь. К девяти часам вечера, когда из Москвы приезжали усталые взрослые, детки успевали навести порядок, и папа с мамой заставали идиллическую картину: Юра и Глеб играют в шахматы, Леня, лежа на диване, читает толстую книгу. Дом Стефановых стоял на отшибе, жители деревни не могли видеть, как резвятся подростки, ближайшая соседка, Евдокия Степановна, тоже уезжала на работу, а ее дочь Вера не собиралась выдавать парней.

В августе Стефановы заперли дом, заколотили ставни, отнесли ключи Евдокии Степановне и уехали в Москву. В начале октября к матери Веры прибежала Алена Елкина и с порога закричала:

— Дуся, у тебя же есть их телефон?

— Чей? — удивилась Евдокия.

— Стефановых! — завопила Алена. — Давай скорей!

— Зачем тебе их номер? — бдительно поинтересовалась Евдокия.

— Надо! — отрезала Елкина.

— Ступай себе, — пожала плечами хозяйка, — если тебе телефон не сообщили, то и я без особой надобности его не дам.

Алена перешла на свистящий шепот.

— Слышь, Дуся, не выдавай меня!

— Я не болтлива, — сказала чистую правду Евдокия Степановна, — да и недосуг мне с бабами сплетничать, на двух работах кручусь, одна дочку поднимаю.

— А где Верка? — предусмотрительно поинтересовалась Алена.

— В райцентр, в библиотеку отправилась, — снова не соврала Дуся.

Но мать ошибалась, буквально за пять минут до прихода Алены Вера вернулась домой. По дороге девушка споткнулась, упала в лужу и, боясь, что мама будет ее ругать, прошмыгнула в избу незаметно.

— Галка беременна, — простонала Алена.

Вера разинула рот, Галина была ее одногодкой, ей еще не исполнилось восемнадцати.

— Нехорошо, — посочувствовала Евдокия. — А кто ребеночка сделал?

— Сын Стефановых, — заплакала Елкина, — когда они успели? Вроде не дружили особо.

— Пусть женится, — сказала Дуся, — семья хорошая, обеспеченная. Галя, конечно, легкомысленно поступила, но она хозяйственная, из нее получится отличная невестка.

— Куда им расписываться, — сквозь плач пробормотала Алена, — они несовершеннолетние.

— По просьбе родителей загс примет заявление, — попыталась утешить Елкину Дуся.

— Он ее моложе, — стонала Алена.

— Леониду шестнадцать, твоей семнадцать — невелика разница, — воскликнула хозяйка, — рановато для женитьбы, но раз уж так вышло, то ничего страшного!

— Я разве про Леньку сказала? — неожиданно окрысилась Елкина. — Не он будущий папаша!

— А кто? — изумилась Евдокия.

— Юрка! — выкрикнула Алена.

— ...! — воскликнула порицавшая матерщинников Евдокия Степановна. — Ему же всего тринадцать!

— Молодой, да ранний, — сказала Елкина, — и как он мою дуру уговорил! Связалась с младенцем!

— Совсем дело плохо, — испугалась Дуся, — как бы Стефановы Галку в растлении сына не обвинили, ты, прежде чем на них наскакивать, стратегию продумай, Юрка совсем ребенок, скажут, что девушка его совратила, не отмоетесь потом, еще за решетку Галка угодит, статья такая есть.

— За что мне это горе! — завыла Алена.

— Замолчи, — приказала Дуся, — здесь соплями не помочь, сейчас скажу телефон.

На следующий день в село примчались Андрей и Алевтина. Они зашли в избу к Дусе, туда же огородами прокралась и Алена. Вера, сгорая от любопытства, залезла в своей комнате под кровать, она страстно хотела быть в курсе дела и боялась, что мать выставит ее вон. Но Евдокия Степановна начисто забыла о дочери, и та получила возможность подслушать не предназначенную для ее ушей беседу.

Вопреки всем ожиданиям, Алевтина не стала налетать на Елкину с воплем: «Ваша шлюха развратила моего ребенка». Преподавательница повела себя иначе.

— Шум никому не нужен, — стараясь быть спокойной, говорила Аля, — не дай бог в школе услышат! Я знаю хорошего врача, отвезу к нему Галю, и мы постараемся забыть о случившемся.

— У меня нет денег, — сообщила Алена.

— Расходы берем на себя, — заверила ее Аля.

— Ладно, — согласилась Елкина, — надеюсь, все получится без осложнений.

— Вот и договорились, — обрадовалась Дуся. — Алевтина, ставь самовар, я пока Алену через заднюю калитку выведу и щеколду задвину.

Едва женщины ушли, как Вера услышала голос Андрея Григорьевича:

— Горазда ты деньгами расшвыриваться! Почему мы обязаны за аборт платить?

— Ребенка сделал Юрий, — напомнила жена.

— Девка не сопротивлялась, — говорил муж, — в худшем случае разделим расход пополам, а вообще, Елкина сама должна платить.

— Прекрати, — попросила Аля, — лучше подумай, как поговорить с Юрием, чтобы избежать подобных эксцессов в будущем.

— Это ты парня испортила, — нашел виноватую Андрей, — баловала мальчишек без удержу, им любые гадости с рук сходили.

— Тебя это удивляет? — вдруг странным голосом поинтересовалась Аля.

— Естественно! — воскликнул супруг. — Ремня надо давать, а ты их не наказывала, теперь пожинай урожай ядовитых ягодок! Ты глупая женщина! Вот Ольга Карповна правильную позицию занимала!

— Мама мальчиков жалела, — прошептала Аля.

— Но в разумных пределах, — парировал Андрей Григорьевич, — теща не позволяла сыновьям безобразничать, она их в руках держала! А ты! Чего там говорить!

— Мама еще и меня постоянно воспитывала, — вдруг сказала Алевтина, — каждый день повторяла: вышла замуж, подчиняйся супругу. Что он предлагает, то и хорошо, не ропщи, не жалуйся, помогай ему во всем. Предназначение женщины — служить мужчине. Семья строится на долге. Будешь свое мнение высказывать — останешься разведенкой. Помни, кто над тобой главный.

— Правильное воспитание было у Ольги Карповны, — вздохнул Андрей, — домостроевское. Она, как и я, думала о продлении рода, не то что нынешние бабы. А уж какие дети вышли! Прямо беда! Леня не удался! Юрка еще хуже него! Видно, дурная кровь мою хорошую побеждает!

— Юрий твой сын! — неожиданно твердо сказала Аля. — Думаю, не стоит уточнять, в кого он пошел! Ричард Львиные ноги!

Последние слова весьма удивили Веру, но, похоже, Андрей Григорьевич поразился еще больше.

— Алевтина!!!

— Что? — после длительной паузы откликнулась жена.

— Откуда ты знаешь про Ричарда Львиные ноги?

— Догадайся!

— Вы с ней общаетесь! — занервничал Андрей. — И о чем она тебе наболтала?

— Ричарду Львиные ноги везло на женщин, — хмуро отозвалась Алевтина, — влюблялись в него, на все готовы были. Мужик ими вертел, как хотел, но он, похоже, баб не любил, только о продолжении рода думал. Яблочко от яблони близко падает, помни об этом.

Тут в избу вернулась Евдокия Степановна, и супруги моментально перевели разговор на другую тему.

Глава 18

Больше Стефановы в село не возвращались, их дом стоял закрытым не один год.

Потом произошло интересное событие. В Дураково-Бабкино прибыли «газики», набитые мужчинами. Парни вытащили из автомобиля какие-то непонятные приспособления, исчезли в старой даче Стефановых и довольно долго там просидели, более того, гости остались ночевать. Утром они вышли в огород и стали тщательно перекапывать землю.

Жители сгорали от любопытства, в конце концов Вера не выдержала, повязала голову шелковой косынкой, сняла передник, сменила калоши, в которых полола огород, на приличные туфли и решительно пошла на соседний участок.

— Извините, товарищи, — обратилась Вера к группе людей, куривших на крыльце, — кто вы такие будете?

— А вы? — вопросом на вопрос ответил самый молодой из мужиков.

— Я рядом живу, — пояснила Вера, — и в ум не возьму, чем вы тут занимаетесь? Купили дом? Или решили, что он брошенный? Так это не так! Хозяева у него имеются.

— Похоже, владельцы здесь давно не показывались, — мирно отметил другой человек, чуть постарше.

— Верно, — согласилась Вера, — я их давно не видела. Видно, не нужен стал Стефановым летний дом, но и вам нельзя тут без спроса возиться, иначе я милицию позову.

— Она уже здесь, — заулыбался парень и издали показал Вере бордово-красное удостоверение. — Не волнуйтесь, у нас и ордер с собой.

— Хорошо, когда соседи бдительные, — подхватил старший сотрудник.

— Чего вы ищете? — не сдержала любопытства Вера.

— Деревню Скопино знаете? — спросил до сих пор молчавший человек, единственный изо всех одетый в форму с погонами майора.

— Конечно, — кивнула Вера, — она недалеко расположена, три километра через лесочек.

— Там недавно склад оружия нашли, — сказал майор, — еще с военных времен, мины, гранаты, снаряды.

— Местная газета писала, — подтвердила Вера, — с сорок первого года оружие незамеченным пролежало, хорошо, что никого не убило.

— Это кажется, что война давно закончилась, — философски заметил парень, — а на самом деле, протяни руку, и вот она. Нам сообщили, что на этом участке тоже арсенал закопан.

— Господи! — испугалась Вера. — Не дай бог.

— Бабах — и пишите письма! — хлопнул себя по колену парень, демонстрировавший удостоверение.

— Сергей! — укоризненно сказал военный и повернулся к Вере: — Ступайте домой и не волнуйтесь, опасности нет.

Под вечер все тот же майор постучал к ней в дверь.

— Не беспокойтесь, — сказал он, — никаких снарядов на участке не выявлено!

— Хорошо-то как! — Вера чуть не запрыгала от радости.

— Живите спокойно. Кстати, вы говорили, что соседский дом давно пустует? — вдруг спросил военный.

— Давно, — кивнула Вера.

— У заднего забора есть калитка, — сказал майор, — а от нее к сараю тянется протоптанная дорожка. Не знаете, кто на участок забредает?

Вера отступила к подоконнику.

— Мне тот край не видно, калитку деревья загораживают.

— А через лес дорога к электричке есть? — продолжал расспросы майор.

— Раньше наши напрямик к станции бегали, — объяснила Вера, — удобно было, с поезда сойдешь и налево, по тропке, два километра всего. Если по шоссе топать, семь получается. Но не помню в каком году, Алла Панова одна вечером через лес шла, и кто-то ее изнасиловал и убил. С тех пор народ туда не суется, боязно.

— Наверное, Стефановы знали про лесную дорогу, — заметил майор.

— Ой, конечно, — засмеялась Вера, — правда, Андрей Григорьевич и Алевтина Глебовна всегда на легковушке ездили, он начальник был, ему от государства машина положена. А бабушка — та в магазин на станции короткой дорожкой носилась, положит мальчишек после обеда отдыхать, а сама ноги в руки и бегом. На платформе хлеб свежее, чем в деревенской лавке, и газеты там продают, игрушки. Очень уж она внуков любила!

...Спустя много лет на участке неожиданно появился хозяин. Вера только недоумевала, ну откуда у пьяницы нашлись деньги на покупку дачи. Мужик жил в Дураково-Бабкино безвылазно, из дома высовывался редко, поэтому местные жители не сразу сообразили, что новый сосед запойный. Когда секрет раскрылся, местные мужики стали наведываться к «коллеге», приглашали его в компанию, но алкаш ни с кем дружбы не завел, прожил в деревне много лет бирюком и умер. Его тело обнаружил в туалете почтальон Витька. Парню захотелось справить нужду, и он, не смущаясь, зашел в первую калитку и забарабанил в дверь. Ему никто не открыл, в избе стояла тишина, Витек решил, что хозяин ушел, насвистывая дошел до туалета, дернул на себя дощатую дверку и чуть не скончался от ужаса: на полу, странно скрючившись, лежал человек. Только тогда все сообразили, что никто не знал имени соседа, его звали «Рыжим». Труп увезли в район, и что с ним дальше сталось, Вера не слышала.

Тут у бабы Веры от беспрестанной болтовни начался кашель, и я получила возможность задать вопрос:

— Как сюда попала Анна Королькова?

— Ее Лев, сын, привез, — снова стала солировать старуха, — небось купил избушку у прежних хозяев, даже не знаю, кому она принадлежала! Внешность у Левы страхолюдская, волосы косматые, борода клочками, брови кустами, кожа, как у цыгана, но он вежливый, улыбчивый, ко мне заглянул, попросил:

— Мама после больницы, шейку бедра сломала, ей сустав вшили, чувствует себя хорошо, но я решил, что на воздухе ей будет лучше. Подскажите, кто матери тут помочь может? Не бесплатно, конечно, я хорошо заплачу за услуги.

Ну я себя и предложила, пенсия маленькая, отчего не подработать?

Лев сначала колебался, дескать, лучше найти кого помоложе, а я ему и сообщила:

— Кто на бойких ногах — давно в Москву сбежали! Я всю жизнь работаю, баклажку с водой легко свезу и печку протопить не затруднюсь.

Ну он и согласился.

— Приятно иметь заботливого сына, — поддержала я беседу.

— Не знаю, — грустно ответила Вера, — мне Господь детей не дал, одна век коротаю.

— Наверное, Лев долго дом готовил, ремонт сделал, — предположила я.

— Мужики не особо о порядке думают, — усмехнулась баба Вера, — я избушку отмыла, окна протерла, а мебель он на фургоне привез, разом, вместе с посудой и теликом. Но все равно кучу нужного позабыл, дуршлаг, например, и половник. Аня на станцию в магазин ходила, там универмаг хороший, теперь все есть, только денежки отсчитывай, а их Корольковой сынок много давал, видно, любил мать!

— И часто Лев сюда приезжал?

— Как ее устроил, больше не прикатывал, Аня сама в Москву ездила, она не по возрасту бойкая была, а потом в одночасье умерла, — пригорюнилась баба Вера, — передала мне деньги от сына и преставилась. Не отработала я месяц, за так зарплату огребла. Последнее, что сделала, платье ее отыскала, белье, что она для похорон отложила, и там же, в чемоданчике, деньги лежали, Аня на похороны скопила. Я ими начала распоряжаться, но все квитанции сейчас тебе покажу, список купленного составила, не сомневайся, ни одной копеечки мимо не прошло. Но теперь ты, Сонечка, приехала, и я успокоюсь! А то извелась, как ее родным сообщить? Телефонов у меня ихних нет! Ну чего, будем блины на поминки печь? Давай, Сонечка, становись к плите.

Я вздрогнула.

— Соня?

Баба Вера заморгала.

— Чего тебе не нравится?

— Дочь Анны звали Софьей?

Старушка встала с кровати.

— Расстроилась ты сильно, оно и понятно. Матери лишиться тяжело. Приляг, поспи, без тебя блинцов навострю.

— Баба Вера, я не имею никакого отношения к Анне Корольковой, — призналась я.

Пожилая женщина села на кровать.

— Чего-то не пойму, ты не Соня?

— Нет, — подтвердила я.

— Кто ж тогда?

Несколько секунд я колебалась, потом ответила:

— Если одинокий человек внезапно умирает, всегда начинается следствие, выясняют причину смерти.

Баба Вера заморгала.

— Из милиции, что ли?

Я кивнула.

— Ну и ну, — изумилась пенсионерка, — уж сколько у нас тут народу на тот свет убралось, и никогда власти не беспокоились! Значит, правильно я догадывалась!

— О чем? — быстро спросила я.

Баба Вера погрозила мне пальцем.

— Сама знаешь!

— Теряюсь в догадках, — ответила я.

— Аня не один год тут провела, — прищурилась бабка, — в деньгах не нуждалась, у нее даже мобильный телефон имелся, и еда на столе всегда была вкусная. Вроде женщина, как все, вышивать любила, сериалы смотрела, про дочку мне рассказывала, какая та хорошая была, пока с мужем не познакомилась, тот водку пьет и жену к алкоголю приучил. Раньше Аня с ними вместе жила, а потом ее сын сюда перевез. И я ей сначала поверила, да только спустя год засомневалась, поняла, обманывает она меня. Прячется Королькова! Значит, чего-то плохое сделала! И ты бы так просто не приехала, ведь верно?

— Почему вы решили, что Анна использовала деревню в качестве убежища? — тут же спросила я.

Пенсионерка пожала плечами.

— Старая я, но не глупая. И сын у бабушки есть, и дочь, но сюда они носа не показывали. Что, так много работают? К матери никак выбраться не могут? Ни в Новый год, ни на Пасху, ни в день рождения? А еще она в Бога не верила, в избе ни одной иконы нет. У всех в домах образа, а у Ани пустые стены. Яички она на Пасху не красила, кулич не пекла и готовый не брала. Вот пост держала, но какой-то странный, по осени от еды отказывалась, не весной. И очень о прошлом говорить не любила: где работала, чем занималась. Я один раз к ней с вопросами пристала, так она рассердилась и сказала:

— Вера, не лезь в душу, биография моя невеселая, лишний раз вспоминать не хочется.

Вот о дочке часто упоминала, а про сына молчок. Но ведь должно быть наоборот! О матери Лев позаботился, да только, если Аню послушать, получалось, что у нее Соня в любимицах. И Королькова ни к кому в гости не ходила, к себе баб не звала. Только со мной общалась. В прошлом году в райцентре для стариков устроили праздник, начальство концерт организовало, кино, буфет, все бесплатно. В Доме культуры гуляли, а потом еще и подарки дали. Только и разговору у нас было, что об этом мероприятии. Все побежали, принаряженные, а Королькова дома осталась, сказала, у нее грипп, температура высокая, но выглядела она нормально, не чихала, не кашляла. Чего от веселья спряталась? А в Москву ездила! Платок повяжет по брови, очки темные на нос посадит и брюки наденет. Во! Всегда в юбке или платье, а как в город, так в штанах, сверху кофта до колен. Аня маленькая была, худенькая, со спины за девочку могла сойти, а как в мужскую одежду обрядится — сразу толще смотрится. И сколько раз я ей предлагала:

— Давай вместе в столицу скатаемся, вдвоем веселее! — ни в какую не соглашалась.

В прошлом году, в сентябре, меня окончательно любопытство разобрало. Аня в Москву подалась, а я за ней потопала, в одну электричку села, на вокзале вышла и... потеряла Королькову, ушмыгнула она от меня. А теперь ты с вопросами примчалась.

— Вы очень умная женщина, — польстила я старухе.

— Не жалуюсь на голову, — кивнула баба Вера.

— Скажите, Анна любила рисовать?

— Картины? — уточнила пенсионерка.

— Пейзажи, натюрморты, может, портреты, — перечислила я.

— Нет, соседка вышивала разноцветными нитками, в основном кошек, — пояснила старуха, — ни разу ее с красками не видела.

— И последний вопрос, не видели вы у нее шрама?

— Где? — уточнила пенсионерка.

— На правой руке, ниже локтя, длинная такая отметина, — описала я примету, — это может получиться, если человек загораживается от преступника, вооруженного ножом.

Старуха поежилась.

— Господи, не дай бог с таким столкнуться! Аня в молодости упала и напоролась на кусок стекла, к врачу не пошла, думала — ерунда. Но рана сразу не заросла, и потом шрам образовался.

— Понятно, — протянула я, — теперь все стало ясно. Вы говорили, что у Анны был мобильный?

— Ну да, — кивнула баба Вера, — она им не хвасталась, я случайно увидела.

— Можно на него посмотреть?

Пенсионерка кивнула, встала, подошла к подоконнику, отодвинула тюль и сказала:

— А его нет!

— Вы уверены?

— Всегда здесь лежал, — растерянно пробормотала старуха, — вон, видите провод? Внизу розетка,

Аня в нее черную коробочку воткнула, от той электричество к телефону поступает.

— Зарядка осталась, а аппарат испарился?

— Выходит, так, — признала баба Вера.

— Кто же его взял? — не успокаивалась я.

— И вчера я сюда приходила, и сегодня зашла, — протянула старуха, — да вот на подоконник поглядеть не собралась. Неужели кто из наших польстился? Телефон вещь нужная, но дорогая! И не знаю на кого подумать! Летом здесь подростков много, но сейчас одни свои, в годах!

— Воришка сильно рисковал, вы могли его увидеть, — сказала я.

— Если он со стороны леса шел, то нет, — не согласилась старуха. — От задней калитки можно неприметно прошмыгнуть. Там, правда, даже в мороз глина чавкает. Загадочное место, еще Стефановы его облагородить хотели, засыпали такими мелкими камушками, красивыми, бело-розовыми, где их брали, не знаю, но они до сих пор там. Да толку не получилось, грязь осталась, но вору-то на чистую обувь плевать, украл он телефон!

Глава 19

Когда я вернулась к машине, та походила на сугроб. Небо затянуло серыми тучами, из них валили густые хлопья, и меньше чем за час все вокруг стало белым. Я вытащила из багажника щетку и стала сбрасывать с малолитражки комья снега, руки споро выполняли работу, но голова была занята другими мыслями.

В деревне Дураково-Бабкино под именем Анны Корольковой проживала Равиля Ахметшина. Отчего мне это в голову взбрело? Очень просто! У Анны не было дочери Сони, а вот Равиля воспитала девочку Софью, которая потом вышла замуж за пьяницу Попова и сама начала пить. Один раз зять ударил тещу ножом, но Ахметшина успела увернуться, лезвие скользнуло по руке, осталась глубокая рана. К врачу Равиля не обращалась, доктор бы стал интересоваться, кто ее порезал, поэтому рана заживала долго, и шрам получился неаккуратный. Анна никогда не курила, Ахметшина дымила. Равиля была татаркой, наверное, она исповедовала ислам и, конечно же, не отмечала православную Пасху. Баба Вера удивлялась, что ее соседка осенью ограничивает себя в еде. Но мне в данной ситуации ничего не кажется странным, рамадан, пост, когда мусульманин не имеет права есть от восхода до заката солнца, приходится, как правило, на сентябрь или октябрь. И «Королькова» не увлекалась рисованием и выезжала в город, старательно меняя внешность. Она не любила конфеты, а Равиля много лет отработала на кондитерской фабрике, небось наелась сладкого до тошноты. Может, кто и сочтет мои аргументы неубедительными, но я абсолютно убеждена — в избе жила Ахметшина. Правда, на этом моя уверенность заканчивается, дальше начинаются вопросы. Зачем Лев привез Равилю в Дураково-Бабкино? Кому принадлежит избушка? Кто давал Ахметшиной деньги? За какие услуги? Почему Равиля согласилась участвовать в этом спектакле? Откуда взялся Лев? Кем он приходится Корольковой? И, самый главный вопрос, где сама Анна?

Дом Ахметшиной в Москве находился в промзоне, несмотря на холодный зимний день, одно окно на первом этаже оказалось открытым настежь, оттуда долетало нестройное пение.

— Владимирский централ, этапом из Твери, — выводил хор пьяных голосов.

Я вошла в подъезд, поняла, что квартира Равили находится на первом этаже и гулянка идет там, и нажала на звонок.

В конце концов дверь распахнулась, высунулась черноглазая темноволосая женщина и нетрезвым голосом спросила:

— Чего хотите?

— Мне надо поговорить с Равилей Ахметшиной, — сурово сказала я.

— Нету мамы, — прозвучало в ответ.

— И где она?

— А вам какое дело?

— Ладно, — не стала я спорить, — пойду за милицией.

— Эй, эй, — забеспокоилась собеседница, — вы кто?

— Отдел социального обеспечения, — рявкнула я, — поступило заявление от соседей. В квартире Ахметшиной каждый день оргии, самой Равили Шамсудиновны давно не видно, а пенсия ей начисляется. Где пожилая женщина, а?

— Ой, здрассти, — сладко заулыбалась тетка, — я Соня, дочка Ахметшиной, не беспокойтесь, мама жива-здорова! В деревне живет! На свежем воздухе!

— Давно вы ее выгнали? — нахмурилась я.

Соня выскользнула на площадку и плотно закрыла дверь.

— Скажете тоже! Я маму люблю! Ей врач после больницы покой прописал, вот мы и сняли домик.

— Да уж, — вздохнула я, — в вашей квартире тишины не жди! Дым стоит коромыслом!

— Ремонт мы делаем, — заявила Соня, — передохнуть сели.

Тут дверь опять открылась, на пороге появился хорошо поддатый мужик, одетый весьма экзотически. Нижняя часть тела была упакована в валенки и семейные трусы, меня впечатлила их игривая расцветка: красные пингвины на зеленом фоне. Плечи и грудь добра молодца скрывал завязанный крест-накрест оренбургский платок, а на голове сидела бейсболка с надписью «Girl».

— Где пузырь? — прохрипел он, распространяя сильный запах перегара.

— Скройся, — сквозь зубы приказала Соня.

— Молчи, дура, — икнул супруг, — давай бутылевский!

— И дорого такой штукатур берет за работу? — не удержалась я. — Выглядит умелым мастером!

— Это мой муж, — буркнула Соня.

— Константин? — уточнила я.

— Угу, — подтвердила она.

— Инвалид? — не успокаивалась я.

— Дда! — завопил пьяница. — А че?

— Вроде руки-ноги на месте, — отметила я, — по какой причине вы пособие получаете?

— Он на голову больной, — быстро сказала жена, — совсем идиот! Его на работе по башке железкой звездануло, весь ум и отшибло.

— Вот уж беда, — воскликнула я.

— Че она тут выспрашивает? — внезапно обозлился Попов.

— Успокойся, — процедила супруга, — о маме речь.

Пьяное лицо расплылось в широкой улыбке.

— И где моя тещенька? — явно обрадовался алкоголик. — Че, дура, молчишь про маменькин приезд? Ей же спокою хочется!

Не успела я удивиться столь горячей и, похоже, искренней любви алкаша к теще, как Константин повернулся и заорал:

— Эй, пацаны, пошли живо на... мамашка приехала, а у ней от вас голова болит. Валите к... да поживее. Че стоишь, беги, уберись на кухне, сука, не знаешь, как мать надо встретить? Аська, гони за картошкой к Ивановым. Ну? Топ-топ, хлоп-хлоп...

Из квартиры донесся шум, звон, пение стихло.

— Посуду побьют, — всполошилась Соня и ринулась внутрь.

Константин поспешил за женой, я без приглашения двинулась за хозяевами, увидела, что на кухне за столом восседает несколько пьяных в дымину мужиков, решила во что бы то ни стало продолжить разговор с хозяйкой, сделала шаг назад и услышала недовольное:

— Вау! Поосторожней!

Я обернулась и поняла, что это выкрикнула девушка лет двадцати, в отличие от остальных присутствующих она казалась абсолютно трезвой и держала в руках хорошо мне известный учебник французского языка.

— Parlez vois francis? — улыбнулась я.

— Пытаюсь, — по-русски ответила незнакомка.

— Учитесь в институте? — не отставала я.

— На вечернем, — уточнила девушка, — днем работаю.

— Аська! — заорал из кухни Константин. — Вали за картофлей!

— Сам иди, — схамила студентка.

Алкоголик, шатаясь из стороны в сторону, вышел в коридор.

— Отцу грубить? Ща ремня получишь.

Ася скривилась.

— Идиот! Ты меня сначала поймай! И ремень папочка давно пропил!

Константин рыгнул и удалился.

— Вы дочь Попова? — удивилась я.

— Мне повезло, — ухмыльнулась Ася.

— Равиля Шамсудиновна ваша бабушка?

— Нет, она мать Сони, — ответила девушка, — моя родительница жила на этаж выше. У них с отцом было одно хобби, алканавты чертовы. Мамашка до смерти доклюкалась, а папенька здоровее оказался, не берет его водка. Равиля хорошая женщина, я рада, что она отсюда уехала!

— Похоже, ваш отец любит тещу, — отметила я.

Ася скривила рот.

— Ну да! Она каждый месяц дочери денег привозит, по тридцатым числам. Устроилась поварихой.

— Кем? — изумилась я.

Ася поманила меня пальцем.

— Давайте выйдем, у Сони в квартире очень воняет, лучше на лестнице постоим. А вы кто?

— Из собеса, — ответила я, следуя за девушкой, — соседи бумагу прислали: «Старшую Ахметшину никто давно не видел, семья каждый день гуляет, куда подевалась Равиля? Явно с ней что-то нехорошее случилось!»

Ася села на подоконник.

— Раньше папа с Равилей дрался, он совсем дурак, весь ум пропил. Бабка терпела, терпела и сбежала, полгода от нее ни слуху ни духу не было. Соня все канючила: «Мама жадная, ей пенсию на книжку переводят, никак мне деньги не снять, с голоду подохнем». А потом Равиля приехала, денег привезла и объявила: «Жить с вами не хочу, нанялась кухаркой в богатый особняк, имею теперь комнату в Подмосковье, живу на свежем воздухе, в тишине и покое, ем досыта, по вечерам спокойно вышиваю. Не ищите меня и не волнуйтесь».

А Соня с отцом и не беспокоились о старухе, их только ее пенсия волновала. Вот так!

Ася замолчала, я продолжала смотреть на девушку, та неожиданно разозлилась:

— Неужели первый раз человека, подобного моему папашке, встречаете? Еще скажите, что никогда о брошенных старухах не слышали! Равиля всю жизнь на кондитерской фабрике пахала, у нее рабочего стажа столько, сколько я не прожила, и что? Ушла с предприятия, и ее забыли! По вашим бумажкам небось бабушка семейной считается, да только жилось ей хуже, чем одинокой. Хорошо это в старости у плиты прыгать? Кстати, я знаю, кто вам в собес бумагу накатал! Ксения Петровна из двенадцатой квартиры! Она с Равилей дружила! Вы к ней загляните, небось у нее адрес бабушки есть! Хотите, отведу? Ксения Петровна побоится чужому человеку дверь открыть!

— Спасибо, — сказала я, — буду очень благодарна.

Услышав про письмо в собес, Ксения Петровна замахала руками:

— Ничего такого я не строчила! Знаю, где Равиля, она отлично устроена, иногда мне звонит, правда не чаще раза в месяц, телефон хозяин поварихе для служебных нужд дал, он очень внимательно счета проверяет.

— Подскажите адресок, — я прикинулась равнодушной чиновницей, — надо отчитаться о проделанной работе, сообщить, что Ахметшина не живет по месту прописки, но с ней полный порядок.

— Павлово, — соврала Ксения Петровна.

— Ой, спасибо, — поблагодарила я, — телефончик не сообщите?

— Чей? — изобразила дуру старушка.

— Равили Шамсудиновны, — терпеливо пояснила я.

— Не знаю его, Ахметшиной звонить нельзя, — заморгала Ксения Петровна, — барин ее уволить может!

Мне надоел этот спектакль.

— Равиля умерла!

Ксения Петровна вздрогнула.

— Что?

— Ахметшина скончалась, — повторила я, — и она не работала кухаркой, последние годы жила в деревеньке, название которой ни забыть, ни перепутать невозможно: Дураково-Бабкино. Вы мне соврали, но среди потока лжи была малая толика правды: Равиля, похоже, была счастлива, ее жизнь наконец-то стала спокойной и сытной!

Ксения Петровна прижала ладони к щекам.

— Боже!

— Вы знаете, кто отвез Ахметшину в Подмосковье? — прямо спросила я.

— Это государственная тайна, — пролепетала бабуля, — дело особой важности.

— Мужчину звали Лев?

Ксения Петровна будто стала ниже ростом.

— Бородатый, усатый, смуглый, похож на цыгана? — не успокаивалась я.

Старуха помотала головой.

— Нет!

— И как же он выглядел? — насторожилась я.

— Я его никогда не видела, — прошептала Ксения Петровна, — а она правда умерла?

— Да, — коротко ответила я.

— И ее похоронят под чужим именем?

— Как Анну Королькову?

— Вы же все знаете! — с отчаянием воскликнула старуха. — Равиля не виновата! Каждый человек имеет право на счастье. Думаю, ей бы не понравилось упокоиться с табличкой «Анна Королькова» и крестом на могиле. Можно мою подружку достойно похоронить? Она не была православной.

— Ксения Петровна, вы расскажете мне все,

что знаете про Льва, а я приложу все усилия, чтобы захоронение оформили по мусульманским традициям, — предложила я.

Старуха молитвенно сложила ладони.

— Дорогая! У меня лишь поверхностные сведения.

— Сойдут любые, — воскликнула я.

— Муж Сони мерзавец, — воскликнула соседка, — пьет литрами, но даже не болеет. Одну жену он уже довел до смерти, осиротил Асеньку. Не успела Зина на кладбище оказаться, как Константин с Софьей загулял. Ну скажите, почему женщины так себя не уважают? Ложатся в постель к выпивохе?

Я развела руками, нет ответа на сей вопрос, сама провела некоторое время с мужем-алконавтом, поэтому не имею никакого морального права упрекать других. Каждый кузнец своего несчастья. Но только у женщины, решившей жить с фанатом зеленого змия, частенько бывают дети и престарелые родители, которые, простите за нелепый каламбур, собирают в чужом пиру похмелье. Бедной Равиле досталось по полной программе. Алкоголик избивал старуху, отнимал у нее пенсию, а один раз так сильно толкнул несчастную, что та упала и сломала ногу. Хорошо, Ксения Петровна услышала крик подружки и вызвала «Скорую». Впрочем, соседка хотела еще обратиться в милицию, но Ахметшина взмолилась:

— Ксюша, не надо! Константина посадят!

— Туда ему и дорога, — ответила приятельница.

— Сонечка изведется, — заплакала Равиля, без памяти обожавшая дочь.

Пришлось Ксении Петровне молчать, хотя больше всего ей хотелось, чтобы Попов наконец-то увидел небо в клетку.

— Наверное, умру я там, — прошептала Равиля, когда соседи впихнули носилки в микроавтобус, — прощай и спасибо за помощь.

Но, видно, кто-то на небесах решил дать Ахметшиной немного счастья. Равиле сделали бесплатно сложную операцию, в больнице она познакомилась с Анной Корольковой. У той был сын Лева, он самоотверженно ухаживал за матерью, исполнял любые ее капризы, и Ахметшина не могла скрыть зависти. Соня не навещала маму, скорее всего, она даже не знала, в какой клинике та лежит. Один раз Равиля не сдержалась и разрыдалась в присутствии Льва, тот стал утешать бывшую кондитершу, увел ее в буфет, напоил чаем, а на следующий день вдруг сказал:

— Равиля, вы умеете держать язык за зубами?

— Я татарка, — улыбнулась женщина, — нас с детства учат: слово хорошо, а молчание лучше.

— Хотите покончить с совместной жизнью с алкоголиком? — спросил Лев.

— Мечтаю забыть Константина навсегда, — призналась Ахметшина.

— Тогда слушайте, — приказал Лев.

Глава 20

Информация, которую сообщил Лев, звучала шокирующе. Анна Королькова — сотрудница органов госбезопасности, ее сын работает в той же организации. Анна выполняла очень важное задание, была ранена и теперь восстанавливает здоровье. Физически женщина почти окрепла, но выходить из больницы ей опасно, велика вероятность следующего покушения. Лев хочет спрятать мать, он придумал замечательный план.

У него есть домик в Подмосковье, место тихое, уютное и обжитое. Лев привезет туда Равилю, которая представится всем как Анна Королькова, мать владельца избушки. Равиля будет получать за это хорошие деньги, Лев купит ей телевизор и новую одежду. Ахметшину ждет безбедное существование, вдали от пьяниц. Скорее всего, ее никто не будет беспокоить. Но если, паче чаяния, кто-то заинтересуется госпожой «Корольковой», последняя должна сказать:

— Мне после больницы память отшибло. Здесь меня поселили родственники, чтобы свежим воздухом дышала. Документов на руках нет, оставьте свой телефон, я его сыну передам, когда он сюда приедет.

Когда любопытный уйдет, ей следовало позвонить Льву, для этой цели он дал Равиле мобильный.

Ни Соня, ни Константин не должны были знать, где живет Равиля.

— Вы с ними не общаетесь, — категорично приказал Лев, — не звоните, не приезжаете в гости. Никогда.

— Она согласилась? — поразилась я.

— Глупо, да? — склонила голову набок Ксения Петровна.

— И очень опасно! — воскликнула я. — Ахметшину могли убить! Если, конечно, рассказ про Королькову правда!

Старуха взяла со стула клетчатую шаль и завернулась в нее.

— Равиля сломала ногу зимой, на улице был гололед, я одна выйти боялась, поэтому в больницу не ездила, мы только по телефону разговаривали, подруга мне звонила, там автомат был. А потом она пропала! Я очень волновалась...

До мая от Ахметшиной не было сведений, но девятого числа, в самый светлый праздник, в квартире Ксении Петровны ожил телефон.

— Алло, это Равиля, — прошептали из трубки.

— Где ты? — закричала Ксения.

— Тише, — шикнула Ахметшина, — никому ни слова! Приезжай в торговый центр около Курского вокзала, ищи меня в кафе на первом этаже.

Страшно заинтригованная соседка помчалась к метро, ее подгоняло любопытство, ранее Равиля никогда не посещала рестораны.

Ахметшина рассказала о своих приключениях Ксении и заверила:

— Я живу отлично!

— Ты прямо помолодела, — отметила подруга.

— Свежий воздух, — улыбнулась Равиля, — питание хорошее, тишина и покой. Деньги я аккуратно получаю, без задержки. Одно плохо, по Соне тоскую, как она там?

— Пьет горькую! — честно сказала Ксения.

— Наверное, голодает, — дрожащим голосом произнесла Равиля.

— На водку деньги есть!

— Бедная моя девочка!

— Не стоит ее жалеть.

— Сонечка не виновата, ее Константин спаивает.

— Забудь.

— Не могу, — заплакала подруга, — кусок в горло не лезет.

— Ты имеешь право на счастье.

— Сонечка! — всхлипывала Равиля.

— Это она о тебе думать должна! — вскипела Ксения. — Мать все силы дочери отдала и что получила взамен?

— Зря я согласилась, — уныло сказала Ахметшина.

— Тебе там плохо?

— Что ты! Отлично!

— Вот живи и радуйся!

— А Сонечка? — снова застонала Равиля.

В конце концов Ахметшина нарушила обещание, данное Льву. Она старательно маскировала свою внешность, приезжала в Москву и давала дочери деньги.

— Странная любовь, — буркнула я.

— Вы полагаете? — спросила старушка.

— Преступно совать алкоголичке рубли, ясно же, что она их прогудит!

— Равиля все видела сквозь розовые очки, — вздохнула Ксения Петровна. — Сонечка, по ее мнению, была идеальной, во всем виноват Константин.

— Она вам сообщила телефон Льва?

— Нет, — помотала головой пенсионерка, — зачем?

— А кто ей деньги вручал?

— Понятия не имею.

— Каким образом?

— Простите? — не поняла собеседница.

— Равиля получала денежные переводы, ездила в банк или просто брала конверт с купюрами из ячейки? — уточнила я.

— Она ничего об этом не рассказывала.

— Ну хоть какую-нибудь информацию о Льве вспомните, — взмолилась я.

Ксения Петровна пожевала губу.

— Он хороший человек.

— Так!

— Работает в КГБ!

— Теперь эта организация носит другое название.

— Наверное, но суть-то не поменялась?

— Вероятно, вы правы, — согласилась я, — а как фамилия Льва?

— Корольков, он же сын этой Анны!

Я ощутила себя мухой, увязшей в сиропе, ни одной крошки нет рядом, чтобы уцепиться за нее лапками и выкарабкаться.

— Дом принадлежит ему, — сказала Ксения Петровна, — еще с детства.

— Почему вы так решили? — сделала я стойку.

Пенсионерка выпрямилась.

— Равиля сказала.

— Спасибо, вы мне очень помогли, — вздохнула я.

Ксения Петровна тронула меня за руку.

— Мою подругу похоронят под фамилией Ахметшина? И на могиле не будет креста?

— Я сделаю все возможное, чтобы могилу оформили по-мусульмански, — ответила я.

Снегопад на улице не закончился, пришлось опять вытаскивать щетку и обметать машину. Дети порой запоминают совсем ненужные вещи. Однажды Афанасия Константиновна пришла домой раздраженная, села в кресло и стала звонить по телефону. Я, хоть и была первоклашкой, сразу сообразила, что у бабули на работе неприятности, кто-то из пациентов написал на нее жалобу.

В конце концов Фася слегка успокоилась, и я спросила:

— Что случилось?

— Корень неправильной формы, — начала было бабушка, потом сообразила, что говорит с ребенком, и улыбнулась: — Ерунда, Дашенька.

— Ты расстроилась? — лезла я к Фасе.

— Да уж не обрадовалась!

— Сделала кому-то больно?

— Он просто дурак, — взвилась Афанасия, — «сделайте бюгель, как Сергееву! Чтобы крючок был не виден!» А за что я протез зацеплю? За его глупый язык?

Будучи внучкой стоматолога, я знала, что бюгель это несколько пластмассовых зубов на креплениях, их можно надевать и снимать, поэтому рискнула дать совет бабуле:

— Ты бы ему объяснила!

Афанасия закатила глаза:

— Венедиктов — профессор! Он думает, что все лучше специалистов знает! Читает курс лекций по математике и решил меня протезированию учить. Я вот смело признаюсь, что даже таблицу умножения плохо помню, но в бюгелях понимаю лучше Венедиктова. Поневоле пожалеешь, что с завода Байкова ушла, вот там пациенты были золотые. Придут, скажут:

— Доктор, сделайте протез! — и спокойно в кресле сидят.

Никто скандалы не закатывал, люди мне абсолютно доверяли. И я всем замечательные зубы делала.

— Ты работала на заводе? — удивилась я.

— Еще до твоего рождения, — отмахнулась Афанасия, — меня после института в их поликлинику распределили. Отличный коллектив там был, жаль, пришлось уйти.

— Почему? — удивилась я.

Афанасия Константиновна на секунду примолкла, затем ответила:

— Платили мало, и перспектив не было.

Мне показалось, что бабуля не совсем откровенна, но тут ожил телефон, и Фася стала жаловаться кому-то на капризного профессора Венедиктова.

Понимаете, почему я невольно вздрогнула, когда услышала, что дачу в Дураково-Бабкино построила семья Стефановых, сотрудников того самого предприятия, в поликлинике которого бабушка одно время работала? И уж совсем изумило меня вскользь брошенное бабой Верой упоминание про Ричарда Львиные ноги. Я слышала это смешное выражение в далеком детстве, и оно тоже связано с бабулей.

У Фаси была подруга Лена Мордвинова. Тетя Лена казалась мне тогда существом из иного мира, кем-то вроде эльфа или феи. Лена не была красавицей, слишком худая, всегда гладко причесанная, она ходила, странно выворачивая ступни, а еще у Мордвиновой имелась привычка сидеть на краю стула с абсолютно прямой спиной и слегка задранным подбородком. Когда тетя Лена приходила в гости, она шлепала меня между лопаток и говорила:

— Не горбись! Помни, основное украшение женщины — красивая осанка.

Из-за этой привычки мне бабушкина подруга не нравилась, я считала ее злюкой до тех пор, пока Фася не повела меня в Большой театр на балет. Память не удержала название спектакля, но роскошные костюмы, волнующая музыка, помпезные декорации произвели на детскую душу неизгладимое впечатление. А уж когда из кулисы появилась хрупкая балерина в белой пачке и начала порхать, словно диковинная бабочка, я чуть не зарыдала от восторга.

— Узнала? — шепотом спросила бабушка. — Это тетя Лена.

— Где? — завертела я головой. — Не вижу!

— На сцене, — уточнила Фася, — она перед тобой танцует!

Я онемела. Это вредная Мордвинова? Та самая, что вечно делает мне замечания, тычет пальцем под ребра? Да быть того не может!

— Леночка очаровательна, — вздохнула бабуля, — у нее редкое сочетание таланта и трудолюбия.

С тех пор я обожала Мордвинову, балерина продолжала хлопать меня по спине, но я больше не злилась. И слова про Ричарда Львиные ноги я впервые услышала от танцовщицы.

Стояла зима, в тот год она выдалась на редкость лютой, столбик термометра упал ниже тридцатиградусной отметки, и в школах отменили занятия. Очень довольная стихийно возникшими каникулами, я раскрашивала картинки карандашами, а Фася и тетя Лена вели тихий диалог. Многие взрослые совершают ошибку, полагая, что маленькому ребенку непонятна суть их разговора и он не заинтересуется беседой. Но малыши любопытны, а я не была исключением, поэтому с самым сосредоточенным видом чиркала по бумаге грифелем, не мешала взрослым, а сама развесила уши.

— Ты не права, — сердито говорила тетя Лена, — там были отличные условия.

— Чего уж теперь, — вздохнула бабушка, — на заводе Байкова мне еще лучше жилось! Оклад хороший, продуктовый заказ, комнату в санатории на лето давали и школа у них собственная имелась! Но пришлось уйти! Кто же знал, что Ричард Львиные ноги туда снова на службу придет! Однако он стал начальником!

— Интересно, почему этот тип каждый раз сухим из воды выходил, — задумчиво протянула тетя Лена.

— Ты у меня спрашиваешь? — нахмурилась бабушка.

— Действительно, глупо, — улыбнулась балерина, — ему следовало гипнотизером стать! Хотя, скажу честно, с виду он урод!

Афанасия поставила чашку на блюдце.

— Странное дело. Его обаяние было подобно наркозу. Сначала он тебя одурманивает, ты перестаешь соображать, а затем наступает пробуждение, которое сопровождается тошнотой.

— Ну тошнота, пожалуй, от другого бывает, — хихикнула Мордвинова.

Фася предостерегающе кашлянула.

— Шутка, — быстро сказала тетя Лена, — однако мы бабы дуры! Легко попадаемся на крючок.

— Он умел ухаживать, — пожала плечами бабушка. — Эх, знать бы, что впереди ждет!

— И что бы ты сделала?

— Сейчас уж и не знаю, — грустно сказала Фася.

— Она жива? Ну... Аля?

— Не знаю, — отмахнулась бабуля, — мне ее жаль! Такая слепая любовь! Плохо все для нас закончилось! Ричард Львиные ноги, как всегда, ноги унес! А я с этим живу!

— Он унес ноги на тот свет, — прошептала тетя Лена.

Афанасия откинулась на спинку стула и закрыла глаза.

— Прости, прости, прости, — засуетилась тетя Лена, — ой, какая же я дура! Идиотка! Фася! Сейчас принесу тебе капли Зеленина!

— Нормально, — сказала Афанасия и открыла глаза, — не волнуйся, я давно их всех похоронила. Просто это очень неприятная тема. Давай вернемся к сегодняшним делам. Как ни хороша была служба, мне пришлось уйти, и я уже устроилась.

— Куда? — подпрыгнула тетя Лена.

— В районную поликлинику, там всегда стоматологи в дефиците, — ответила бабуля.

— Фасенька! Ты с ума сошла! — вскипела тетя Лена. — После ведомственной клиники в клоаку! Безумие.

— Это временно!

— Катастрофа!

— Все не так трагично, — попыталась улыбнуться Афанасия.

Балерина покраснела и схватила ее за руку.

— Не глупи. Забери заявление.

— Нет, мне надоели чужие капризы, — отрезала Фася.

Я уронила карандаш, бабушка встала.

— Пойду подогрею кашу, накормлю девочку и уложу спать. Дашенька, собирай рисование и мой руки.

Я поканючила для порядка, нехотя съела гречку и поплелась в спальню. Спустя четверть часа Фася зашла в комнату, поцеловала меня и сказала:

— Спи спокойно.

— Не хочу, — заныла я, — завтра в школу идти не надо, можно еще порисовать!

— Закрывай глазки, — не пошла на уступку Афанасия Константиновна и погасила ночник.

Мне очень хотелось удержать бабушку, поэтому я воскликнула:

— Кто такой Ричард Львиные ноги?

Афанасия села на мою кровать.

— В далекие времена жил очень храбрый и благородный рыцарь, за отвагу современники прозвали его Ричард Львиное Сердце. Вот подрастешь немного, дам тебе почитать о нем книгу, а сейчас поворачивайся на бочок.

— Вы с тетей Леной говорили про Ричарда Львиные ноги, — не успокаивалась я.

— Мы просто шутили, — вздохнула Фася.

— Такого не существовало?

Бабуля встала.

— В Средние века нет.

— А в наше время? — пыталась я задержать бабушку.

Фася нагнулась, поправила одеяло и вдруг горько сказала:

— А в наше время с сердцем у рыцарей сложно, современные львы быстро бегают, красиво говорят и способны на подлость. Кажутся благородными, а на самом деле трусы!

— Разве животные умеют разговаривать? — я обрадовалась возможности продолжить увлекательный диалог.

— Все! — рассердилась Фася. — Ночь уже.

Глава 21

Очистив машину от снега, я села за руль, включила подогрев сиденья и медленно поехала в Ложкино. Интересно, существует ли до сих пор завод имени Байкова? Вдруг там есть люди, которые помнят стоматолога Афанасию Константиновну и расскажут мне про мужчину, который носил странное прозвище: Ричард Львиные ноги. Похоже, в жизни моей бабули было много тайн, которые она предпочла унести с собой в могилу. Как правило, дети не задумываются о прошлом своих близких. Тридцатилетние родители кажутся сыну-второкласснику глубокими стариками, ну что интересного могло происходить с этими посыпанными пылью мумиями в юности? А уж бабушка с дедушкой и вовсе ровесники египетских пирамид. Чаще всего внуки предпочитают пропускать мимо ушей воспоминания пенсионеров. Едва пожилая женщина произнесет фразу вроде:

— Помню, как в конце пятидесятых я отправилась в Ленинград и встретила там дядю Колю, — как ребенок моментально становится глухим.

От человека, появившегося на свет в начале двадцать первого века, прошлое столетие так же далеко, как от его бабушки война Кутузова с Наполеоном.

Я не являлась исключением и сейчас горько жалела о том, что не запомнила рассказы Афанасии. Хотя моя бабуля была не очень болтлива.

Внезапно мне захотелось курить, я проехала пару километров, притормозила у киоска, купила пачку сигарет, сорвала целлофановую обертку и приросла ногами к тротуару.

Мысль побаловаться табачком пришла мне в голову практически на выезде из Москвы. Будка, торговавшая всякой ерундой, располагалась в десятке метров от начала Ново-Рижской трассы. В нашей столице до сих пор сохранились закоулки, о которых неизвестно основной массе шоферов, существуют в мегаполисе тайные тропки, позволяющие миновать заторы. Я, например, знаю, как выбраться на трассу, ведущую к Ложкино, с наименьшими потерями времени: у одного крупного супермаркета сворачиваю направо и качу по колее до деревянных ворот с табличкой «Собака не злая, но сильно нервная». Основная часть водителей, добравшись до ворот, полагает, что это частные владения, и, матерясь сквозь зубы, разворачивается. Дорога закончилась, фокус не прошел, надо возвращаться в основной поток. Но малочисленные аборигены поступают иначе, они вылезают из теплого салона, распахивают ворота, вкатывают во двор и непременно закрывают створки. Если хоть раз оставить их открытыми, прощай тайная дорога, по ней караваном потянутся машины. Дальше — просто. Никакого дома на участке нет, он давно сгорел, пересекаешь сотки, спускаешься к реке и, опля, выезжаешь на Новую Ригу, где стоит разукрашенный елочными гирляндами тонар. Место здесь пустынное, продавец плохо понимает по-русски, он знает всего пару фраз. А еще тут по непонятной причине всегда колышется туман. Учитывая все вышесказанное, вы поймете, отчего я сейчас перепугалась до дрожи в коленях.

Из серо-голубых клубов тумана, нависшего над разбитой дорогой, вынырнуло существо самого невероятного вида. Это явно было животное, потому что оно передвигалось на четырех конечностях. Длинные, тощие, похожие на изломанные ветки ноги медленно шагали по направлению ко мне. Вместо обычных когтей лапы заканчивались перепонками, вроде тех, которые есть у водоплавающих. Мне даже на секунду почудилось, что я вижу утку, но потом безумная мысль ушла, жена селезня не может быть по грудь человеку! Тело неведомого зверя было лохматым, а голова, наоборот, абсолютно лысой и без всякого признака ушей.

Монстр плелся к ларьку, издавая странные звуки, напоминавшие скрип ржавых качелей. Нужно было нестись к машине, вскакивать внутрь и блокировать двери. Но мои ноги словно приклеились к земле, и чем ближе подбиралось чудище, тем больше я цепенела, теряла способность соображать, потом вдруг в голову пришла мысль: это инопланетянин.

Местность, где происходил столь ожидаемый человечеством контакт с представителем внеземного разума, была пустынной, внизу, около реки, располагалась большая площадка, защищенная от взоров любопытных густыми елями. Лучшей территории для посадки космического корабля и не найти. И что мне делать? Представиться? Выказать радость и дружелюбие? Продемонстрировать ум? Внезапно вспомнился американский фильм об ученом, который наладил диалог с пришельцами. Сначала зеленые человечки посчитали профессора врагом, этаким варваром, не способным думать ни о чем, кроме удовлетворения низменных инстинктов, но потом доктор написал несколько математических формул, теорему из геометрии, и все завершилось братанием. Мне нужно идти тем же путем! Но вот беда! Из математики я ничего не помню! Мои познания дальше решения столбиков не идут, всякие там синусы, косинусы остались за гранью моего понимания. А из геометрии я могу воспроизвести лишь стишок: «Пифагоровы штаны во все стороны равны», но о чем это, увы, не соображу. Я математическая идиотка! В физике разбираюсь еще хуже!

Словно старуха, решившая испечь Колобок и скребущая по сусекам в поисках муки, я стала трясти собственную память. В голове начали всплывать остатки школьных знаний. Солнце — звезда! Первым в космос полетел Юрий Гагарин! Пушкин — наше все! Мы за мир во всем мире! Ура Олимпийским играм! Человек произошел от обезьяны!

Да уж, следует признать, я абсолютно не подготовлена к встрече с существом из далеких миров, но нужно же что-то делать! Ноги с перепончатыми ступнями приближаются!

— Бонжур, — пискнула я и поклонилась, — гутен таг! Хай! Ай вонт ту ит. То есть, простите, не подумайте, что хочу вас сожрать! Мой английский никакой! Вы парле по-французски? Хотя навряд ли! Май нейм из Даша. Ай донт спик инглиш. Ай из... э... вумен! Ай донт пиф-паф![1] Давайте, куплю вам шоколадку? Плиз!

---

[1] Невероятно исковерканный английский язык. «Я хочу есть», «Меня зовут Даша», «Я не говорю по-английски», «Я женщина», «Я не хочу пиф-паф» (очевидно, последнее высказывание должно свидетельствовать о миролюбии госпожи Васильевой).

Инопланетянин замер, я приободрилась и на всякий случай сделала книксен, повторив:

— Хай!

Круглая голова то ли чихнула, то ли кашлянула.

— Будьте здоровы, — пожелала я и снова присела в реверансе.

— Грррр, — заявило существо, — о-ффф!

— Крайне рада знакомству, — дрожащим голосом ответила я. — Даша! Васильева! Просто Даша!

— Оффф!

— Какое милое имя, — льстиво закивала я. — Оффф! Короткое, но запоминающееся.

Гигантское четвероногое уткообразное сделало еще пару шагов, и тут я окончательно растерялась. Что делать-то? Посадить ЭТО в свою машину и отвезти... куда? В Кремль? В здание ФСБ? В редакцию крупной газеты?

— Джонни! — заорали из тумана. — Сукин кот! Стоять! Ты где?

— У-у-у-у, — протянул инопланетянин.

— Мерзавец! — с чувством произнес маленький толстяк в ярко-оранжевой куртке, выныривая из тумана. — Подлец! Бегай тут за тобой! Девушка, вы испугались? Джонни никого не обидит. Сукин кот огромный, но тихий!

— Он кошка? — выдавила я из себя, впав в еще большее изумление.

— Кто? — поразился пузан.

Я ткнула пальцем в фантастическое существо.

— Конечно, нет, — засмеялся дядька, — это собака!

— Но вы его называете «сукин кот», — напомнила я.

— Просто выражение такое, — окончательно развеселился незнакомец, — ласковое! Я его, хоть он и мерзавец, люблю, выкормил из пипетки. Мне Джонни крохотным подарили, сказали, карликовая порода, а вымахал жеребец. Думаю, дело в хорошем питании, он ежедневно миску домашнего творога и литр молока из-под коровы харчит! Никакой химии! Купается в речке, там вода без хлора!

Я кивала, теперь понятно, отчего у несчастного Джонни странные лапы: если полоскаться в главной водной артерии Москвы, очень скоро у тебя отрастет лишняя пара ушей и образуется глаз на затылке. И тут во мне проснулся собачник.

— Как называется порода Джонни?

— Немецкая овчарка. А я Николай, — представился толстяк.

— Очень приятно, Даша, — автоматически сказала я и переспросила: — Немецкая овчарка?

— Да, — гордо кивнул Коля, — понимаете, сын насмотрелся кино про Мухтара и захотел такого же пса! Чего не сделаешь ради ребенка, вот я и завел сукиного кота! У него замечательный характер, умен, как слон!

— У овчарки не бывает таких лап! — безапелляционно заявила я. — Они слишком тонкие и длинные.

— Мама Джонни была доберман, — пояснил Коля.

— Ясно! Но его тело! Оно покрыто светло-бежевой щетинкой! И хвост закручен тугим крючком!

— Папа у Джонни мопс, — кивнул Николай.

На меня напал кашель, кое-как справившись с приступом, я воскликнула:

— Ладно, в принципе, я могу представить, что

низенький мопс, предусмотрительно прихватив с собой стремянку, сумел соблазнить высокую добermaниху, но почему плод их связи считается немецкой овчаркой?

— Тут необходимо изучить родословные, — оживился Коля, — берем материнскую линию. У родительницы Джо, Эльзы, — мама доберман-полукровка, там есть бабушка болонка. Зато отец чистейший «немец»! У Карла, папы Джо, дед овчарка. Мать уродилась мопсом и опять не на сто процентов. Дедушка у него такса, а бабушка эрдельтерьер.

Я потрясла головой.

— Здорово! Он такса, она эрдель, а ребенок мопс!

— Учтите прадедов! Там исключительно мопсы!

— И как от них такса с эрделем родились?

Коля заморгал.

— Мы углубились в дебри, так глубоко даже на выставках не роют. Короче: у матери Джонни половина германской крови, отец сукиного кота на пятьдесят процентов из «немцев». Сложим две половины, сколько получим?

— Сколько? — эхом отозвалась я.

— Это я у вас спрашиваю, — склонил голову к плечу Николай, — половина и половина? Ну?

— Две половины, — сообщила я.

— Вы не учились в школе? — поразился Николай, перевел глаза на ключи в моей руке и укоризненно добавил: — А еще машину водите!

— Естественно, я ходила на уроки, — потупилась я, — но давно, многое я уже подзабыла. Мне математика в повседневной жизни не нужна. И потом, человечество придумало калькулятор!

— Возьмем половину овчарки от головы до живота, потом вторую половину от талии до хвоста, соединим вместе и что получим? — проворковал толстяк.

— Целую собачку, — ответила я.

— Молодец! Садись на место, — воскликнул Коля и осекся. — Простите, это машинально вылетело, я преподаю в колледже. Теперь понятно, каким образом подтверждается чистокровность Джонни? Половина папы и половина мамы! А вместе — как вы только что умело подытожили — целая собачка! Джонни — немецкая овчарка. Еще раз повторим материал или вы его усвоили?

— Вы замечательно объясняете, — польстила я Коле, — думаю, ученики вас обожают.

— Право, не смущайте меня, — заулыбался толстяк, — просто я люблю работать с молодым поколением.

— Но у меня возник вопрос!

— Отлично, спрашивайте!

— Кто у Джонни утка?

— Простите, — растерялся Коля, — утка?

— Ну да, у него перепончатые лапы и голова весьма странная, совершенно гладкая, без ушей, — перечислила я несуразности.

Николай расхохотался.

— Джо! Топай сюда скорей!

«Овчарка» повиновалась, подошла к ларьку и оказалась в круге света от фонаря, я уставилась на лапы пса и ахнула.

— Резиновые перчатки!

— Именно так! — с торжеством подтвердил Коля. — Женские, самого маленького размера, я им пальцы слегка подшил, вот вам издали перепонки и померещились! У нас тут зимой повсюду соль насыпают, у Джонни вечно лапы болят. А в перчатках нет проблем. Главное, покупать те, что на тканевой основе, ими на оптушке коробками торгуют!

— А голова? — промямлила я.

Николай ткнул пальцем вверх.

— С неба нынче радиоактивные осадки падают, не хочу, чтобы сукин кот заболел, вот и надеваю на него резиновую шапочку для бассейна. Знаете, как я до такого додумался?

— Теряюсь в догадках, — пожала я плечами.

— Я очень внимателен, — завел толстяк, — и заметил, что гаишники в дождь на фуражки целлофановые беретки для душа натягивают! Ну неужели офицерам форму жаль? Нет, им, как представителям власти из правительства, сообщили: осторожно, в каплях тяжелый металл, типа уран! А чем Джонни хуже сотрудника ДПС?

Я прикусила губу, пытаясь удержаться от комментариев. Николай похлопал «сукиного кота» по спине, пристегнул поводок, помахал мне рукой, потом вдруг сказал:

— У меня через неделю будет алиментный щенок. Хотите, подарю?

— Огромное спасибо, — я поспешила отказаться от такой чести, — боюсь, не смогу правильно воспитать элитного пса. Тут нужна мужская твердая рука.

— Верно мыслите, — согласился Коля. — Настоящую немецкую овчарку, такую как Джонни, нелегко до ума довести. Был рад знакомству. До свидания.

Коля шагнул в туман, за ним, мерно шлепая резиновыми перчатками, двинулся «сукин кот». Если укоротить животному лапы, его филейная часть с круто заверченным хвостом будет один в один, как у нашего Хуча. Жаль, что у меня нет родословной мопса, вероятно, там могли обнаружиться интересные экземпляры. У наших собак отсутствуют документы, я не могу похвастаться знанием их корней, но абсолютно уверена, что у йорка Жюли среди предков были львы, у пуделя Черри тигры, у ротвейлера Снапа слишком умные совы, а у Банди зайцы, поэтому питбуль до обморока боится мышей и лягушек.

Глава 22

Завод имени Байкова не исчез с карты Москвы, более того, он сохранил прежнее название и находился по старому адресу. Я вошла в невысокую пристройку и наклонилась к окошку, за которым сидела женщина в светло-сиреневом халате.

— Здравствуйте, — вежливо сказала она, — если вам заказан пропуск, давайте паспорт. Если разрешения на вход нет, позвоните по телефону, он на окне, и изложите цель визита.

Я протянула документ.

— Куда направляетесь? — спросила дежурная.

— В редакцию многотиражной газеты «Луч», — отрапортовала я.

— Кто выписывал пропуск?

— Главный редактор Борис Сурков.

— Цель визита?

— Рабочая.

— Уточните.

— Беседа с журналистом. Я пишу книгу о людях, которые много лет трудятся на одном месте.

Тетка протянула мне листочек.

— Покидая редакцию, непременно отметьте время, иначе вас не выпустят.

Я кивнула и подошла к турникету, около которого высился парень в черной форме.

— Оружие? — буркнул он.

— Нет, — ответила я.

— Колюще-режущие предметы?

— Отсутствуют.

— Средства защиты?

Я изумилась.

— Что?

— Перцовый баллончик, электрошокер, — перечислил охранник.

— Нет, нет!

— Покажите содержимое сумочки, — велел парень.

Я послушно вывалила на стол гору мелочей и, пока молодой человек с рвением все изучал, вспомнила, как мы с Оксаной в этом году решили погулять на Дне города.

В тот день неожиданно выглянуло солнце, резко потеплело, и Ксюта сказала:

— Давай пошляемся по центру. Я уже сто лет не принимала участия в народных гуляньях.

— Отличная идея! — согласилась я. — Доедем до Охотного Ряда на метро, а там пешком пройдем от Театральной до Лубянской площади.

Затея удалась, мы веселились как дети. Сначала послушали эстрадный концерт, потом съели мороженое, чипсы, пирожки с вареньем, шоколадные батончики, сахарную вату, жевательный мармелад, орешки, выпили уйму воды, добрели до Политехнического музея и увидели на месте памятника Феликсу Дзержинскому деревянные помосты с массовиками-затейниками.

— Хочу участвовать в конкурсах! — по-детски обрадовалась Оксана.

— Попробуй, — разрешила я.

Сначала подруга швыряла мячики в плюшевые

игрушки, из пяти попыток не удалась ни одна, но Ксюте все равно вручили поощрительный приз: брелок для ключей, и она побежала к стенду, где устраивали литературную викторину.

Через полчаса у Оксаны появились шариковая ручка, кепка и брошюра «Как избавиться от тараканов» с автографом автора.

— Ну, наигралась? — спросила я.

И тут одна из ведущих, тощая блондинка в черных брючках, старушка, косящая под девочку, запищала со сцены тоненьким голоском:

— Здрассти, меня зовут Даша, я приглашаю сюда женщин, у которых в сумке можно найти какое-нибудь средство самообороны. Достанем его и опробуем на присутствующих мужчинах. Эй, эй, парни, не убегайте, это шутка! Конкурс с юмором! Ну, дамы, проявим активность! Самая изобретательная получит суперприз!

Оксана взвизгнула и кинулась к подмосткам. Мне оставалось лишь завидовать юному задору Ксюты и наблюдать за действом из толпы зрителей.

Массовичка выстроила участниц шеренгой и сказала первой:

— Ну, начнем с тебя! Представься!

— Лена! — заорала баба.

— И какое у тебя в сумке средство самообороны?

— Во! — закричала Лена и вынула кухонный тесак.

Ведущая взвизгнула, она явно не ожидала ничего подобного и растерялась. Ей на помощь пришел второй конферансье, мужчина в сером костюме.

— Сурово, — засмеялся он, — у бандита нет шансов!

— А то! — гаркнула Лена. — Тык — и пишите письма.

— Очень кровожадно, не находишь, Андрюша? — ожила тощая бабуля.

— Весьма предусмотрительно, Даша, — не согласился коллега.

— У меня отвертка, — вдруг заявила следующая участница, — ножик опасно таскать, а отвертку без проблем. Ею тоже можно человека продырявить.

— Что-то не пойму, вы на праздник собрались или на разведку во вражеский тыл, — не удержалась Даша.

— Лучше перцовый баллончик, — вступила в беседу следующая участница.

Наконец дело дошло до Ксюты.

— А у вас чего? — поинтересовался Андрей.

— Только записная книжка, — растерянно сообщила подруга, — но она тяжелая, как кирпич.

— Вы небось недавно из своего Урюпинска приехали, — с презрением сказала хрупкая девушка, по виду восьмиклассница, замыкавшая шеренгу воительниц, — москвички давно поняли: нужно заботиться о собственной безопасности. Вот у меня — чулок!

— Чулок? — растерялась Дарья, осторожно прилепляя к щеке пласт отваливающихся румян. — Но какой от него толк?

— Большой! — засверкала глазами гимназистка. — Хотите покажу? Вот на нем?

— Пожалуйста, — милостиво разрешила ведущая.

Девушка подошла к Андрею.

— Ну, типа, хватайте меня за плечи!

Конферансье подчинился, школьница ловким движением ударила его ногой по коленке.

— Вау! — взвизгнул бедолага. — Больно.

— Ща круче будет, — пообещал нежный бутон, отработанным движением накинул на шею Андрея чулок и начал затягивать концы.

— Помогите, — прохрипел несчастный.

Как настоящий профессионал шоу-бизнеса, Андрей, даже умирая, не бросил свой микрофон. Это условный рефлекс эстрадного артиста, в конце концов, медицина шагнула далеко вперед: врачи способны реанимировать труп, а где добыть усилитель звука отличного качества? Это жуткая проблема и не менее жуткие деньги!

Школьница, не обращая внимания на вопль Андрея, еще сильнее затянула чулок. Затейник рухнул, Дарья с Оксаной кинулись к поверженному, бабуля попыталась оттащить девчонку, но не справилась с могучей малолеткой и стала скакать по сцене, кудахтая, как больная курица.

— Помогите! Спасите! Уберите! Унесите! Утащите!

На сцену, тяжело сопя, влезли два пузатых охранника и оторвали школьницу от посиневшего Андрея.

— Вы че? — возмутилась невинная незабудка. — Не дали до конца показать метод самообороны, он еще дышит!

— Врача! — сменила тему бабулька, успевшая от ужаса потерять добрую половину макияжа. — «Скорую»! Реаниматора!

— Уже тут, — ответила Оксана, занимавшаяся Андреем, — дайте мою сумку, там на всякий случай ампул полно!

— Могу еще на ком-нибудь чулок продемонстрировать, — предложила девочка.

— Притащите ей приз! — вспомнила о своих обязанностях бабуля. — А лучше два, нет, три подарка, только пусть уйдет, пока мы целы!

— Чего смеетесь? — неожиданно спросил охранник. — Складывайте вещи в сумку и проходите. Третий этаж, комната триста двадцать, редакция там!

Местная газета создавалась в чуланчике, где на двух столах высилось шесть компьютеров. Между работающими мониторами на офисном стуле катался старичок, похожий на деда Мазая без зайцев.

— Вы! Ко мне! Отлично! — невероятно обрадовался он, увидев меня на пороге. — Входите! Садитесь! Говорите!

— Вам звонили из МГУ, — улыбнулась я, — профессор Ирина Кокурина просила мне помочь.

— Помню! Великолепно! Пишете докторскую диссертацию?

— В общем, да.

— О рабочих династиях! Чудесно! Продолжайте!

— Есть ли в редакции данные о ветеранах труда? — сразу задала я главный вопрос.

— Конечно! Наша гордость! Золотой фонд! Лучшие люди! Награждаем! Любим! Пишем!

Беседа в телеграфном стиле стала меня утомлять, но, похоже, редактор не умел разговаривать по-другому.

— Мне нужны координаты человека, который работает тут не менее пятидесяти лет.

— Момент! Сейчас! Данные в базе! Технический прогресс! Администрация балует! Покупает технику! Вот! Нашел!

— Здорово! — обрадовалась я.

— Кирпичникова Марлена Сергеевна! Пришла сюда в шестнадцать лет! Сотрудница поликлиники!

— Дайте ее адрес! Срочно! — воскликнула я.

— Зачем?

— Навестить!

— Цель?

— Поговорить!

— Не надо!

— Марлена Сергеевна больна?

— Нет! Здорова! Бодра! Она на рабочем месте!

— Кирпичникова служит?

— В санчасти!

— Это где?

— Пятый этаж! Налево! Увидите двери!

— Туда можно? Зайти? Мне?

— Да! Идите!

— Отметьте! Пропуск!

— Марлена подпишет! Имеет право! Прощайте!

— Спасибо! За помощь! Очень благодарна! — отчеканила я, вывалилась в коридор и потрясла головой.

Однако манера редактора вести разговор оказалась заразной, я подцепила бациллу, надеюсь, что по дороге в медпункт вновь превращусь в нормальную собеседницу.

Толкнув белую дверь, я очутилась в небольшом холле, увидела медсестру, которая самозабвенно читала глянцевый журнал, и спросила:

— Где найти Кирпичникову?

— Кабинет налево, — не поднимая головы, ответила девушка.

Удивленная полнейшим отсутствием людей, я поскреблась в дверь с бронзовой цифрой «3» и, услышав напевное: «Входите», втиснулась в квадратное пространство.

У окна, спиной к стеклу, сидела вполне бодро выглядевшая седая дама в немодном нынче хлопчатобумажном накрахмаленном до хруста халате и такой же шапочке-колпачке. Вдоль одной стены тянулась прикрытая оранжевой клеенкой кушетка и стояли допотопные выкрашенные белой краской весы.

— Садитесь, — строго сказала врач, — на что жалуетесь?

— Хотела поговорить с Марленой Сергеевной.

— Это я, — кивнула доктор, — терапевт и хирург в одном лице. Операцию, впрочем, теперь не сделаю, но первую помощь окажу. Итак?

— Вы работаете на заводе много лет?

— Верно, у меня большой стаж, можете не сомневаться в квалификации человека, в чьем кабинете находитесь, — с достоинством подчеркнула Марлена Сергеевна.

— Я не пациент!

— А кто? — удивилась Кирпичникова.

— Пишу книгу о рабочих династиях, готовлюсь защищать диссертацию.

— Не понимаю цели вашего визита, — нахмурилась врач.

— Я пришла побеседовать о заводе, о прошлых временах.

— Ваше имя?

— Дарья Васильева.

— А отчество?

— Лучше просто Даша.

— У вас уже не столь юный возраст, чтобы так просто представляться.

Я проглотила весьма некорректный намек и решила подлизаться к неприступной старухе.

— Зато вы смотритесь на сорок пять!

— Глупая лесть, — немедленно отреагировала Марлена, — так вот, просто Дарья, я не имею права говорить о прежних временах. Предприятие работало на оборону, все сотрудники подписывали форму о неразглашении!

— Но столько лет прошло!

— И что?

— Мне очень нужны ваши воспоминания!

— А мне лучше помолчать, — отрубила Кирпичникова, — длинный язык до добра не доведет.

— Моя бабушка часто вас вспоминала, — лихо соврала я, — говорила: «Марлена очень добрый человек, жаль, что этим ее качеством остальные беззастенчиво пользуются».

Кирпичникова поправила старинный аппарат для измерения давления, черную коробочку со стеклянной трубкой, в которой дрожал ртутный столбик, смахнула ладонью со стола невидимые крошки и насупила брови.

— Хотите сказать, что я знакома с вашей родственницей?

— Верно, — во весь рот улыбнулась я, — вы работали бок о бок!

— Где?

— Здесь, на заводе Байкова. Бабуля была стоматологом, вернее, протезистом, пломбы она ставила в редких случаях!

Марлена Сергеевна раскрыла пластмассовый, похожий на мыльницу очечник, добыла оттуда очки в золотой оправе, посадила на нос и бормотнула:

— Лицо ваше вроде мне знакомо.

— Помните Афанасию Константиновну?

Марлена Сергеевна замерла, потом осторожно кивнула.

— Да.

— Я ее внучка Даша!

Кирпичникова сняла очки, протерла стекла замшевой тряпочкой, вернула их на место и заявила:

— Она меня всегда в шахматы обыгрывала!

Я оперлась локтями о ее стол:

— Вы путаете. Фася обожала карты, с ней нельзя было играть ни в преферанс, ни в покер, ни в бридж. У нее была великолепная память, она в секунду просчитывала все ходы и ловко жульничала. Понимаю, что вам трудно мне поверить, но я и впрямь родственница вашей коллеги.

— Допустим, — кивнула Марлена Сергеевна, — насчет карт вы правы. Афанасия меня вечно в дураках оставляла. И к шахматам она не приближалась. Если хочешь узнать, не врет ли твой собеседник, спроси его о бытовых мелочах. Так вы ученый или дело в другом?

— В другом, — ответила я, — на самом деле я работаю частным детективом.

— Версия номер два, — неожиданно улыбнулась Кирпичникова, — явление третье. Те же действующие лица и сыщик.

— Сейчас я занимаюсь одним делом, которое уходит корнями в прошлое, — я решила не обращать внимания на подколы. — Вы тесно дружили с Фасей?

— Общались!

— Знали Анну Королькову?

— Кого?

— Жену Игоря, сына Афанасии.

— Нет, мы столь близко не пересекались, — холодно пояснила Марлена Сергеевна, — состояли в хороших рабочих отношениях. Тогда при заводе была не нынешняя жалкая медсанчасть, а целая клиника. Афанасия трудилась в зубоврачебном кабинете, а я была медсестрой у хирурга. Встречались мы во время пятиминуток или когда кто-нибудь торт на день рождения купит и персонал в ординаторской чай пьет. Афанасия Константиновна слыла хорошим врачом, к ней всегда теснилась очередь, с коллегами она была мила. Но это все, никаких эксклюзивных сведений я не сообщу! Очень много лет прошло, а меня к старости память стала подводить!

— Жаль, — расстроилась я, — думала, вы расскажете, кто такой Ричард Львиные ноги!

Кирпичникова вскочила.

— Кто?

— Ричард Львиные ноги, — повторила я, весьма удивленная реакцией дамы.

Марлена Сергеевна опустилась в кресло.

— Ты внучка Фаси!

— Я пытаюсь вам объяснить это последние четверть часа, — не вытерпела я.

— Но теперь я верю! Про Ричарда знали только мы! Впрочем, еще и Алевтина. Значит, ты Фасина кровь! А от кого?

— Извините? — не поняла я вопроса.

— Кто твой отец? Игорь или Юрий?

— Вроде Игорь, — машинально ответила я. —

Наверное, сейчас вы вновь примете меня за самозванку, но бабушка не рассказывала мне ничего о моих родителях. Я до последнего времени считала, что родилась от ее дочери, Елены Ивановны... Постойте! Какой Юрий? У Афанасии был один сын с не очень хорошей репутацией!

Глава 23

— Ох, деточка, извини старую дуру, — вдруг запричитала Марлена Сергеевна, — порой я чушь несу. Семьдесят пять скоро исполнится, пора уму за разум заехать! Чего я болтаю? Конечно, у Фаси был только Игорек.

Но это прозвучало фальшиво, а руки Кирпичниковой затряслись.

— Марлена Сергеевна, — взмолилась я, — помогите! Чем дольше я копаюсь в прошлом бабули, тем больше тайн вытаскиваю за хвост, но клубок так и остается неразмотанным.

Старушка уставилась немигающим взглядом мне в переносицу, а я пыталась объяснить, насколько мне важно узнать секрет Афанасии. В конце концов аргументы закончились, и я замолчала.

Марлена Сергеевна вдруг сказала:

— Я пришла сюда на работу в шестнадцать лет. Я из многодетной семьи, десять братьев и сестер, пьющий отец да мама с подорванным здоровьем. Я поступила в медицинское училище, имела далекоидущие планы, мечтала стать хирургом и, несмотря на юный возраст, обладала острым умом. Сообразила, что у всяких там профессоров-академиков есть сыновья и дочки, они их в институты пристроят, где имеют знакомства! Простой девчонке из рабочих высшее образование не получить!

Я кивала в такт словам Кирпичниковой.

Встречаются порой подростки, которые четко знают, как поступить, чтобы добиться успеха.

Марлена Сергеевна принадлежала к этой категории молодежи, впрочем, в те далекие годы ее звали просто Мара. Девочка узнала, что в вузах есть так называемая рабочая квота. Пролетариев отправляло учиться предприятие, такие абитуриенты формально сдавали вступительные экзамены. Главное было не получить на испытаниях двойку, и добро пожаловать в студенты. Но став дипломированным специалистом, нужно было вернуться на свой завод и отработать там не меньше пяти лет. И еще одно, парень из горячего цеха не мог претендовать на юридическое образование, должен был поступать в институт стали и сплавов и приобретать инженерную специальность. Если же отчаянно хочешь стать адвокатом, никто тебе не запрещает, иди в соответствующий вуз, но на общих основаниях.

Марлена после восьмого класса отправилась в медицинское училище и, перейдя на второй курс, оформилась на завод Байкова сначала санитаркой, а затем, получив диплом, стала работать в процедурном кабинете.

Это сейчас у предприятия осталась крохотная медсанчасть, где сотруднику в случае необходимости могут оказать лишь первую помощь, а потом вызовут «Скорую». Во времена юности Мары здесь существовали своя больница и поликлиника. Оборонное производство процветало, директор создал для служащих все условия, на территории работали Дом культуры, столовая, магазин, парикмахерская, библиотека, детский сад и клиника, в которой работали опытные врачи. К гинекологу Марии Андреевне ехали со всей Москвы, у рентгенолога Давида Сергеевича был уникальный глаз, различавший на снимках практически невидимые тени, а протезист Афанасия Константиновна делала коронки, которые ничем ни по виду, ни по ощущениям не отличались от родных зубов.

Марлена подружилась с Афанасией. Несмотря на то что та была взрослой женщиной, имевшей сына, а Мара вчерашней школьницей, отношения у врача и медсестры были близкими, девушка бывала в гостях у Фаси и скоро узнала о ее страсти к картам. Через некоторое время Мара поняла: семейной жизни Афанасии не позавидуешь, между ней и мужем нет любви.

Как-то раз Марлена не выдержала и спросила у Афанасии:

— Зачем ты живешь с Михаилом?

— Отличный вопрос, — засмеялась Фася, — ты не заметила, что мы женаты?

— Похоже, вы не любите друг друга, — бесцеремонно заявила Мара и тут же прикусила язык.

Но Афанасия не рассердилась, она лишь пожала плечами:

— В браке пылкость чувств исчезает быстро, потом начинаются будни.

— Лучше повеситься, чем спать с мужем по привычке! — воскликнула Мара.

Фася усмехнулась:

— Ох какая же ты молодая! Доживешь до моих лет, поймешь — семья строится не на страсти.

— А на чем? — заинтересовалась Мара, которая имела перед глазами вечно пьяного отца и постоянно беременную очередным нежеланным ребенком мать.

— На взаимоуважении, порядочности, надежности, — начала загибать пальцы Фася, — финансовом благополучии.

— Ты получаешь больше Михаила, — не успокаивалась Марлена, — а разве не мужчина обязан обеспечивать семью?

— Какая разница, кто зарабатывает, — улыбнулась Афанасия, — главное, что у семьи есть средства.

— Все равно странно, — протянула Марлена, — ты вкалываешь, ведешь хозяйство, прибегаешь домой в девять вечера и несешься к плите. А Михаил возвращается в районе четырех и ложится на диван с книгой! Он тебе не помогает!

— И прекрасно, — усмехнулась Афанасия, — не дай бог, он захочет посуду помыть — тарелки перебьет.

— Какая от него тогда польза? — раскипятилась медсестра. — Зачем ты его завела?

Афанасия расхохоталась.

— Завела! Отличный глагол, но так говорят о животных, вот хомячка можно завести, а я вышла замуж! Миша мне нравится, он терпелив, спокоен и снисходительно относится к жене-картежнице. Ты права, я много зарабатываю, но могу за один вечер просадить громадную сумму. Михаил меня никогда не ругает, даже сочувствует.

— Но ты можешь и выиграть! И потом: сама деньги добыла, вот и делаешь с ними что хочешь! — не сдалась Мара.

— Ох дурочка, — снисходительно сказала Афанасия, — давай так, ты выйдешь замуж, родишь ребенка, и тогда потолкуем. Я ценю в Михаиле его отношение к Игорю, он стал мальчику настоящим отцом. А ты бываешь в нашем доме и знаешь: Игорь трудный подросток.

Марлена автоматически кивнула. Сын Афанасии рос настоящим разгильдяем, он плохо учился, думал лишь об удовольствиях и девочках, мог прогулять школу, частенько врал матери и, как казалось Маре, был нечист на руку. Прямых доказательств воровства у нее не было, но один раз Марлена заглянула к Фасе домой, получив зарплату. Возвращаясь из гостей, медсестра спустилась в метро, открыла кошелек и обнаружила, что пачка купюр в отделении стала тоньше, в ней не хватало нескольких сотен[1]. Марлена отлично помнила, как, получив в кассе ассигнации, она аккуратно поместила их в портмоне и, никуда не заходя, приехала к Афанасии. Дома у подруги был только Игорь, сумку Мара оставила в прихожей. И куда испарились деньги? Но не пойман, не вор. Марлена сделала определенный вывод и с тех пор, заглядывая к Фасе на огонек, никогда не оставляла свой кошелек без присмотра.

Так что Игорь не очень нравился медсестре, вот почему она кивнула, когда Афанасия упомянула о трудностях в воспитании сына. Но тут Мару осенило.

— Что значат твои слова: «он стал мальчику настоящим отцом»? — воскликнула Кирпичникова. — Разве Михаил Игорю не родной?

— Нет, — чуть помолчав, ответила Фася, — сын у меня от первого брака. Миша его отчим.

---

[1] *Нескольких сотен* — цены даны в деньгах до реформы начала 60-х годов. После нее сто рублей стали десяткой.

Марлена хотела сказать, что Михаил замечательный человек, раз он пытается воспитывать противного Игоря, но удержалась от обидного для Фаси замечания.

Чтобы получить направление в институт, следовало три года отработать на предприятии. Мара терпеливо делала уколы и различные процедуры больным, она твердо шла к своей цели, мечта стать хирургом становилась день ото дня крепче.

Когда рабочий стаж Марлены составлял два года, ее мать родила двойню и умерла в больнице. Отец запил еще сильнее, двенадцать детей остались фактически сиротами. Мара растерялась, она была не готова встать во главе семьи, но отец-алкоголик конкретно приказал:

— Ты старшая, обязана всех воспитывать.

Девушка откровенно сказала:

— Я хочу поступать в институт!

Пьяница пустил в ход кулаки, и Мара сбежала из дома, прихватив нехитрые пожитки. Некрасивый поступок, но никаких нежных чувств к своим братьям и сестрам девушка не испытывала, она искренне считала, что маленьким детям будет лучше в интернате, а две старшие сестры, которым исполнилось семнадцать и пятнадцать, вполне способны работать. Но все же рассказывать о побеге из семьи на службе не хотелось. Марлена сняла комнатку в коммуналке и никому, даже Афанасии, не сообщила о смене адреса.

Как-то раз Мара после дежурства отправилась домой, села в метро, доехала до своей станции, вышла на платформу, сделала пару шагов и подвернула ногу. Щиколотка немилосердно заболела, девушка допрыгала на здоровой ноге до скамейки, села и услышала сзади почти родной голос.

— Очень тебя прошу, прекратите общение!

— Ты не можешь этого требовать, — ответил басок, который тоже показался Марлене знакомым.

Медсестра оглянулась, за ее спиной находилась другая лавка, на которой сидели... Фася и незнакомый парень.

— От вашей дружбы лишь хуже будет, — заискивающим тоном сказала Афанасия.

— Это нам решать, — отрезал юноша.

В голосе паренька прозвучали знакомые ноты, и Мара еще раз украдкой оглянулась. Ее охватило удивление: кто это? Медсестра видела только профиль незнакомца, чуть вздернутый нос, выдающийся подбородок, темные кудрявые волосы, не по-мужски длинные, загнутые вверх кукольные ресницы и родинку над капризно изогнутой верхней губой.

— Ладно, Юра, — тихо сказала Афанасия, — я попросила, как мать, пожалуйста, разорви отношения с Игорем.

— Мне нравятся слова «как мать», — язвительно перебил юноша, — они тебе подходят. Но, повторяю, мы сами разберемся!

— А что скажет твоя мама? — пошла в наступление Афанасия.

— «Моя мама», — причмокнул губами Юрий, — тоже красиво звучит. Она себе на уме! Никому неведомо, что она думает! Короче! До свиданья!

Последние слова юноша договаривал уже на ходу, он резво встал и успел вскочить в поезд, закрывавший двери.

— Стой! — закричала Фася, но состав, грохоча вагонами, унесся в тоннель.

Марлена продолжала сидеть вполоборота, и тут Афанасия, ощутив затылком чужой взгляд, обернулась и ахнула:

— Мара! Как ты сюда попала?

— Домой еду, — медсестра от растерянности сообщила правду.

— Ты ведь живешь в одной автобусной остановке от завода!

— Теперь нет, — призналась девушка и добавила: — Я вас не подслушивала, ногу подвернула, идти не могу.

— Давай посмотрю, — предложила Фася и присела около подруги, — мда, немного распухла!

— А с кем ты болтала? — не сдержала любопытства Мара.

— Это мой племянник, — сказала Афанасия, — сын брата!

— Не знала, что у тебя есть близкие родственники!

— Мы давно не общаемся, — пояснила Фася, — потеряли друг друга из вида. Но, к сожалению, не знаю, каким образом Игорь с Юрой встретились и подружились!

— Наверное, это хорошо, — протянула Марлена.

— Юрий плохой мальчик, — воскликнула Афанасия, — он портит Игорька, вбивает ему в голову дурацкие идеи!

— Какие?

— Забудь, — отмахнулась стоматолог, — очень прошу тебя, не рассказывай никому о Юре, я надеюсь разорвать эту дружбу, у Игоря впереди блестящее будущее, общение с таким родственником ему ни к чему!

— Я никогда не сплетничаю, — обиделась Мара.

— Знаю, прости. Давай помогу тебе до травмопункта дойти, — предложила Афанасия.

Через неделю Марлена и думать забыла о Юрии. Прошел год, медсестра записалась на прием к замдиректора, Андрею Григорьевичу Стефанову, и попросила его дать направление в институт.

— Я подумаю, — ответил тот, — ты у нас не одна желающая!

— Еще кто-то собрался в медицинский? — испугалась конкуренции Мара.

— Пока нет, но, как понимаешь, мы не можем давать направление всем, — сдвинул брови Андрей Григорьевич, — сразу скажу, у тебя мало шансов на льготу.

— Почему? — чуть не заплакала Мара. — Я три года честно работаю, не пропустила ни одной смены, даже бюллетень не брала.

— Придется выбирать между тобой и Семеном из инструментального цеха, — пояснил замдиректора, — а мужчина более ценен для предприятия!

— Это несправедливо, — прошептала Мара, — в нашей стране у всех равные права!

Андрей Григорьевич снял очки и оглядел Марлену.

— Мы должны думать о будущем. Ты выйдешь замуж, родишь ребенка, сядешь дома, и получится, что народные средства зря потрачены. Семен же вернется на работу.

— Я не хочу быть матерью, поверьте, — взмолилась девушка, — мечтаю стать хирургом.

— Ну ладно, — неожиданно смилостивился замдиректора, — приходи после работы, часов в восемь, нет, лучше в девять. Я до этого времени покалякаю с самим Иваном Олеговичем, авось придумаем выход.

— Спасибо! Ой! Спасибо, — затараторила Мара.

— Пока не за что, — посуровел начальник, — потом поблагодаришь.

Ровно в двадцать один ноль-ноль Марлена поскреблась в кабинет и, получив разрешение войти, спросила:

— Ну как?

— Дело непростое, — протянул Андрей Григорьевич, — целевое место бесплатно заводу не дадут. Вернее, нам одно положено, и Иван Олегович категорически приказал отдать его Семену!

— Я три года работаю! — чуть не заплакала Марлена.

— Ну ничего, ты еще молодая, можешь пару лет потерять, — «утешил» ее Андрей Григорьевич.

— Почему вы говорите о нескольких годах? — насторожилась Марлена. — Разве я через год не смогу поступать?

Замдиректора крякнул.

— Нет.

— Но почему?

— Дочь Ивана Олеговича поступает, и, на твою неудачу, тоже в медвуз.

— Она же у нас не работала! — закричала Мара.

— Кто тебе сказал? — вскинул брови Андрей Григорьевич. — Она уж четвертый год служит санитаркой в стоматологии!

— Там одни старухи, — зашептала Мара, — я всех знаю.

— А по документам Лиза работает.

— Это нечестно! Обман, — зашептала Марлена.

Андрей Григорьевич развел руками:

— Бумаги оформлены по всем правилам, комар носу не подточит. Впрочем, можешь уволиться, пойти служить в другое место, но там начнешь все заново, три года отпашешь, прежде чем получишь право об институте заикаться!

Из глаз Марлены потоком хлынули слезы.

Глава 24

Андрей Григорьевич встал, обогнул стол, сел около Мары, вынул из кармана чистый носовой платок и по-отечески промокнул медсестре слезы.

— Успокойся!

— Это несправедливо, — шептала Марлена, — нечестно!

Замдиректора развел руками.

— Естественно, о своих детях все в первую очередь думают.

— Значит, мне ничего не светит! — снова впала в истерику девушка.

— Понимаешь, — вкрадчиво сказал мужчина, — я мог бы тебе помочь.

— Как? — с безумной надеждой спросила Мара.

— У меня есть приятель в Министерстве образования, он может посодействовать, ты получишь место. Но имеется одна загвоздка! Что я ему скажу? Кто мне товарищ Кирпичникова? — абсолютно серьезно спросил Андрей Григорьевич.

— Медсестра из заводской поликлиники, — наивно ответила Мара.

Замдиректора улыбнулся:

— Милая, подобные услуги оказывают только очень близким людям: дочери, жене, сестре. Ради какой-то там сотрудницы никто и пальцем не шевельнет!

— Вы же можете назвать меня дочкой! — подскочила Мара.

— Обмануть? — насупился начальник. — Очень глупо! Да и всем известно про моих сыновей. Но вот... если нам стать близкими людьми, тогда я со спокойной душой обращусь к Леониду, и ты без особых проблем очутишься в лучшем вузе страны.

— Не понимаю, — потрясла головой Мара. — Вы хотите меня удочерить?

— Разве я такой старый? — спросил Андрей Григорьевич и уже совсем не по-отечески прижал к себе медсестру.

Тут только Марлена осознала, каким путем можно дойти до института. В первый момент девушке захотелось отпихнуть похотливого мужика, стукнуть его по башке массивным пресс-папье и убежать. Но через секунду внутренний голос сказал ей: «Мара! Это твой единственный шанс. Если не согласишься, Стефанов может выгнать строптивую девицу за ворота. Тогда прости-прощай мечта стать хирургом!»

Марлена обняла Андрея Григорьевича и прошептала:

— Я согласна.

— Пошли, — обрадовался «Казанова».

— Куда?

— Вот сюда, — заговорщицки улыбнулся замдиректора и толкнул массивный шкаф.

Неожиданно дверки, казавшиеся тяжелыми, легко сдвинулись, обнажив проем.

— У меня там комната отдыха, — потер руки Андрей Григорьевич. — Иногда приходится задерживаться на службе до глубокой ночи, вот здесь я и сплю.

Стефанов оказался по-своему честным человеком, через месяц регулярного посещения комнаты отдыха Марлена получила направление и без всякого труда поступила в вуз. Более того, Андрей Григорьевич договорился с главврачом поликлиники, и Мару, несмотря на учебу в дневное время, оставили на работе. Девушка сохранила зарплату, но ей приходилось четыре раза в неделю дежурить по ночам, а воскресенье проводить в клинике. У нее теперь не было ни минуты свободного времени, она тщательно записывала лекции, потом неслась на службу, спала Мара урывками, о развлечениях не думала вовсе, никаких романов не заводила. Кирпичниковой страшно было подумать об отношениях с кем-то из ровесников, ей приходилось регулярно ублажать Андрея Григорьевича. Слишком наивная Мара рассчитывала, что, получив направление, она прервет с ним отношения, но Стефанов крепко держал девушку, не забывая напоминать ей:

— Я пошел ради тебя на нарушения, если учишься на дневном, то нельзя работать.

— На стипендию мне не прожить, — справедливо отвечала студентка и слышала в ответ:

— Не я законы придумываю. Но я могу их ради близкого человека обойти!

Оставалось лишь надеяться, что сластолюбивый начальник потеряет интерес к Марлене и заведет себе новую любовницу, благо на заводе работало много молоденьких хорошеньких девушек.

В конце декабря Мара почувствовала себя плохо, у нее стала кружиться голова, пропал аппетит, появились слабость, сонливость, а когда начались гормональные нарушения, ее осенило: она беременна.

Сначала Марлена испугалась, сделать аборт в те годы было очень дорого и непросто. Операция не являлась незаконной, но без направления из консультации ни одна больница на аборт не принимала. В бюллетене указывался диагноз, и многие девушки, желая скрыть случившееся от родителей и на работе, шли на «подпольное» прерывание беременности. Любая девушка на месте Марлены пришла бы в ужас, но она училась в медвузе, обзавелась связями и думала, что сумеет найти подпольный абортарий. Зато Андрей Григорьевич, думала она, услышав о беременности любовницы, мигом потеряет к Маре интерес и начнет искать другой сексобъект. Нет худа без добра.

И Марлена радостно заявила Стефанову:

— Я беременна.

Реакция его оказалась неожиданной.

— Замечательно! — воскликнул он. — И когда малыш появится на свет?

Мара вытаращила глаза.

— Никогда.

— То есть? — насторожился любовник.

— Я сделаю аборт, — заявила студентка.

— Хочешь убить моего ребенка? — возмутился любовник.

— Есть альтернатива? — поинтересовалась Марлена.

— Конечно! — азартно ответил замдиректора.

— И какая?

— Рожай малыша!

— Ты с ума сошел! — взвилась Мара. — Я не собираюсь быть матерью-одиночкой. Мне нужно окончить институт, найти хорошую работу, в конце концов выйти замуж!

— Это не важно, — отмахнулся будущий папаша.

— Хорошенькое заявление, — обозлилась Мара. — Короче, давай деньги и до свидания.

— Нет! Ты родишь! — выкрикнул любовник. — Получится замечательный человечек. Мой ум соединится с красотой матери.

— Отлично придумано, — фыркнула Марлена, — но нет!

— Тогда прощайся с институтом, тебя выгонят, провалят на сессии, — пригрозил Андрей Григорьевич.

— Если ты не хочешь дать денег, сама обойдусь, — устало сказала Мара. — Никто не может запретить мне сделать аборт!

— Ошибаешься, — возразил Андрей, — я уже говорил, что в случае неповиновения выгоню тебя из вуза. Это раз. Потом отправлю под суд за незаконный аборт и врача, и пациентку. Ты очутишься в тюрьме. Это два! Хватит или продолжать? Есть еще варианты?

— Ну зачем тебе малыш? — взмолилась Мара. — Ведь ты растишь троих парней!

— Нужен, — загадочно ответил Андрей Григорьевич.

— Между прочим, я могу сообщить твоей жене правду о наших отношениях, — пошла ва-банк Марлена. — Это тебе следует меня бояться! Я не смогу одна воспитать ребенка, не побоюсь скандала, подам на алименты. Если кого и выгонят, так это тебя! Пнут под зад ногой с работы!

Стефанов ухмыльнулся.

— Алевтина Глебовна все знает!

— Что? — опешила Мара.

— О наших встречах.

— Врешь, — оторопела девушка.

— Я говорю правду, — пожал плечами Стефанов.

— Слов нет, — промямлила Мара.

— Моя жена не способна родить, — вдруг разоткровенничался любовник.

— Откуда же трое мальчишек? — задала ожидаемый вопрос Марлена.

Последовал ответ:

— Это наши дети!

Мара заморгала, Стефанов улыбнулся.

— Все будет шито-крыто. Доработаешь до шестого месяца, никто ничего не заподозрит. Потом я тебя поселю в тихом месте, родишь на дому, у меня есть на примете опытная акушерка, и сразу отдашь младенца Алевтине Глебовне. Все. Больше можешь о судьбе мальчика не беспокоиться.

— С ума сойти, — прошептала Мара.

— Хочешь получить диплом врача? — иезуитски спросил любовничек.

— Да, — кивнула несчастная.

— Тебе ребенок нужен?

— Нет.

— Надеешься после получения диплома хорошо устроиться?

— Да, — односложно подтвердила Мара.

— Мечтаешь о месте хирурга в крупном центре?

— Конечно.

— Не хочешь отрабатывать на заводе?

— Не особо, — призналась Марлена.

— Имеешь влиятельных родственников? Чиновного отца? Мужа с положением?

— Нет!

— Или обладаешь средствами?

— Нет! — отчаянно твердила Марлена.

— Тогда придется согласиться на мои условия!

— Черт возьми! Да зачем тебе мой младенец понадобился? — не выдержала Марлена.

— Нужна хорошая кровь, другие неудачные получились, — загадочно ответил Андрей Григорьевич.

— Дурак, — по-детски сказала Мара и захлюпала носом.

— Иди, радость моя, подумай над словами умного человека, — вздохнул любовник, — взвесь все «за» и «против», потом принимай решение. И помни, я верный друг, могу протянуть руку помощи и вызволить тебя из любой неприятности. Но я и опасный враг. Объявишь мне войну — проиграешь.

Марлена вернулась на рабочее место, ощутила тошноту и ринулась в туалет. После того как бедняжку вывернуло наизнанку, она выползла к раковине, стала умываться и услышала голос Афанасии:

— Тебе плохо?

Марлена хотела по привычке ответить: «Все отлично», но неожиданно заплакала. Фася схватила девушку за руку:

— Рассказывай!

— Не могу, — простонала Марлена.

— Говори! — приказала стоматолог.

— Ты со мной перестанешь дружить! — зарыдала бедняга.

— Говори! — не успокаивалась Фася.

И студентка выложила всю нелицеприятную правду. Когда она высказалась, Афанасия застыла без движения.

— Ну вот! — в отчаянии воскликнула Мара. — Так я и знала! Ты меня презираешь!

— Иди в сестринскую, — приказала Фася, — и жди меня там!

— Что ты задумала? — занервничала Марлена.

— Спокойно, — улыбнулась Афанасия, — я скоро вернусь.

Ощущая себя щепкой, которую туда-сюда мотает гигантская океанская волна, Мара пошла в комнату отдыха медсестер и прилегла на диван. Ее дежурство начиналось через полчаса, она не имела права дремать, но неожиданно усталость парализовала Марлену, и она уснула.

Очнулась Мара от тишины, в комнате царила темнота, кто-то заботливо прикрыл ее байковым больничным одеялом, под головой обнаружилась подушка.

Марлена в ужасе вскочила, чуть не упала от головокружения и выбежала в тускло освещенный ночными лампами коридор. За столом дежурной мирно читала книгу Афанасия.

— Можешь не дергаться, — сказала она, заметив опешившую Мару, — больные в порядке, никаких экстренных вызовов не было.

— Господи, полвторого! — подскочила Марлена, глянув на часы. — Я проспала почти семь часов!

— Зато отдохнула, — ответила подруга.

— Почему ты меня не растолкала?

— А зачем?

— Ну это же мое дежурство! Ты давно должна быть дома!

— Один раз задержаться на работе нетрудно, — улыбнулась Фася. — Я сразу двух зайцев убила: тебе отдохнуть позволила, и мы сможем поговорить спокойно, на этаже никого нет.

— Кроме больных, — напомнила Марлена.

— Они не в счет, — возразила Афанасия, — им до нас дела нет. Твоя проблема решена!

— То есть? — не поверила своим ушам Мара.

— Андрей больше тебя не тронет.

— Ой! — воскликнула по-детски студентка.

— У тебя есть хороший гинеколог? — деловито спросила подруга.

— Ну, в принципе, — протянула Марлена, — мне дали адрес одной бабушки в Подмосковье!

— Никаких знахарок! — возмутилась Афанасия. — С ума сошла? Без пяти минут врач, а творишь глупости! Или не слышала, чем подобные мероприятия заканчиваются? Смертью на кухонном столе! Записывай телефон, Александр Петрович Мамец. Опытнейший доктор, помог сотням женщин. Приедешь в больницу во время его ночного дежурства и забудешь о неприятности!

— Стефанов грозился меня из института выгнать, — напомнила Мара.

— Он тебе не навредит! Не стоит бояться Ричарда, — с презрением сказала Фася.

— Ричарда? Это кто? — изумилась Мара.

— Пустяки, забудь, — попыталась скомкать разговор Афанасия, но Марлену охватило жгучее любопытство.

Девушка приставала к Афанасии до тех пор, пока та не сказала:

— Ладно. Слушай. Помнишь, ты увидела в метро меня и Юрия?

Глава 25

— Племянника? — уточнила Мара. — Да, конечно, симпатичный паренек.

— Юра старше Игоря на пять лет, — зачем-то уточнила Фася.

— А выглядит моложе!

— Рост невысокий, — вздохнула Афанасия, — черты лица мелкие. Маленькая собачка до старости щенок! Вот только у Игоря родинки нет! А у Юры она как у меня. Некоторые особенности внешности передаются по наследству, ямочка на подбородке, например. Она есть и у Игоря, и у Юрия, и у меня. А вот родинка только у нас двоих.

— К чему ты клонишь? — поежилась Мара.

— Неужели не поняла? Юрий мой сын от Андрея, — без всякого волнения ответила Фася. — Соврала я про племянника!

Мара решила, что ослышалась.

— От кого? — переспросила она.

— От Андрея, — повторила Афанасия. — Мы с тобой в некотором роде родня, одного мужика в любовниках имели.

— Но как же так? — растерялась Мара.

Стоматолог мрачно усмехнулась.

— Он умеет прикидываться, а в молодости еще и внешне очень хорош был. Вот только с головой у Ричарда беда, правда, это не сразу заметно.

— Почему ты зовешь Стефанова Ричардом? — пролепетала Марлена.

Афанасия опустила уголки рта.

— Он тебе о своей великой миссии не рассказывал?

— Нет, — удивилась Мара.

Фася оперлась грудью о стол.

— Значит, не успел. Или стал с годами осторожнее. Помнишь, я тебе альбом показывала, с фотографиями? Там мои снимки с первой свадьбы и времен учебы в институте.

— Да, конечно, ты красивая была, — кивнула Марлена.

— Если внимательно карточки изучишь, а потом на себя в зеркало посмотришь, поймешь, что мы похожи, — вздохнула Фася. — Кстати, когда ты в клинику на работу пришла, меня все спрашивать стали: «Вы свою дочь оформили?» Я устала повторять, что у меня сын. Андрея тянет на один типаж.

— Но... как же так вышло... — бормотала Мара, — в смысле... сын... Юра...

Афанасия откинулась на спинку стула.

— Наши истории, как и внешность, похожи как две капли воды. Я тоже была молодой и глупой. Да еще происхождение у меня не пролетарское. И отец, и мать никогда не были ни рабочими, ни крестьянами. Папу в начале тридцатых годов, как врага народа, отправили в лагерь. Он, правда, предвидел такой поворот событий и формально развелся с женой, поэтому нас с мамой не тронули, мне даже удалось поступить в институт и получить диплом. Когда я закончила обучение, моя мать уже скончалась, никаких родственников я не имела и ожидала распределения в глухомань, даже убедила себя, что работать доктором на селе очень почетно.

— Как же ты осталась в Москве? — спросила Мара.

— Счастливый случай, — вдруг засмеялась Фася, — на последнем курсе я подрабатывала медсестрой в клинике, где зубоврачебную помощь оказывали круглосуточно. Там был врач, Марк Яковлевич, прекрасный специалист, но пьяница. Как-то раз он хлебнул водки и заснул, а тут, как на грех, пришел пациент с острой болью.

Афанасия попыталась растолкать дантиста, но тот лишь мычал. Пришлось студентке сказать больному правду.

— Я не доживу до утра, — простонал дядька, — сделай что-нибудь.

— Не имею права, — отказалась Фася.

— Умеешь зубы драть?

— Конечно, но мне пока нельзя заниматься врачебной практикой, — объяснила девушка.

— Давай, удаляй, — приказал посетитель, — нет сил терпеть.

И Афанасия решила нарушить правила, посадила страдальца в кресло и, тщательно изучив проблему, предложила:

— Избавиться от зуба легко, но новый у вас уже не вырастет. Можно попытаться его сохранить.

— Избавь меня от боли, — чуть не зарыдал мужик.

Фася справилась с задачей, она провозилась с пациентом несколько часов и поставила пломбу. Через неделю он приехал снова и сказал:

— Ты на днях получаешь диплом?

— Да, — кивнула девушка и услышала предложение.

— Я директор завода имени Байкова, хочешь работать в нашей поликлинике?

Вот так Фася оказалась на предприятии и вскоре завоевала любовь пациентов. Руководство ценило хорошего врача, сначала предоставило ей комнату в коммуналке, потом пару раз повысило оклад. Афанасия считала, что ей повезло. И тут на работу пришел новый мастер Андрей, который стал оказывать Фасе знаки внимания.

Не буду в деталях описывать, как завязывался и развивался роман, но в один далеко не радостный день Афанасия поняла, что она беременна, и сообщила о малоприятном казусе любовнику. Она знала, что ее кавалер женат и имеет сына, Афанасия не собиралась выходить замуж и разбивать чужую семью, она просто влюбилась в Андрея, но спустя год разобралась в своих чувствах и, поняв, что страсть остывает, решила порвать с кавалером. И тут вдруг беременность. Молодая женщина предполагала, что Андрей перепугается, окажет ей материальную помощь, попросит не болтать об аборте, и их интрижка завершится. Но неожиданно Андрей потребовал оставить ребенка, а когда Афанасия, не хотевшая рожать, решительно ответила: «Нет», начал шантажировать свою подругу.

Мастер откуда-то узнал в подробностях биографию любовницы, а некоторые свои тайны Афанасия вовсе не собиралась предавать огласке, она растерялась и спросила у Андрея:

— Зачем тебе младенец и как Алевтина отнесется к появлению малыша?

Любовник понес невероятную чушь. С самым

серьезным видом он рассказал Афанасии, что является потомком древнего рода.

— Мой предок — Ричард Львиное Сердце, — с горящими глазами вещал Андрей, — в тысяча девятьсот семнадцатом году он прибыл в Россию в качестве личного гостя царя, был застигнут революцией и не смог вернуться на родину.

— Ричард Львиное Сердце жил гораздо раньше, — попыталась отрезвить Андрея Афанасия, — он никак не мог водить знакомство с Николаем Вторым.

— Ты не поняла, — рассердился мастер, — мой род древний, в Россию прибыл Ричард Львиное Сердце Пятнадцатый, я, соответственно, Шестнадцатый!

Фася испугалась. Если учесть, что в советское время выходцы из дворянских семей, боясь преследования, тщательно скрывали правду о своем происхождении, поведение Андрея казалось ей безумием.

Очевидно, все эти мысли отразились на лице Фаси, потому что любовник вдруг сказал:

— Почему я не боюсь твоего доноса в органы? Да очень просто, мы состоим в связи. Меня выгонят из Москвы — и тебя следом, поэтому я ничем не рискую, знаю, ты будешь держать язык за зубами.

— Предположим, что рассказанное тобой правда, — осторожно сказала Афанасия, — но при чем тут наш общий ребенок?

Андрей вздернул подбородок:

— Тебе не понять человека благородного происхождения.

— Смилостивись, барин, разъясни сенной девке суть, — заерничала Афанасия.

Но Андрей неожиданно улыбнулся, ему явно пришлось по душе кривляние подруги.

— Главная цель моей жизни — оставить достойного наследника, — торжественно сказал он, — линия не может прерваться. На свет должен явиться Ричард Львиное Сердце Семнадцатый.

Вот тут Фася поняла, что Андрей только кажется нормальным человеком, на самом деле он псих, которому до сих пор весьма удачно удавалось маскировать свое сумасшествие.

— Прекрасно, — кивнула она, — отличная идея.

— Ты согласна! — ликовал Андрей.

— Конечно, конечно, — твердила Афанасия, желая лишь одного, унести ноги подальше от «Ричарда».

Следующую неделю она, соблюдая крайнюю осторожность, искала подпольного гинеколога. В те годы в СССР аборты были запрещены, и в тюрьму попадали обе стороны: врач и женщина, надумавшая избавиться от плода. Афанасия хотела сохранить тайну и избежать встреч с Андреем, но любовник проявлял крайнюю активность и мешал ей своим назойливым присутствием. Два раза у молодой женщины срывалась встреча с доктором, потому что она не смогла скрыться от Андрея, шедшего за ней следом.

— Оставь меня в покое, — в конце концов категорично приказала Афанасия прилипале.

— Я не о тебе беспокоюсь, а о наследнике, — прозвучало в ответ. — Нам необходимо обсудить детали родов.

Афанасия обозлилась, забыв об осторожности,

позвонила Алевтине Глебовне и без обиняков заявила:

— Я беременна от вашего мужа, у нас есть повод для беседы.

— Хорошо, — прозвучало из трубки, — вас не затруднит подъехать в Центральный парк культуры и отдыха? Буду ждать вас через час на скамейке у аттракционов.

Когда Афанасия пришла в назначенное место, там на лавочке уже сидела худенькая женщина с некрасивым лицом.

— Вы такая симпатичная! — воскликнула она, когда Фася пристроилась рядом. — Мальчик должен родиться прекрасным!

Афанасия растерялась, она ожидала другой реакции, но взяла себя в руки и сказала:

— Вам не кажется, что Андрей болен?

— Он абсолютно здоров, — заявила Алевтина, — никаких проблем с сердцем, легкими, печенью.

— Ваш супруг сумасшедший, — Афанасия покрутила пальцем у виска.

— Конечно, нет, — возразила жена.

— Неужели вы не слышали чушь про Ричарда Львиное Сердце? — спросила Фася. — У вас есть ребенок, если не о себе, так хоть о нем подумайте и отвезите Андрея к психиатру. Могу дать телефон опытного специалиста, правда, он берет недешево, но лечит на дому, соблюдает полнейшую конфиденциальность. В наше время опасно болтать языком! От меня вам неприятностей не будет, я сделаю аборт и никогда не подойду к Андрею ближе чем на километр. Но если вы его не вылечите и не запретите бегать по бабам, случится беда, — на одном дыхании выпалила Афанасия.

Алевтина молчала, судорожно ковыряя песок носком поношенной туфли. Афанасия окинула ее внимательным взглядом и не удержалась от возгласа:

— Понятно, почему от тебя муж налево ходит!

Собеседница опустила голову, а Фасю понесло:

— Глянь на себя в зеркало! Волосы немытые, и ты их, похоже, сама ножницами обкромсала! Лицо неухоженное, без пудры, брови клочками, ресницы не накрашены! Платье мятое, обувь из бабкиного сундука, и маникюр ты никогда не делала. Посмотри вокруг! Женщины за собой следят, чтобы мужей не разочаровывать! Иди в парикмахерскую, сделай перманент, купи или сшей симпатичный сарафанчик, сейчас, между прочим, лето, какого черта ты ходишь в плотных чулках и осенних туфлях? Мужчины любят глазами, а ты не вызываешь ни малейшего желания на тебя смотреть. Извини за резкость!

— Ты права, — прошептала Алевтина, — но у меня вчера был приступ, я еще не оклемалась полностью. Я по парикмахерским не хожу, но голову всегда мою, просто сегодня побоялась ее опускать, кружится. А чулки... я мерзну от болезни. Понимаешь... у меня эпилепсия.

Афанасия почувствовала угрызения совести:

— Прости, пожалуйста, я не знала!

Алевтина покраснела:

— Ничего, пустяки. Скажи, ты кого-нибудь любила? Печать в паспорте есть?

— Официально отношений я не оформляла, но на отсутствие кавалеров не жалуюсь, — ответила Фася.

— Я про любовь, — перебила Алевтина, — чтобы за милым, несмотря ни на что, в огонь или воду хотелось броситься! Когда свет клином на одном человеке сошелся, и ты понимаешь: если он от тебя уйдет — ты умрешь через час; когда осознаешь: ради жизни с ним ты выполнишь любой его приказ, прыгнешь в пропасть, съешь яд, задушишь родную мать.

— Нет, — опешила Афанасия, — слава богу, я не испытывала подобных чувств и очень надеюсь, что не стану жертвой столь разрушительной страсти.

— Я вот так люблю Андрея, — еле слышно сказала Алевтина, — он лучший на свете, а его фантазия насчет Ричарда Львиное Сердце не самая плохая. Андрюша не пьет, не курит, он всего лишь хочет иметь наследника! Что в этом плохого?

— Ничего, — пробормотала Фася, — кроме одного: младенца предстоит родить любовнице, а не законной жене, и, насколько я знаю, у вас уже есть сын!

— Выслушай меня внимательно, — взмолилась Алевтина, — Ленечка болен, ему эпилепсия передалась, бывают припадки.

— Неприятно, — согласилась Афанасия, — медицина на современном этапе не способна излечить эту болезнь, но твой мальчик умственно полноценен, это же не шизофрения! Ребенку необходимо пить лекарства и беречься от волнений.

Алевтина вынула из сумочки носовой платок и стала его комкать.

— Я мечтала выйти замуж за Андрея и ради этого пообещала ему родить много здоровых детей. У Стефанова были и другие кандидатки на роль супруги, намного красивее и умнее меня, но все они отпали. Главным в своей жизни Андрюша считает рождение ребенка, наследника, Ричарда Семнадцатого, поэтому он попросил меня пройти медицинское обследование, диспансеризацию. Здоровье ребенка зависит от состояния матери.

— Отличная идея, — съехидничала Афанасия, но Аля не поняла насмешки.

— Вот именно! — обрадовалась она. — Но женщины дуры! Ни одна не согласилась, еще и оскорбляли Андрюшу, услышав его предложение.

— А ты согласилась? — спросила Фася.

— С радостью! Понимала, Андрюша очень ответственный человек, не мотылек, — Аля принялась нахваливать мужа, — мое здоровье оказалось богатырским, мы сыграли свадьбу, я сразу забеременела. Но во время родов у меня случился эпилептический припадок.

Афанасия с жалостью посмотрела на собеседницу.

— Эта болезнь не всегда диагностируется с детства. Порой эпилепсия просыпается в период бурного роста человека, лет в четырнадцать, либо при первых родах.

Алевтина прижала руки к груди.

— Как я хотела, чтобы мальчик оказался здоров! Но нет! Леня болен, мы, конечно, боремся за него, но Леонид не может продолжать линию Ричарда Львиное Сердце. Нужен здоровый ребенок. Понимаешь? Я родить не могу, ну где гарантия, что второй сын тоже не получит эпилепсию? Есть лишь один выход, родить малыша от другой.

— Идиотство! — подскочила Фася. — А ты дура! Твой расчудесный Андрюшенька бросит тебя и женится на той, кто произведет на свет этого Семнадцатого! Оцени шаткость своего положения! Рядом с тобой не Ричард Львиное Сердце, а Ричард Львиные ноги, он так и будет по бабам бегать, пока не получит здорового наследника. Это не похоже на поведение благородного рыцаря.

— Нет, — торжественно заявила Аля, — он будет жить со мной до смерти!

— Что же является гарантией нерушимости вашей семьи? — прищурилась Фася.

— В роду Ричардов никогда не было разводов, — возвестила Алевтина. — Андрюша чтит память предков, мы останемся вместе. Роди нам сына!

Афанасия встала со скамейки:

— У Андрея явно душевное заболевание, немедленно займись его лечением, да и тебе не мешает обратиться к психиатру. Я сумасшедших плодить не собираюсь, поэтому сделаю аборт. Андрею передай: пусть оставит меня в покое, а я никому не сообщу о Ричарде Львиные ноги!

— Он Львиное Сердце, — поправила Аля.

— Извини, — поморщилась Афанасия, — второе прозвище лучше отражает суть дела. И отчего вы с ним уверены, что я рожу мальчика? Вдруг будет девочка? Куда денете малышку?

— У Андрея в семье рождаются только мужчины, — возвестила Алевтина, — никаких девок!

Афанасия махнула рукой и ушла. А что можно было сказать жене Стефанова?

Глава 26

На следующий день Фася позвонила главврачу и попросила отпустить ее на неделю за свой счет. Начальство пошло ей навстречу, и она поехала к подпольному гинекологу. Врач, осмотрев пациентку, крякнул.

— Что-то не так? — насторожилась Фася.

— Я не могу сделать вам аборт, — протянул специалист.

— Почему? — испугалась Афанасия.

— У вас большой срок, почти шестнадцать недель!

— Вы ошибаетесь, — возразила Фася, — у меня небольшая задержка, кстати, я сама врач.

— Мда? — скорчил гримасу доктор. — Небось дерматолог?

— Стоматолог, — в рифму ответила беременная.

— Тоже мимо, — сказал акушер. — Будь вы гинекологом, знали бы, что порой цикл не нарушается, но беременность спокойно развивается.

Афанасия ощутила озноб.

— И как мне быть?

Врач пошел мыть руки.

— Аборт запрещен законом, но на малом сроке я готов помочь женщине, попавшей в неприятность. В вашем же случае речь пойдет об искусственных родах, тут я не помощник. И сильно сомневаюсь, что вы сможете найти врача, который согласится на такую авантюру. Бабки в деревнях берутся вытравить плод, но сразу хочу предупредить, очень велика опасность навсегда остаться в селе на местном кладбище. Рожайте, милочка.

— Я не замужем и хочу продолжать работать, — растерялась Афанасия.

— О последствиях следовало подумать до беременности, — пожал плечами врач.

Фася решила не сдаваться и нашла еще несколько докторов, но они, словно сговорившись, наотрез отказались заниматься ею, тогда женщина отправилась к знахарке в Подмосковье. Но когда неопрятная старуха завела Фасю в грязный сарай, где стоял стол, покрытый плохо отмытой клеенкой, стоматолог моментально оценила санитарное состояние «операционной» и убежала прочь. Оставалось лишь одно, и Афанасия позвонила Алевтине.

— Не может быть, — потрясенно сказала я, когда Марлена Сергеевна перевела дух, — бабушка не могла бросить новорожденного сына!

Кирпичникова покосилась на меня.

— Все в молодости совершают ошибки. В двадцать лет мы одни люди, в тридцать другие, а в сорок опять кардинально меняемся.

— Не верю, — уперлась я. — Афанасия не такая!

Марлена подперла щеку кулаком.

— Доказательств никаких представить не могу, но рассказ подруги помню великолепно. У нее был маленький живот, никто ничего не заподозрил. За пару недель до родов Фася ушла в очередной отпуск и через двадцать четыре дня вернулась на службу. Выглядела она плохо, похудела, осунулась, а на сочувствующие замечания коллег отвечала: «Не повезло мне. Поехала в санаторий, в первый же день отравилась в столовой, попала в местную больницу и провалялась почти весь отпуск на койке».

— Но как Андрею удалось оформить Юру на себя? — поинтересовалась я.

Марлена почесала переносицу.

— Понятия не имею. Но вскоре после того, как мальчик очутился у мастера, Стефанова отправили учиться, а потом перевели с повышением на другой завод. Андрей исчез из жизни Афанасии, она была рада удачно сложившимся обстоятельствам, покидать клинику ей не хотелось, но и сталкиваться с бывшим любовником претило. А тут все замечательно устроилось.

Фася осталась в клинике, вышла замуж, родила мальчика, назвала его Игорем, вскоре ее муж скончался, она снова вступила в брак и казалась вполне счастливой.

Но через достаточно длительное время судьба дала крен, на завод имени Байкова вернулся Андрей Григорьевич, сделавший отличную карьеру. Теперь Стефанов занимал пост замдиректора, а местные сплетники шептали по углам:

— Через пять лет генеральный на пенсию уйдет, вместо него Андрея назначат.

Сами понимаете, никакой радости от появления Андрея Афанасия не испытала, наоборот, ощутила беспокойство. Менять работу она не планировала, на старом месте у нее была хорошая зарплата, паек, уважение коллектива и возможность принимать «левых» пациентов в отдельном кабинете. Но потом волнение ушло. Андрей Григорьевич был одним из руководителей завода, а не больницы. Афанасии не надо было ходить в его кабинет, она не сталкивалась с ним ни в коридорах, ни в цехах. В местную клинику Стефанов не заглядывал, вероятно, он тоже не желал столкнуться нос к носу с родной матерью своего сына. Удобное для всех положение сохранялось несколько лет, а потом Фася совершенно случайно узнала, что Игорь и Юрий встречаются, более того, они дружат.

— И откуда к ней пришла информация? — поразилась я.

Марлена Сергеевна выдвинула ящик стола и стала в нем рыться.

— Не знаю, она мне об этом ничего не сказала. Просто объяснила, что пришла в ужас. Ведь ни муж Михаил, ни тем более Игорь не знали об ее ошибке молодости. Афанасия испугалась и в конце концов решилась поговорить с Игорем. А тот неожиданно заявил:

— Мама, я тебя не осуждаю и ничего не расскажу папе. Но я всегда мечтал иметь брата, и теперь от него не откажусь! В той семье, где воспитывался Юрий, его не понимают, он тоже искал родную душу. Не волнуйся, Юра никогда не придет к нам домой, брат знает, что тебе навряд ли захочется его видеть, он очень тонкий человек и трепетно относится к женщине, родившей его на свет. У Юры нет ни малейшего желания упрекать тебя, он понимает, что обстоятельства могут загнать человека в угол и что его появление, скорее всего, обозлит моего папу. На беду, мы невероятно похожи, просто близнецы. Повторяю, не переживай, мы оба тебя любим, не хотим скандалов, но и не собираемся разлучаться.

— Благородно, — оценила я поведение своего отца.

Марлена задвинула ящик.

— Да. Вот только Фася отчего-то сказала: «Юрий плохой мальчик. Игорю нужно держаться от него подальше».

Я заерзала на стуле.

В детстве мне позволялось играть не со всеми ребятами в нашем дворе. В особенности моей бабушке не нравилась девочка по имени Лена, и Афанасия всеми силами пыталась разрушить нашу дружбу. Если приятельница звала меня в гости, то я, спрашивая у бабушки разрешения, всякий раз слышала:

— Только не сегодня, мы идем к врачу (в зоопарк, на рынок, проведать тетю Машу).

Находилась сотня причин, чтобы я не переступила порог квартиры Ленки. В конце концов бабушка не выдержала и откровенно сказала:

— Она плохая девочка, лучше дружи с Катюшей.

Но меня как магнитом тянуло к запретному плоду, поэтому я стала посещать подругу тайком. У Ленки было так интересно! Ее отец, дядя Андрей, умел играть на гитаре и пел песни с непонятными словами «урка», «чалиться», «гопник». Я стеснялась спросить значение этих выражений и предпочитала молча лакомиться ужином, который готовила мать Лены. Дома мне такой вкусной еды не предлагали. Тетя Надя варила картошку, ставила ее на стол прямо в кастрюле и вспарывала банку рыбных консервов. Поверьте, это было божественно вкусно!

Ленке разрешали приходить домой около полуночи, никто не заставлял ее натягивать зимой рейтузы, не проверял дневник, не ругал за двойки, не водил на нудные концерты в консерваторию, не приказывал читать ужасную книгу про Муму и не запрещал приводить домой разношерстные компании приятелей. Представляете, как я ей завидовала?

Один раз четырнадцатилетняя Ленка попросила меня об услуге.

— Ерундовое дело, — небрежно сказала она, — постоишь у двери, пока я в одном доме пошурую, покараулишь и шумнешь, если хозяева появятся.

— Наверное, нехорошо без спроса лезть в чужую квартиру, — промямлила я.

— Боишься? — прищурилась подруга. — Ладно, ты еще маленькая!

— Мне уже тринадцать! — возмутилась я. — Непременно приду.

— В одиннадцать у метро, — приказала Лена.

Моя бабушка обычно укладывалась спать после окончания программы «Время», и я планировала втихаря удрать к подруге. Но именно в тот вечер у Афанасии случился гипертонический криз, пришлось вызывать «Скорую» и сидеть с бабулей, ясное дело, бросить ее я не могла и на следующее утро шла в школу с тяжелым сердцем. Ну что скажет мне Лена? Назовет предательницей? Но подруга не появилась на занятиях, а после уроков ее одноклассницы сообщили ужасную новость: вчера Елену арестовала милиция, вместе с ней в отделение попали две ее подруги. Мне стало страшно, потом появилось чувство благодарности бабуле, которая, сама не зная об этом, спасла меня от беды.

Через три года в моей жизни появилась другая плохая девочка Нина Ласкина. Ее папа дантист и мама хирург хотели, чтобы дочь поступила в медицинский, продолжила семейную династию. Но Нинка мечтала стать певицей и вечно бегала по каким-то полулегальным квартирным концертам, общалась с длинноволосыми парнями, странно одевалась и постоянно ругалась с родителями, которые изо всех сил хотели превратить гадкую девчонку в полезного члена общества. В конце концов Нина бросила школу, сбежала от предков в Питер, ее со скандалом привезли назад, но Ласкина снова утекла, на этот раз куда-то за Уральские горы. В институт она не поступила, решила обойтись без высшего образования.

— В семье не без урода, — вздыхала моя бабушка, — даже у приличных людей подчас вырастают ущербные дети! Очень плохая девочка! От нее следует держаться как можно дальше.

Прошли годы, Лена пропала из моей жизни, последний раз я ее видела у метро, совершенно пьяную в компании бомжей, и не решилась подойти к подруге детства. А вот Нинку часто вижу на экране телевизора. Ласкина не стала певицей, она крупный продюсер, «звездозажигатель», одна из первых лиц в нашем шоу-бизнесе, отлично зарабатывает и содержит своих родителей-пенсионеров.

Две плохие девочки из нашего двора, хулиганки, между которыми моя бабушка поставила знак равенства, выросли полярными людьми. Отчего так получилось? Я не могу дать ответа на этот вопрос, просто скажу: порой неудачные дети становятся гениальными личностями.

Оставалось понять, к какой категории «плохих

деток» принадлежал Юра и почему Афанасия старалась оградить Игоря от его влияния.

— Фася спасла меня от Стефанова, — продолжала Марлена, — а спустя какое-то время она уволилась. Совершенно внезапно, никого не предупредив, даже меня. Просто однажды не вышла на работу. Главврач объяснил сотрудникам, что она покинула службу по семейным обстоятельствам.

Марлена обиделась на подругу, которая не сообщила ей о своих планах, и целых полгода дулась на Афанасию, но потом все же решила поздравить ее с днем рождения и позвонила ей домой.

Женский голос ответил:

— Прежние жильцы уехали.

— Куда? — удивилась Мара. — Подскажите телефон или адрес.

— Я не знаю, — произнесла незнакомка.

— Пожалуйста, мне очень надо, — стала просить Марлена, — неужели вам лень посмотреть в книжку? Я сама меняла комнату и знаю, люди всегда оставляют новые координаты тем, кто въезжает на их место!

— Я не лентяйка и не вредина, — отбрила девица, потом пояснила. — Здесь был обмен по цепочке, в нем десять квартир участвовало, не напрямую менялись, я понятия не имею, кто тут прежде жил.

Вот так Марлена потеряла Фасю из вида, больше они не встречались.

— Но я до сих пор продолжаю считать Афанасию своим другом — произнесла Мара, — мне, кстати, очень хотелось, чтобы Стефанов ушел со службы, и он уволился.

— Это странно, если учесть, что ему пророчили место генерального директора, — подчеркнула я.

Кирпичникова хмыкнула:

— Согласна, но он ушел буквально через неделю после увольнения Афанасии.

— Что же повлияло на его решение?

— Ну это вопрос не ко мне, — улыбнулась Марлена Сергеевна, — разные слухи по заводу бродили.

— Например?

— Андрей Григорьевич заработал инсульт, потому что его жена пыталась покончить с собой, но ее откачали и отправили в психушку.

— Каким образом Афанасия заставила Стефанова отказаться от вас?

— Это тоже осталось для меня тайной, Фася, очевидно, знала про Андрея нечто постыдное, но что именно? До сих пор теряюсь в догадках. Хотя я уже много лет не вспоминаю Стефанова.

— Он жив?

— Маловероятно, — усмехнулась Мара. — Можно теперь я задам тебе вопрос?

— Пожалуйста, надеюсь, смогу ответить.

— Фасенька была счастлива?

Я вздрогнула и быстро ответила:

— Да, очень!

— Она умерла от болезни?

— Верно.

— Не мучилась перед смертью?

— Нет, — успокоила я Марлену, — старость у бабушки была счастливой, мы очень любили друг друга, жили душа в душу, не испытывали больших материальных проблем.

— Слава богу, — перекрестилась Кирпичникова, — у нее было много переживаний в прошлом, рада слышать, что вечер жизни принес ей радость. Я вот тоже в ладу с собой. Детей, правда, нет, тот аборт аукнулся, но я вполне благополучна, у меня есть замечательная крестница и пудель. На работе ценят и, несмотря на возраст, вон не гонят. Очень надеюсь, что тот свет и впрямь существует, и добрый Господь разрешит нам с Фасей встретиться.

Я попрощалась с Марленой, спустилась к машине и схватила пачку сигарет. Не стоит будить спящих собак и ворошить прошлое. Из тщательно запертого и задвинутого в самый дальний угол сундука могут вырваться настоящие монстры. Была ли счастлива моя бабушка, уходя из жизни? Еще месяц назад я бы уверенно ответила:

— Да. Мы не купались в роскоши, у нас бывали ужины из пустых макарон, но уныния мы никогда не испытывали.

Но сейчас, учитывая то, что у бабули, оказывается, имелось два сына, причем один покончил с собой в тюрьме, а второй рос в чужой семье, я уже в этом не так уверена. Наверное, Афанасия думала о брошенном мальчике и вспоминала Игоря. Вероятно, бабулю беспокоила судьба моей матери Анны Корольковой. Может, они встречались? Тайком? Афанасия ухитрилась воспитать меня, не сказав ни слова правды о моих родителях. Ох, боюсь, не было у бабули мира в душе, жаль, что она считала меня глупой свиристелкой, не способной хранить тайны и нести ответственность за свои решения. Хотя, надо быть честной, в год смерти Фаси я таковой и была, думала только о любви, мечтала найти хорошего мужа, завести семью, получить большую квартиру. Интересно, как бы оценила бабуля внучку сегодня? Понравилось бы ей, что я гоняюсь за призраками, пытаясь найти Анну Королькову? И на все эти вопросы мне никогда не получить ответа.

Глава 27

Резкий звонок мобильного вырвал меня из невеселых мыслей.

— Дарь Иванна, — прошептала Ирка, — скорей! Сюда!

— Что случилось? — испугалась я. — Ураган сорвал крышу с дома? Пожар? Наводнение? Тема[1] опять решил жениться?

— Все намного хуже!

— Все живы?

— Пока да!

— Что значит «пока»? — похолодела я.

Ирка, понизив голос до минимума, шептала неразборчивые фразы.

— Говори громче! — приказала я.

— Не могу, — еле слышно отозвалась домработница, — он ходит по дому! Если начинаю кричать — кидается!

— Кто? — опешила я.

— ОН, — повторила Ира.

— Немедленно звони на охрану! Нажми тревожную кнопку! — закричала я, заводя машину.

— Охранники ЕГО ловить не станут! — простонала Ирка. — Я в доме одна! Господи! Дарь Иван-

---

[1] Тема — внебрачный сын полковника Дегтярева, история его появления в Ложкино рассказана в книге Дарьи Донцовой «Ромео с большой дороги», издательство «Эксмо».

на, после моей смерти не выгоняйте Ваньку, он хоть и дурак, но честный. Деньги на похороны в шкафу, под бельем, которое мне Ольга на позапрошлый Новый год подарила. Я комплект ни разу не надела, берегла для особого случая, вы в гроб мне этот лифчик с трусами натяните, при жизни я в стрингах ходить не могу, а на кладбище охота красивой отправиться.

— Ириша, я уже несусь по Волоколамке, — я попыталась успокоить домработницу.

— Платье хочу в гробу зеленое, — талдычила она, — колготки новые, ажурные, платок с лошадями, ну тот дорогущий, что вы на Восьмое марта мне презентовали!

— Шелковые изделия от фирмы «Гермес» всегда на пике моды, но их не принято повязывать в последний путь, — возразила я.

— Да? Но я хочу именно шаль с конями, — уперлась Ира.

— Платье зеленое, а на голове шаль цвета поросенка, больного краснухой? — возмутилась я. — Фу! Если одежда яркая, аксессуары должны быть малозаметными. Допустим, туфли светло-бежевые и сумочка им в тон.

— Ридикюль! — воскликнула домработница. — Совсем забыла! Вот беда! У меня нету подходящего для гроба!

— Зачем он тебе? — попыталась я образумить Ирку.

— Как? — с негодованием сказала она. — Мобильный, расческа, косметичка, носовой платок, калькулятор, леденцы от кашля, цитрамон, заколки... И куда все это деть? По карманам рассовать?

Кстати, в шелковом платье их и нет, оно по фигуре облегающее!

— Калькулятор? — поразилась я.

— Без него я по магазинам не хожу, — пояснила Ира, — продавцы постоянно обмануть норовят!

— Сильно сомневаюсь, что на том свете он тебе понадобится, — не удержалась я.

— Жаба меня душит, — бубнила Ирка, не обращая внимания на мои слова, — я давно о сумочке мечтала, но деньги-то жалко! Вот и откладывала покупку. А теперь перед смертью спохватилась, да поздно! Ну не ложиться же в гроб с торбой, с которой на рынок езжу! Стыдобища! Дарь Иванна!!!

— Рулю по Ново-Рижской трассе, — приврала я, пролетая по МКАД мимо поворота на Строгино, — иду со скоростью сто сорок километров!

— Дайте мне поносить ту лаковую штучку, что вам Манюня из Лондона привезла, — попросила Ирка.

— Песочного цвета, из сжатой кожи, с застежкой в виде собачки? — уточнила я.

— Да!

— Никогда! — выпалила я. — Она мне самой очень нравится! И потом, что значит «поносить»? Если ты ее с собой в гроб заберешь, то шикарная вещь назад ко мне не вернется. В этом случае уместен глагол «подарить», но я не готова расстаться с сумочкой!

— Вот оно как, — начала было Ира и замолчала.

— Эй-эй, — испугалась я, — говори!

Из трубки послышался возмущенный лай, грохот, визг... Потом полетели частые гудки. Утопив педаль газа в пол, я, одной рукой держа руль, второй ухитрилась набрать номер.

— Охрана Ложкино, — ответил грубый голос.

— Васильева беспокоит, у нас в доме грабитель.

— Какая Васильева? — «тормозил» секьюрити. — Та, что с собаками?

— Седьмой дом по Южной аллее, скорее отправьте туда машину!

— Мы таких не ловим, — заявил бравый охранник.

На секунду я потеряла дар речи, но тут впереди показался псевдозамок из серо-коричневого кирпича и шлагбаум.

Я подкатила к въезду в поселок, высунулась из окна машины и закричала:

— Эй! С кем я сейчас разговариваю? Охрана! Сюда!

Массивная дверь, ведущая в «замок», открылась, на крыльцо вышел пузатый дядька в форме, похожий на бегемота, вставшего по недоразумению на задние лапы и замотавшегося в маскировочную ткань.

— У вас в доме крыса, — без всяких эмоций сказал он. — Мы крысов не ловим: оборудования нету и в служебные обязанности погоня за домовыми грызунами не входит. Если крысюк с вашего участка на дорогу выскочит, я могу его пристрелить, потому как крыс окажется на охраняемой нами территории, по обслуживанию которой ЧОП договор подписал!

Я обрадовалась. Крыса! Неприятно, но не смертельно. Потом возмутилась:

— Что за подход к делу? Если на жильцов нападают дикие животные, помощи от вас не жди! Между прочим, мы ежемесячно платим солидную сумму за работу тех, кто даже пальцем не пошевелил, когда в дом пришла опасность.

— У крысюков нет ни оружия, ни чего другого, способного лишить вас жизни! Раз крыс находится в особняке, то он ваше имущество, — зевнул секьюрити, — пристрелю хвостатого, а вы потом в суд подадите за нарушение частного владения. Вот выпрете его на подохранную нам территорию, тогда я и воздействую на грызуна вверенными мне техническими средствами!

— Безобразие! — заявила я. — Прямо сейчас пожалуюсь дирекции поселка! Сию секунду позвоню Сергею Александровичу или Ольге Алексеевне, вот тогда вам, лентяям, мало не покажется!

— Дарь Иванна, не злитеся, — улыбнулся секьюрити, — ща служба отлова припрет! Я ее уже вызвал!

— Простите, кто?

— Парни из конторы «Дом без гостей», уничтожение мышей, крыс, тараканов, комаров, ос, — начал загибать сарделеобразные пальцы охранник, — коммерческая служба, визит платный. Работают классно, чихнуть не успеете, все крысаки лапами вверх! Я ж понимаю, что бабам страшно, а инструкция запрещает действия применять. Но надо людям помочь! Поэтому я и позвонил в крысячью контору.

— Спасибо, — улыбнулась я, — извините за крик, очень разнервничалась, Ира там уже с жизнью прощается.

— Все хорошо закончится, Малышка обещает!

— Какая малышка? — не поняла я.

— Разрешите представиться, — гаркнул охранник, — прапорщик Алексей Малышка!

— Дарья Васильева, — на автомате представилась я.

— Да знаю, как вас зовут, — отмахнулся Алексей, — не первый год здесь служу! Помните, лет этак пять тому назад я помогал вам осиное гнездо на веранде уничтожить?

Я заморгала.

— Леша? Но вы тогда были таким худеньким!

Малышка похлопал себя по животу:

— Думаете, раскабанел? Это не жир, а комок нервов! Работа напряжная, а зарплата маленькая! Во! Катят!

К шлагбауму, коротко воя сиреной, подлетел мини-вэн, разукрашенный надписями: «Дом без гостей», «Незваный таракан хуже тещи», «Свистни нас, и мышь получит в глаз», «Муравьи и кроты наши лучшие враги», «Переселение крыс за сотый километр». Окно микроавтобуса опустилось.

— Леха, — закричал парень в красной бандане, — залезай! Куда ехать?

— А вон хозяйка, — ткнул в меня пальцем Малышка и порысил к микроавтобусу.

Парень чихнул и приказал:

— Дама, покажите дорогу к объекту отлова!

Парадная дверь нашего коттеджа оказалась закрытой, пришлось довольно долго нажимать на звонок. В конце концов распахнулось окно гостевой комнаты на первом этаже, оттуда вывесилась Ирка, сжимавшая в руке швабру.

— Кто там?

— Свои, — живо ответила я, — не бойся, открой дверь!

— Никогда! — выпалила домработница. — Ни за какие пряники не высунусь в коридор. Там ОН ходит.

— Ирочка, — улыбнулась я, — мы живем за городом, ничего удивительного в появлении крысы нет. Эти твари иногда заглядывают в сельские дома. Вспомни, у нас когда-то обитала ручная Марфута, милейшее существо, давай считать, что сейчас по зданию разгуливает ее одичавшая пятиюродная внучка! Соберись с силами и отодвинь щеколду! И почему ты упорно употребляешь местоимение «он»? Крыса — «она»!

Ирка поежилась, но палку из рук не выпустила.

— У нас в коттедже крысиный царь, — с ужасом пояснила она, — он чуть меньше Снапа, но намного страшнее! Зубы — о! Уши — о! Рост — о!

— У страха глаза велики, — вздохнула я, — на свете не существует грызунов размером с ротвейлера. Ну разве что на развалинах города Припять, около печально известной атомной электростанции. Успокойся! Я не одна, со мной крысоловы, видишь?

— Нет! — замотала головой домработница. — От комнаты до прихожей путь неблизкий. Он меня сожрет.

— Будь умницей! — воззвала я.

— Не хочу, — по-детски ответила Ирка.

— Подарю тебе сумочку с застежкой-собачкой, ту, которую ты хотела взять в гроб, — попыталась я соблазнить дурищу, — будешь лежать в нем самая модная и роскошная!

На секунду в глазах Иры появилось вожделение, но потом она с упорством, достойным лучшего применения, прошипела:

— Нет!

— Ну и сиди там, в конце концов крыса прогрызет дверь в гостевую и слопает тебя! — пообещала я.

— Мама! — взвыла Ирка и исчезла.

— Не пугайте ее, — сказал Малышка, — давайте я в окно влезу и шпингалет отодвину.

— Вам же инструкция не разрешает в здание входить! — не удержалась я.

Алексей постучал пальцем по запястью.

— Смена десять минут назад кончилась, я ща сотрудник фирмы «Дом без гостей», в двух местах тружусь! Охранником и ликвидатором работаю!

— Лезь, — махнула я рукой.

Малышка засопел, но, несмотря на полноту, довольно резво проник в окно.

— Да тут собаки! — закричал он. — Их надо вывести! И баба ваша в несознанке! Ребята! Ситуация двадцать восемь!

Из мини-вэна выскочили люди, затянутые в комбинезоны. Если вы когда-нибудь видели мультик «Охотники за привидениями», то сможете представить, как выглядели истребители грызунов. Сходства с героями анимационной ленты добавляли и здоровенные баллоны со шлангами, висевшие за спиной у каждого крысолова.

— Хозяйка, отойдите на безопасное для жизни расстояние, — скомандовал один из членов отряда и встал у входной двери, остальные по очереди запрыгнули в окно.

Я села на скамеечку неподалеку от ворот и стала наблюдать за происходящим. Действо напоминало дешевый боевик из жизни американских спасателей.

— Операцию двадцать шесть начать, — сказал в рацию парень, стоявший на крыльце, потом он вытащил из-за пояса белый флажок и застыл, как дежурный метро, встречающий поезд. Сейчас, правда, тетеньки, размахивающие флажками при прибытии и отъезде составов, исчезли из подземки, но во времена моего детства они были обязательным атрибутом метрополитена.

Дубовая дверь распахнулась, появился Малышка, он вел под руку Ирку.

— Первый вышел! — заорал парень и поменял белый флажок на красный. — Проследуйте в расположение места оказания помощи.

Ирка добрела до скамейки и рухнула рядом со мной.

— Ты как? — спросила я.

Домработница затряслась.

— Не верю, что спаслась.

— Второй вышел! — заорал юноша, и я увидела галопирующего Снапа.

— Третий!

На этот раз на крыльцо с достоинством выплыл Хуч. Когда стая кошек и собак сбилась у наших ног, распорядитель спросил:

— Все?

— Да, — заверила я.

— Больше дома никого нет?

— Нет, начинайте скорей! — приказала я.

— Отряд! Ситуация тридцать семь! Работаем на поражение, — гаркнул начальник и юркнул в здание, не забыв плотно закрыть за собой дверь.

Мы с Иркой тихо сидели на скамеечке, вскоре нам стало холодно.

— Чего они там делают? — шепотом поинтересовалась домработница.

— Ловят крысу, — еле слышно ответила я, — надо собак отвести к тебе в домик, еще простудятся.

— У меня колени дрожат, — призналась Ира.

— Сама справлюсь, — пообещала я, — эй, Хуч, Жюли, Снап, Банди, Черри, шагом марш! Кошки! Вперед!

Стая покорно загалопировала в одноэтажное здание, где живет семья садовника. Я заперла четверолапых в гостиной и, вернувшись к лавке, запоздало удивилась:

— А где Ваня?

— За соляркой для генератора поехал, — пояснила Ира, — давно умотал. Наверное, где подешевле ищет. Ванька экономный, ни свои, ни хозяйские деньги никогда зря не потратит.

Меня что-то насторожило, я уставилась на площадку для парковки, где мирно стояли старые «Жигули» и...

Тут окна в доме стали быстро распахиваться, из них повалил серо-желтый дым. Несмотря на то что мы сидели на приличном удалении от здания, у меня запершило в горле, а Ирка принялась судорожно кашлять.

— Ну и вонь! — выдавила она в промежутке между приступами.

— Пахнет отвратительно, — согласилась я, — зато ни одна крыса такого аромата не вынесет.

Дверь открылась, показались парни в комбинезонах, один из них снял противогаз и, тряся черным мешком для мусора, сказал:

— Тут он, ваш крысюк! Посмотрите и подпишите акт об уничтожении!

Ирка взвизгнула и присела за скамейкой, я вздрогнула от отвращения и быстро заявила:

— Давайте бумагу! В один момент ее подмахну!

— Нет! Сначала опознайте крыса, — напомнил ликвидатор.

Во мне поднял голову преподаватель.

— Опознать можно только знакомую личность, а я с грызунами чай не пью!

— Все равно инструкция требует огляда! — вклинился в беседу Малышка. — Не нами писано, не нам с ней спорить. Дарь Иванна! Одним глазком! Для порядку! Че? Боитесь? Слабо позырить?

К сожалению, я принадлежу к породе людей, которые очень не любят признаваться в собственной слабости, поэтому, ощущая, как из желудка к горлу подкатывает тошнота, я фальшиво возмутилась:

— Кто трусит? Я? Абсолютно спокойна, просто хотела побыстрее завершить процедуру. Открывайте мешок!

— Плиз, — засверкал улыбкой Малышка и растянул горло пакета, — ситуация пятнадцать, уточнение личности ликвидированного контингента.

Я набрала полную грудь воздуха, досчитала до трех, храбро заглянула в мешок и заорала:

— Мама! Помогите!

Глава 28

— Не бойтеся, он дохлый! — успокоил меня Малышка.

— Это же Александр Михайлович, — закричала я. — Боже! Надо срочно вызывать врача! Может, его еще спасут!

— Там Дегтярев? — спросила, по-прежнему сидя за скамейкой, Ирка.

— Нет, — простонала я, — Чемп! Охотник за бобрами!

Крысоловы в растерянности переминались с ноги на ногу. Домработница встала, подлетела к Малышке, вырвала у него из рук пакет, вытащила оттуда бело-рыжее тельце с беспомощно свисавшими лапами и накинулась на ошарашенного Алексея с кулаками.

— Идиот! Кретин! Дуболом! Это же собака! Как ее можно было с крысой перепутать!

— Сами сказали, по особняку пасюк шастает, — попытался оправдаться Малышка.

— Грызуны серые! — заплакала Ирка.

— Бывают белые, — уточнил Алексей.

— Но ведь не с рыжими пятнами, — прошептала я, стараясь не смотреть на Чемпа, которого домработница положила на скамейку. Бедный охотник за бобрами! Еще утром он, полный сил, устраивал сафари на губки в ванных комнатах, воровал со стола печенье и учил Хуча хулиганить. А сейчас скончался, вернее, его убили!

— Так ведь вы подтвердили, что домашние животные ушли, — отмер один из парней.

— Мы забыли про Чемпа, — скорбно сказала я, — и как только вы не сообразили, что это пес!

— Я его за хомяка принял, — признался Малышка.

— Ты еще больший идиот, чем мой Ванька! — распалилась Ирка. — Дарь Иванна! Звоните ветеринару.

— Смысла нет, — забубнил Леха, — газ убойный!

— А где же крыса? — прошипела Ирка.

Малышка почесал затылок.

— Ща, еще раз периметр обойдем и отроем, — пообещал он.

Ирка разинула рот и замерла, потом она опрометью метнулась под скамейку с воплем:

— Крыльцо!

Я повернула голову. Из дома выползала здоровенная шапка, услышав крик домработницы, она остановилась, вытянула шею, подняла голову, блеснула глазами, оскалила зубы...

— Жесть! — отмер Малышка. — Ситуация номер восемь! Живой объект в зоне поражения. Пли!

Истребители гостей схватились за шланги, направили их на «ушанку». Из раструбов вырвались темно-серые струи газа, через секунду у меня началось удушье, а Ирку заколотил кашель.

— Ситуация три, — стал подавать признаки паники Алексей, — теряем контроль над ситуацией.

Мне стало страшно. Несмотря на ядовитый газ,

таинственное животное, честно говоря, не особо похожее на крысу, упорно двигалось вперед.

— Объект уходит, ситуация номер два! Номер два! Номер два! — заклинило Малышку.

И тут я услышала заливистый лай. Бело-рыжее тельце, отчаянно чихая, кинулось прямо в облако отравы.

— Чемп ожил! — запрыгала я. — Немедленно выключите свои пшикалки, от них нет никакого толка!

— Александр Михайлович, — заголосила Ирка, хлюпая покрасневшим от холода носом, — любимый! Котик!

Истребители озадаченно переглядывались.

— Хозяйка, а кто у вас в доме живет? — рискнул спросить Малышка.

— Чемп его поймал, — ликовала домработница. — Вон! Несет! Тащит в пасти!

Я тут же юркнула под лавочку и приказала Малышке:

— Отнимите у собаки чудовище и попробуйте определить, кто оно!

— Дай сюда! Вот вцепился! — зашумел Алексей. — Экий ты ловкий! Вау! Ох и ни фига себе!

Я осторожно высунулась из-под лавки.

— Кто? Крыса-мутант?

— Игрушка, — заржал Алексей, — во! На животе место для батарейки и ярлычок.

Ноги сами понесли меня к группе охотников за привидениями.

— «Бегун. Лучший тренажер для собачьего фитнеса», — озвучил Малышка. — ...! Придумают же такую хрень! Простите, конечно, за неприличное выражение! Случайно сорвалось! Ваще-то при бабах и детях я не матерюся.

— Я испугалась плюшевой игрушки? — нахмурилась Ирка.

— Мех, похоже, настоящий, и сделан тренажер суперски, издали под живого косит, — сказал один из ликвидаторов грызунов.

— Откуда у нас эта дрянь? — закудахтала Ирка. — Второй день по дому шляется! Чьи это кретинские шуточки? Знаю! Дениска придумал! Ну, погоди! А вы чего встали? Весь дом дымом завоняли, натоптали, теперь убирай за вами! Небось еще и денег за свою вроде как работу попросите!

— Мы бесплатно не ездим. — Малышка решил остудить пыл домработницы. — Машина прибыла по первому свисту!

— Лучше б вы в другом месте свистели! — разъярилась Ирка. — Безобразие устроили! Заводную игрушку не поймали!

— Наши средства рассчитаны на живых существ, — некстати подал голос один из ликвидаторов, — мы газ по норме выпустили! Думали, там крысы!

— Не фига вам платить! — топнула домработница. — Всю работу наш пес сделал!

Я взяла Чемпа на руки и прижала к себе. Слава богу, собака жива и кажется вполне бодрой. И я чудесно понимаю, что произошло. Подбив меня на покупку бегуна, говорливый администратор фитнеса для животных сказал:

— Работает от пульта, нажмете на зеленую кнопку, тренажер активируется и будет убегать от собаки. Бегун хитрый, легко обходит препятствия, меняет скорость. Я положу в пакет и его, и небольшой подарок от фирмы. А вот коробочку управления сразу спрячьте в сумку, она маленькая, еще потеряется.

Поскольку продавец тараторил без остановки, я слушала его вполуха, а придя домой, вытащила из пакета небольшую плюшевую поделку, нажала на пульт, но игрушка даже не пошевелилась. Я решила, что мне подсунули неисправный товар, и, оставив покупку в гостевой комнате, пошла к себе. Но уродец из искусственного меха был не бегуном, а презентом от фирмы. Тренажер остался в пакете, а я подумала, что он набит бумагой, и не стала в нем рыться. И ведь мне показалось, что упаковка шевельнулась, но я спокойно ушла. Бегун под воздействием пульта «ожил», выбрался из пакета и начал путешествие по дому. Говорливый администратор не обманул, фальшивый «зверь» и правда сделан из натурального меха, а издали он похож на... на... не могу подобрать нужных слов.

— Получили бабло и сваливайте! — донесся до меня гневный голос Ирки.

Очевидно, она таки расплатилась с истребителями грызунов и ей не терпелось выставить парней за калитку.

— Мародеры! — не успокаивалась Ира. — Обиралы! Дарь Иванна! Чего молчите? Они дикие деньги загребли! А как в доме воняет! Ковер в грязи! Пледы измарали! Бессовестные гады! Теперь помещение проветривать надо!

Но я продолжала улыбаться, прижимая к себе отчаянно выворачивающегося Чемпа. Деньги — ерунда, их можно заработать, и, в конце концов, ассигнации просто бумажки, на них не купить новую жизнь для охотника за бобрами. Главное, что

Чемп вновь готов проказничать, а я так рада видеть хулигана воскресшим, что прощу ему разбой в вазе с конфетами и сама подарю псу поролоновые губки.

— Дарь Иванна! — неистовствовала Ирка. — Отзовитесь!

Я улыбнулась:

— Отнесу Чемпа в твой дом, а потом помогу навести порядок в коттедже.

— Ох, не к добру ваше трудолюбие, — заунывно протянула Ирина и исчезла в доме.

Я пошла к небольшому кирпичному сооружению в углу участка. Когда-то в четырехкомнатном домике жила повариха, но потом она уехала, а Ирка вышла замуж за Ивана, и теперь тут их семейное гнездышко.

Не успела я подойти к крылечку, как услышала звонкий голосок:

— Тетя Даша, постойте!

Из-за решетчатого забора махала рукой восьмилетняя Катюша, внучка наших соседей Самойловых, живущих через дорогу.

— Что случилось, солнышко? — насторожилась я.

Девочка округлила глаза.

— Тетя Даша, вы ведь училка? Работали в школе?

— В институте, — поправила я Катю из чисто преподавательской занудности.

Не хочу принизить тех, кто трудится в высших учебных заведениях, но большой разницы между методиками преподавания французского языка восьмиклассникам и второкурсникам нет. Правда, с первыми немного легче, на них хоть как-то можно воздействовать при помощи родителей, со студентами этот номер не пройдет, их практически невозможно заставить заниматься.

— Вы мне поможете? — с надеждой спросила Катя.

— Постараюсь изо всех сил, — заверила я, — а теперь объясни, в чем твоя проблема.

Девочка протянула мне учебник.

— Вот! Задачка по математике! Дедушка сказал, если я решу ее правильно, он мне на день рождения купит пони! Но у меня не получается! Никак!

Я погладила Катюшу по голове. Иван Сергеевич замечательный человек, он директор научно-исследовательского института, известный ученый и в придачу к этому весьма удачливый бизнесмен. Свой немаленький капитал он заработал благодаря изобретательному уму и, как это ни странно, удивительной честности. Самойлов никогда не обманывает своих партнеров и пунктуально выполняет взятые на себя обязательства. Иван Сергеевич энциклопедически образован, у него в доме огромная библиотека, не менее обширное собрание виниловых пластинок и большая фильмотека. Зинаида Петровна, жена ученого, тоже доктор наук, профессор, преподает биологию в одном из столичных университетов. У Самойловых двое наследников: дочь Наташа и сын Петр. Полагаете, они пошли по стопам старших? Читали книги, упорно овладевали знаниями, защитили диссертации? Увы, и Наташа, и Петя не имеют приличного образования. Юноша, правда, с грехом пополам окончил школу, но в институт его родители не сумели пристроить. Петр категорически не хотел учиться, он пытался играть на ударной установке в какой-то группе, потом прибился к байкерам, начал пить и сбежал из родного дома. Изредка «мальчик» звонит маме, и та снабжает его деньгами втайне от отца. Иван Сергеевич даже слышать не хочет о Петре, и его можно понять. С Наташей вышло еще хуже, лет в тринадцать она спуталась с компанией наркоманов и бросила учебу. Бедная Зинаида Петровна испробовала все методы воздействия на дочь, но та оказалась из породы неподдающихся и удрала от родителей. Несколько лет юная леди пролазила неизвестно где, но потом вдруг неожиданно вернулась в отчий дом, она была беременна на последнем месяце и вела себя на удивление покладисто. Наивная Зинаида решила, что девочка перебесилась, и примчалась ко мне с просьбой найти хорошего акушера-гинеколога.

— Твоя лучшая подруга врач, — сказала соседка, — наверняка может кого-нибудь посоветовать. Слава богу, Ната снова с нами, она родит ребеночка, возобновит учебу, жизнь наладится.

Бедная Зина фатально ошибалась. Через неделю после появления на свет Катеньки Наташа сбежала из поселка, бросив новорожденную дочь. Бабушка и дедушка стали сами воспитывать внучку, в доме Самойловых появилась сначала обычная няня, потом женщина с высшим медицинским образованием, следом детский психолог, затем дефектолог. К сожалению, у наркоманов редко рождаются здоровые дети, Катюша внешне очень хорошенькая, в будущем девочка превратится в красавицу, но вот с умом у нее беда. Восьмилетняя Катя до сих пор не ходит в школу, Самойловы не хотят отдавать внучку в специальное учебное заведение для детей с проблемами развития, они пытаются подготовить малышку к поступлению в обычную гимназию. Надо сказать, что Катя делает определенные успехи, надеюсь, в этом году ей удастся поступить в первый класс. Меня обрадовал визит Катерины, она догадалась обратиться к соседке, бывшей учительнице, за помощью, значит, ищет нестандартное решение проблемы.

— Очень трудная задачка, — переминалась с ноги на ногу Катя, — а пони так хочется!

— Входи в домик, — предложила я, — сейчас разберемся.

Устроившись с нежданной гостьей в гостиной, я взяла учебник и прочитала условие. «Одна конфета весит два грамма. Сколько весит килограмм конфет?»

— Совсем нетрудно, — обрадовалась я, — ответ — два кило!

— Почему? — заморгала Катенька.

— Одна конфета тянет на два грамма. Так?

— Почему? — спросила девочка. — Не понимаю.

— Здесь не надо соображать. Таково условие задачи, — улыбнулась я, — одна конфетка — две единицы веса. Значит, умножаем один на два и получаем? Сколько?

— Два, — ответила Катя.

— Молодец! — похвалила я малышку.

— Почему?

— Потому что ты быстро решила сложную задачку!

— Почему «два»? — опять спросила внучка Самойловых.

Я сделала глубокий вздох. Ребенок не совсем

умственно полноценен, нужно проявить терпение и доходчиво объяснить.

Я встала, взяла из вазы трюфель и сказала:

— В нем два грамма. Ясно?

— Да, — кивнула Катюша.

— Теперь берем еще один и каков общий вес конфет? Два и два?

— Четыре! — радостно закричала Катенька.

— Ай, умница! А если третью штучку прибавим? Ну?

Катюша нахмурила лоб, сдвинула брови к переносице, сжала губы и неуверенно сказала:

— Шесть?

Я ощутила себя Макаренко, Ушинским и Песталоцци[1] одновременно.

— Гениально! Сообразила? Если одна конфетка весит пару граммов, то килограмм трюфелей тянет на два кило!

— Почему?

— Два умножаем на тысячу!

— Почему на столько?

— Килограмм — это тысяча.

— Почему? — повторила Катя.

Я вспотела, но не потеряла самообладания.

— Мы же не спорим с условием задачи?

— Нет, — кивнула малышка.

— Просто знаем: одна конфета весит два грамма?

— Ага.

— А килограмм — это тысяча, — терпеливо талдычила я.

— Почему?

---

[1] Дарья перечисляет фамилии великих педагогов.

Я схватила со стола шоколадку, быстро съела ее и продолжила.

— Апельсин — это апельсин. Яблоко — это яблоко. Согласна?

— Ага.

— А килограмм — это тысяча!

— Поняла, — закричала Катенька, — килограмм — тысяча, как апельсин — апельсин. Люди так придумали! Договорились между собой!

— Точно! — возликовала я.

— Читаю задачу, — воодушевилась девочка. — «Одна конфета весит два грамма, сколько весит килограмм конфет?» А килограмм — тысяча, как апельсин — апельсин! Умножаем на два!

— И получим?

— Два кило! — заорал ребенок. — У меня будет пони!

Я обняла счастливую девочку.

— Ты самая умная! Можешь собой гордиться!

Из Кати водопадом полились эмоции.

— Очень просто! Апельсин — апельсин!

— Ну конечно!

— А килограмм — тысяча!

— Точно!

В таком тоне мы пробеседовали еще минут пятнадцать, потом Катерина пошла к двери. Выходя на улицу, она притормозила и с тревогой поинтересовалась:

— Я ведь сама решила задачу? Вы мне не подсказывали?

— Конечно, нет, — успокоила я малышку, — это твоя личная победа.

— Тогда можно не говорить деду Ване, что я сюда приходила, — хихикнула Катя.

— Дедушке и бабушке всегда нужно говорить правду, — посерьезнела я.

— А пони? — прошептала Катя.

— Он никуда не денется, — утешила я ее. — Иван Сергеевич правильно оценит ситуацию и пусть позвонит мне, я подтвержу, что ты сама ломала голову над сложным заданием.

— Здорово! — запрыгала девочка. — Тетя Даша, непременно вас покатаю, когда лошадку получу!

Я помахала малышке рукой и пошла наводить порядок в коттедже. Не прошло и получаса, как меня оторвал от работы звонок домофона.

— Кто там? — спросила я.

— Даша, простите, можно вас на минуту, Катя сказала, вы здесь, — послышалось в ответ.

Я быстро открыла дверь и увидела красную заплаканную Катю, внучку соседа Иван Сергеевича, и ее бабушку, Зинаиду, симпатичную, моложавую даму спортивного телосложения, облаченную в белые брюки и куртку такого же цвета.

— Что случилось? — испугалась я. — Кто-то обидел Катюшу?

— Деда! — зарыдал ребенок, чьи умственные способности оставляли желать лучшего. — Пони... математика...

— Замолчи, — сердито сказала Зинаида.

Мне не понравилось, каким командным тоном женщина разговаривает с не совсем полноценным ребенком, поэтому я сухо поинтересовалась:

— Могу чем-то помочь?

— Я не вру, — захныкала Катя.

— Это мы проверим, — прищурилась Зина. — Даша, вы помогали Кате решить задачу?

— Одна конфета весит два грамма, сколько весит килограмм конфет?

— Да, — кивнула Зина.

— Извините, если я совершила бестактность, — осторожно сказала я, — но я взяла на себя смелость объяснить девочке условие задачи.

— Ага! — обрадовалась Катюша. — И я все поняла. Килограмм — это тыща! Умножаем на два, получаем два кило.

Зинаида вскинула брови.

— Даша?

Я улыбнулась:

— Еще раз прошу простить меня за вмешательство. Мы решали задание вместе. Не ругайте Катеньку, она старается, но математика хитрая, не всем подвластная наука.

— Ага, — кивнула соседка, и мне показалось, что дама весьма озадачена, — и какой у вас получился ответ?

Я почесала Чемпа за ухом.

— Одна конфета тянет на два грамма. В кило, как верно запомнила Катенька, ровно тысяча граммов. Дальше просто, умножаем цифру с тремя нулями на двойку и получаем два кило!

— Спасибо, — пробормотала Зина, — пошли, Катюня, я куплю тебе мороженое!

— Ура! — заскакала девочка.

— Не забудь попрощаться с тетей Дашей, — бабушка не упустила случая преподать урок хороших манер.

— До свидания! — радостно прокричала Катенька.

— Всего хорошего, солнышко, — я помахала ей рукой и направилась к домику Ирки.

Интересно, почему Катюша была заплаканной и по какой причине Зинаида сменила гнев на милость, узнав, что правильное решение задачи подсказала соседка? Логичнее было разозлиться на внучку, решившую прибегнуть к чужой помощи.

Собаки мирно спали в гостиной, кошки сидели на подоконниках. Члены стаи считают коттедж Ирки своим вторым домом, поэтому сейчас абсолютно не нервничали. Я отпустила Чемпа, и тот незамедлительно принялся скакать перед Хучем и щелкать зубами. Но мопс был не настроен на игру, он не открыл глаз. Тогда охотник за бобрами вскарабкался на Снапа, улегся на его голове и стал самозабвенно жевать ухо «подстилки». Снапун страдальчески посмотрел на меня.

— Сбрось Чемпа на пол, — посоветовала я.

Ротвейлер тяжело вздохнул и остался лежать недвижимо, весь его вид говорил: «Я хорошо воспитан и не могу обижать гостей, даже если они садятся мне в прямом смысле слова на голову».

Я потрепала Снапуна по спине.

— Интеллигентность очень усложняет жизнь, вот Чемп думает только о себе и постоянно счастлив. Ладно, поспите тут часок.

Ротвейлер издал протяжный стон, а Банди тихо тявкнул, что в переводе на человеческий язык означало:

— Покемарить не удастся, ведь тут суетится охотник за бобрами.

Я вышла из гостиной, поколебавшись, заглянула в кухню, объединенную со столовой, засунула нос в супружескую спальню и осмотрела небольшую комнату для гостей. Ивана нигде не было, мне стало не по себе, и я побежала на задний двор, где у нас стоит здоровенный генератор, автоматически включающийся, если в поселке вырубают свет. Очень полезный для Подмосковья аппарат работает на солярке, Иван регулярно ездит с канистрами на заправку. И сейчас в специальной подставке стояло шесть емкостей, до отказа заполненных темно-коричневой густой жидкостью.

Я зачем-то постучала по красному кожуху генератора и поторопилась в дом, мельком оглядев «Жигули», притулившиеся на стоянке.

В доме еще попахивало химией, и я стала чихать и кашлять.

— Хорошо, что Зайки с Аркадием нет, — заявила Ирка, таща по полу пылесос, — ненавижу этих истребителей грызунов! Ну, Денис, погоди! Еще приедешь в Ложкино!

Следовало сказать домработнице, что сын моей лучшей подруги Оксанки никоим образом непричастен к истории с бегуном, но, увидев, как Ира пинает ни в чем не повинный пылесос, я элементарно струсила и покрепче сжала зубы, чтобы ненароком не признаться в приобретении супертренажера для собак.

Утро вечера мудренее, до завтра Ира слегка остынет, вот тогда и побеседуем, а сейчас есть более животрепещущая тема для обсуждения.

— Где Ваня? — поинтересовалась я.

— Заソляркой укатил, — раздалось в ответ.

— Машина на парковке, и канистры полные!

Ирка поджала губы.

— Значит, дома дрыхнет! Устроился на диване, а жене тут грязь таскать! И где справедливость?

— В твоем коттедже только звери, — прошептала я, — и...

— Что? — Ира втянула голову в плечи.

— Иван частенько в чулане на диване спит, — завершила я фразу.

— Лентяй! — заорала супруга и тут же прикрыла рот рукой. — Ой! Газ! Думаете, Ванька там все время пролежал? Про вход в кладовку только свои знают! Истребители туда не совались!

Я, трясясь от ужаса, побежала через весь дом, влетела в чулан и увидела садовника, лежавшего на софе с разинутым ртом и раскинутыми руками.

— Ваня! — кинулась к мужу Ирка. — Родной! Любимый! Солнце! Очнись! Врача! «Скорую!» Убили-и! Лежал в отраве! Здесь до сих пор от яда туман! Ой! Горе-горе! Как жить буду! Иванушка, родименький!

Садовник сел, открыл глаза и недовольно спросил:

— Че?

Ирка всплеснула руками.

— Ты жив?

— Ваще-то помирать не собираюсь, — зевнул Иван, потом со вкусом чихнул и спросил: — Фу, чем тут несет? Опять у тебя котлеты сгорели? Простите, Дарь Иванна, вас не заметил, извиняйте, закемарил с устатку! Уж не злитесь! Ну и воница! Ирк, ты никак солянку на ужин гоношишь? Она у тебя отрава!

Домработница стукнула благоверного по затылку.

— Чтоб тебя разорвало! — с чувством произнесла она. — Нервничай тут из-за него!

— Че это с ней? — растерянно поинтересовался

Ваня, наблюдая, как жена, красная от гнева, убегает прочь.

— Домой лучше не приходи, — усмехнулась я, Иван выпучил глаза. — Женщины непредсказуемы, — развеселилась я, — оплакивают супруга в голос, а когда он оживает, злятся. Загадочные создания. Ты как себя чувствуешь?

— Отлично, — пожал плечами Иван, — только жрать очень хочу. Извините, конечно, за откровенность.

— Иди к холодильнику, — распорядилась я и поспешила к себе на второй этаж.

Слава богу, с «крысой» разобрались, Чемп жив, Иван даже не заметил газовой атаки, истребители грызунов заработали денег, все довольны, кроме Ирки, которая чистит дом. Пойду позвоню Антону Войцеховскому, пусть он добудет мне информацию о всех членах семьи Стефановых. Вполне вероятно, что Юрий жив, может, он поддерживает связь с Анной Корольковой?

Глава 29

Из сна меня вырвал резкий звонок мобильного. Я нашарила рукой телефон и, с трудом приоткрыв один глаз, пробормотала:

— Алло.

— Эй, ты спишь? — удивился Антон.

— Который час? — спросила я.

— Полпервого, — радостно воскликнул приятель.

— Утра? — поразилась я.

— Вообще-то, для большинства народа уже день в разгаре, — с явной завистью сказал Войцеховский, — многие уже пообедали! Хорошо вам, мадам, под теплым одеялом. На улице жесть с дождем! На дворе январь, а мороза нет.

— Узнал что-нибудь о Стефановых? — перебила я Антона, вспомнив, о чем просила его вчера. — Говори по делу! Кстати, я редко встаю поздно, как правило, в районе десяти уже пью кофе!

— Никому не говори о своем графике, — перебил меня Антон, — мы, простые людишки, вскакиваем в шесть, около семи, шатаясь от недосыпа, вваливаемся в метро, а без пятнадцати девять устраиваемся за столом в тухлой конторе. Тот, кто в десять сползает в халате на кухню и наслаждается ароматным кофе, мой классовый враг!

— Может, кто-то тебя и пожалеет, но мне точно известно, что ты ездишь на службу не каждый день и к подземке не приближаешься, — отбила я подачу, — разъезжаешь в личном автомобиле.

— Значит, Стефанов, — живо сменил тему информатор. — Андрей Григорьевич — выбился из рабочих в замдиректора завода. Такой путь без стрессов не совершить, но у фигуранта, очевидно, было ослиное здоровье. Естественно, карьера Стефанова развивалась постепенно. Сначала он работал в цеху, потом его, как перспективного, не пьющего мужчину, решили повысить и отправили на учебу. Андрей получил высшее образование, долго работал на разных заводах и в конце концов вернулся на родное предприятие имени Байкова, но уже в роли замдиректора. Наверное, его хотели сделать директором завода, настоящий был уже в преклонных летах и часто болел. Но судьба распорядилась иначе, Стефанов внезапно умер, ему повезло, скончался в одночасье, хлоп и нету.

— Ослиным бывает упрямство, а не здоровье, — поправила я Антона. — И в чем, по-твоему, заключалось везение Стефанова? В его смерти?

Войцеховский хмыкнул:

— Андрей Григорьевич убрался на тот свет от инсульта.

— Огромное счастье! — не удержалась я от сарказма.

— Да, — совершенно серьезно заявил приятель, — у меня отец тоже заработал удар. Десять лет потом камнем в кровати лежал, только глазами шевелил, а Стефанова болезнь сразу убила.

— Может, ты и прав, — пробормотала я.

— Леонид Стефанов, старший сын, пережил

отца на пару месяцев и умер во время приступа эпилепсии. Женат не был, детей не имел.

— Ричарду Львиные ноги не повезло, — вздохнула я.

— Кому? — изумился Антон.

— Извини, — опомнилась я, — продолжай!

— Юрий, средний сын, исчез.

Настал мой черед удивляться.

— Это как?

— Странное дело, — протянул Войцеховский, — я не смог добыть о парне и его жене никаких сведений. Впрочем, о годах учебы Юрия есть информация. Он окончил школу, поступил в институт иностранных языков. На втором курсе женился на Светлане Барабас.

Я насторожилась, откуда мне известна эта необычная фамилия? Кто ее упоминал ранее?

Антон тем временем продолжал:

— В связи с созданием семьи Юрий взял академический на год, но в институт более не вернулся. Когда истек срок отпуска, парень устроился на работу дворником. Похоже, он поругался с родителями, потому что адрес у него по прописке изменился. Старшие Стефановы проживали по улице Воскина, а Юрий имел служебную комнату в самом центре, в районе Патриарших прудов, оттуда он и испарился.

— То есть? Говори понятно, — приказала я.

— Яснее не скажешь, — вздохнул Войцеховский, — выписался вместе с женой и словно в воду канул.

— Умер?

— Регистрации смерти нет.

— Перебрался в другой город?

— Никаких отметок в домовой книге. Просто вычеркнут.

— Послушай, так не бывает, — возмутилась я, — в советские годы бюрократическая машина работала отлаженно. Если человек менял квартиру, он сначала получал ордер, потом шел в домоуправление по новому месту жительства, где ему выдавали бумагу примерно такого содержания: Иванов И.И. будет прописан по адресу... далее точно указывались город, улица и квартира. Документ отдавался в руки паспортистки дома, из которого жилец выезжал, и на этом основании его выписывали, не забыв указать, куда он перебрался. СССР был полицейским государством, за каждым гражданином на всякий случай присматривали. Юрий не мог исчезнуть в никуда!

— Да знаю я систему, — начал раздражаться Антон, — не читай мне лекций! Терпеть не могу преподавательского занудства! У меня Алена такая! С умным видом выдает банальности! «Зимой в речке нельзя купаться». Заявит и смотрит торжествующе, ждет от меня восхищения! Юрий исчез!

— Не может быть! — уперлась я. — Ты не доработал, не все узнал.

— Он просто вычеркнут! И его жена тоже, — вскипел Войцеховский, — в их комнату вписали другую семью. Никаких отметок о смерти или переезде Юрия со Светланой нет.

— Странно, — протянула я.

— Более чем, — согласился Антон, — всегда остаются концы: скончался, уехал, попал за решетку. А здесь просто вымарали людей, будто их и не существовало.

— Надо съездить в район Патриарших, вдруг в доме жив кто-то из старых жильцов...

— Можешь не трудиться, — перебил меня Войцеховский, — здания нет, его снесли в конце девяностых, построили элитный жилой комплекс!

— Ясно, — расстроилась я, — а что с третьим сыном Стефановых?

— Глеб тоже поступил в институт и повторил судьбу своего брата, ушел в академку. Но, в отличие от Юры, он не женился и через год вернулся к занятиям, но не сдал сессию, был отчислен, потом восстановился, снова вылетел...

— Знакомая ситуация, — отметила я, — был у меня приятель, который таким образом «учился» лет десять, пока его окончательно не выперли без диплома на улицу!

— Глеб тоже не завершил учебу, он постоянно менял работу, скатывался все ниже и ниже, превратился в пьяницу, поселился на даче в Дураково-Бабкино и квасил там втихую. В деревне же он и скончался, допился до белой горячки.

Я быстро села на кровати. Так вот кто был тот тип, который, по словам бабы Веры, купил дом Стефановых. Помнится, она удивлялась, откуда у вечно пьяного горемыки нашлись деньги на приобретение участка? Я теперь знаю ответ на этот вопрос. Почему баба Вера не узнала Глеба? А вы сможете узнать в опустившемся алкоголике мальчика, с которым последний раз встречались много лет назад? Меня больше интересует другое: кто содержал Глеба? И кому после его кончины отошла дача?

— У Глеба не было семьи? — налетела я на Войцеховского.

— По документам нет, но ведь ты знаешь, что многие люди не регистрируют брак, — справедливо отметил приятель.

— Можешь выяснить, кто сегодня владеет домом в Дураково-Бабкино.

— Легко.

— Прошу, ускорь процесс поисков, — взмолилась я.

— Я могу сейчас назвать владельца фазенды.

— Здорово, — подпрыгнула я от радости, — говори!

— После кончины Андрея Григорьевича дача отошла к его вдове Алевтине Глебовне, — заявил Антон и замолчал.

— А еще возмущаешься привычкой преподавателей громогласно заявлять очевидные вещи, — укорила я своего помощника, — ни минуты не сомневаюсь, что жена унаследовала имущество мужа. Затем дача перешла к Глебу. Меня интересует, что случилось с избушкой потом?

— Она принадлежит Алевтине Глебовне.

— Уже слышала! Уяснила цепочку владельцев — Стефанов-отец, затем мать, младший сын и?..

— Глеб не являлся хозяином, строение никогда на него не переоформлялось.

— Но он же там много лет проживал!

— И что? Жил в Подмосковье, а прописан был в столице, на улице Воскина, такое сплошь и рядом бывает!

— Но кто владелец участка в Дураково-Бабкино?

— Я уже сказал! Алевтина Глебовна!

На этой фразе мое терпение с треском лопнуло, и я закричала в трубку:

— Что у тебя с головой? Алевтина Глебовна покойница! Она не может быть хозяйкой дачи!

— Кто тебе такое сказал? — невозмутимо спросил Антон.

Я подавила возмущение и постаралась говорить спокойно:

— После кончины матери избу получил Глеб. Так?

— Нет, — не согласился Войцеховский, — он ничего не получал. Да и кто отдаст дом запойному пьянчуге? Глеба просто выперли в Подмосковье, чтобы не мешался в квартире, думаю, ему давали немного денег в обмен на обещание сидеть в деревне и не показывать носа в столице. Еще раз повторяю: участок принадлежит Алевтине Глебовне!

— Она умерла, — тупо повторила я, ощущая себя усталой клячей, которая мерно ходит по кругу, вращая ворот.

— Кто это сказал? — с тем же тупым упорством отозвался Антон. — Я ни словом не обмолвился о смерти Стефановой.

Я оторопела.

— Она жива?

— Верно.

— С ума сойти! Ей двести лет?

— Чуть меньше, — засмеялся Войцеховский, — отрадно знать, что в Москве, несмотря на плохую экологию, нервный прессинг и мизерную пенсию, есть долгожительницы. Мне это внушает надежду, хоть я и понимаю, что мужчины живут гораздо меньше женщин, но все равно испытываю энтузиазм. Кстати, знаешь, отчего бабы до восьмидесяти дотягивают? Эй, очнись?

— Нет, — буркнула я.

— Они змеи, — на полном серьезе сказал Антон, — их собственный яд консервирует! Так будешь адрес госпожи Стефановой записывать или он тебе без надобности?

Я стряхнула оцепенение.

— Говори скорей, где она находится?

— На прежнем месте, — радостно возвестил Войцеховский, — прописана по улице Воскина. Правда, теперь этот район считается почти центральным.

В атласе улицу Воскина я нашла не сразу, а когда, покружив по окрестностям, я добралась до перекрестка, откуда теоретически начиналась магистраль, то увидела огромный дом, протянувшийся на несколько кварталов. Пришлось вылезать из машины и опрашивать людей. Спустя четверть часа стало понятно, что коренных москвичей в этой части столицы нет. В палатках торговали украинки и молдаванки, которые, услышав вопрос: «Как проехать на улицу Воскина?» — отвечали фразой, давно превратившейся в анекдот.

— Мы не местные.

Прохожие тоже недоуменно пожимали плечами, при этом учтите, что я специально выискивала в толпе европейские лица, решив, что гастарбайтеры из Средней Азии мне не помогут. Даже единственный попавшийся на дороге милиционер воскликнул:

— Я из другого района!

— Не местный! — не выдержала я.

— Точно, — кивнул сержант и растворился в толпе.

Ситуация уже казалась безвыходной, и тут звонкий голос спросил:

— Что ищешь, а?

Я повернулась, около моей машины стояла смуглая черноглазая женщина в пальто и сером платке, надвинутом почти до бровей.

— Улицу Воскина, — безнадежно сказала я.

— А нет ее, — ответила незнакомка, — там дом построили! Ну и чудовище! Здесь раньше дорога шла! Зачем тебе Воскина?

— Там знакомая живет, — приуныла я, представив, что мне предстоит.

Если строительная компания выкупила землю, снесла старые дома и возвела на их месте тысячеквартирного монстра, я потрачу десять лет, выясняя, куда подевались жители из разрушенных зданий. Почему Антон дал мне этот адрес? Потому что в компьютере нет данных о новом здании, в котором поселилась Стефанова.

— Номер дома знаешь? — спросила тетка.

— Двадцать четыре, — уныло сказала я.

— Он у рынка стоит, — обрадовалась прохожая, — адрес по Воскина, а на самом деле в Рычаговой слободке находится.

— Где? — воспряла я духом.

Женщина поправила платок и обстоятельно объяснила дорогу.

Минут через сорок я, покрутившись по близлежащим улицам, бросила автомобиль в каком-то дворе и дальше двинулась пешком. Сегодня все боятся посторонних, поэтому проезжие переулки перестали быть таковыми и обзавелись запирающимися воротами, а там, где жильцы поскупились на охрану, путь преграждают бетонные блоки, установленные прямо на дороге, хорошо хоть для пешеходов оставили узенькие тропки. Но наконец мои поиски увенчались успехом.

— Кто там? — бдительно спросили из-за двери нужной мне квартиры.

Я постаралась придать голосу приветливый оттенок.

— Алевтина Глебовна Стефанова дома?

Послышался скрип, дверь приотворилась, перед моими глазами появилась цепочка и часть лица с круглым карим глазом.

Глава 30

— Вы кто? — спросила женщина.

— Дарья Васильева, — засуетилась я, — вот паспорт. Мне очень надо поговорить с Алевтиной Глебовной.

— Зачем?

— В двух словах не объяснить. Поверьте, я ей ничего плохого не сделаю, пожалуйста, впустите, — попросила я.

— Нет, — твердо ответили из-за двери.

— Я задам Стефановой всего пару вопросов!

— Нет!

— Понимаете, я ищу Анну Королькову, она моя мать! Мы никогда не встречались, я считала Елену Иванову, то есть, извините, по привычке назвала другое имя, Королькову, умершей. А совсем недавно я выяснила, что она жива!

— Здесь никаких Корольковых нет!

— Естественно! Анна жила с дочерью Мариной, а потом попала в больницу и очутилась в доме Стефановых в деревне Дураково-Бабкино, в той избе, где жил алкоголик Глеб. Вернее, в Подмосковье попала Равиля Ахметшина, но под именем Корольковой. Мне необходимо выяснить у Алевтины Глебовны, что она знает про эту историю? Кто дал художнику Льву, усатому и бородатому мужику, ключи от избы?

— Я ничего не понимаю!

— Вы знали Глеба? Младшего сына Стефановой?

— Нет.

— Может, слышали про Игоря, родного брата Юрия? У них была одна мать, Афанасия Константиновна, а отец Андрей Григорьевич, муж Алевтины Глебовны. Юноши каким-то образом встретились, подружились...

— Я никогда не слышала этих имен, — пробубнила тетка.

— Вы не родственница Стефановой?

— Я медсестра. Ухаживаю за бабушкой.

— А как вас зовут?

— Ольга Петровна.

— Дорогая, милая Олечка Петровна, — защебетала я, вынимая кошелек, — Алевтина Глебовна единственный человек, способный пролить свет на темную, запутанную историю. Я предполагаю, что Игорь и Анна украли экспонаты из музея не в одиночку, им помогал Юрий. Младший брат не выдал старшего, унес тайну на тот свет. Анна Королькова прикинулась сумасшедшей и осталась жива. А вот Юрий с женой спрятались, наверное, они унесли раритеты, понимаете?

— Нет, — прошептала Ольга Петровна.

— Мне не нужны ценности! Человек, который искал второй кубок и прочую дребедень, умер от сердечного приступа! Я хочу поговорить со своей матерью! Вероятно, ей требуется помощь! Алевтина Глебовна, наверное, может подсказать, где искать Анну.

— Нет, — словно заклинившая шарманка прогудела медсестра.

— Я заплачу любую сумму, — засуетилась я, — сколько пожелаете! Видите кредитку? Если я кажусь вам подозрительной, позвоните полковнику Александру Михайловичу Дегтяреву, он служит в милиции и охарактеризует меня с лучшей стороны. Мой сын адвокат, невестка телезвезда и...

— Да будь вы хоть женой президента, — перебила меня Ольга Петровна, — ничего у вас не получится.

— Почему?

— Во-первых, я вас не впущу! А во-вторых, у Алевтины Глебовны старческое слабоумие, моя подопечная не способна даже есть самостоятельно, она произносит лишь отдельные звуки, вернее, мычит и легко впадает в агрессию, врач прописал ей кучу лекарств. Большую часть суток Стефанова спит. Можете ее миллионами осыпать, разумного слова не добьетесь. Лучше уходите, а если будете настаивать, я вызову милицию, хозяйка тревожную кнопку поставила.

— Хозяйка? Вас нанимала не Алевтина Глебовна?

— Нет.

— А кто?

— Мария Ивановна, — после легкого колебания ответила медсестра, — я пришла в дом, когда Алевтина Глебовна уже была безумной.

— Как вы нашли это место?

— Не важно! До свидания!

Я быстро сунула ногу в щель между косяком и створкой.

— Умоляю, подождите!

— Что еще?

— Когда Мария Ивановна сюда приходит?

— Она здесь не живет.

— А какой у нее адрес?

— Не знаю.

— Но вам ведь платят деньги?

— Да.

— И где вы встречаетесь? По каким числам?

— Сумму переводят на мой банковский счет.

— Кем Мария Ивановна приходится Алевтине Глебовне?

— Дочерью.

Я вздрогнула.

— Кем?

— Дочкой, — повторила Ольга Петровна, — до свидания.

— Стойте!

— Вы становитесь назойливой.

— Знаю, но у меня нет выхода. Впрочем, я сразу уйду, если дадите мне телефон Марии Ивановны.

— У меня нет права сообщать этот номер посторонним!

— Хотите, на колени встану?

— Можете на голову взгромоздиться, но ничего не получите!

От такого хамского ответа я на мгновение растерялась и тут же услышала надсадный вой из глубины апартаментов.

— Алевтина Глебовна проснулась, — сообщила медсестра, — есть просит.

Мне стало жутко, в протяжном вое не было ничего человеческого, так кричит дикий зверь, знающий, что он один в чаще.

— Мне пора, иначе больная с кровати упадет, — вполне мирно сказала Ольга Петровна, — вообще-то, таких положено привязывать, но Мария Ивановна не разрешает. Велит, чтобы за мамой постоянно следили!

— Извините, — прошептала я, — больше вас не побеспокою.

Дверь захлопнулась, я сделала пару шагов к лифту, нажала на кнопку и уставилась на его пластиковые двери.

— Дарья, — раздалось за спиной.

Я оглянулась, створка была приоткрыта, цепочка натянута, из щели выглядывала Ольга Петровна.

— Могу вам предложить такой вариант, — сказала она, — я позвоню Марии Ивановне и сообщу ей ваш телефон. Если хозяйка захочет, она сама с вами свяжется. Идет?

— Спасибо, — обрадовалась я и начала рыться в сумке в поисках клочка бумаги.

Ольга Петровна терпеливо ждала, пока я нацарапаю цифры и отдам ей «визитку».

— Сколько я вам должна за услугу? — поинтересовалась я, просовывая обрывок в щель.

Ольга Петровна кашлянула.

— Меня воспитывали интеллигентные родители, они часто повторяли: «Надо помогать людям». Я с ними согласна, но одновременно знаю, нельзя нарушать служебные обязанности, поэтому попыталась найти компромисс. Я не продаю свои услуги. До свидания!

Дверь снова захлопнулась, а створки лифта раздвинулись, я вскочила в кабину. Какой шанс, что дочь Алевтины Глебовны позвонит странной женщине, которая несла чушь медсестре, то есть мне? Один из тысячи, если учесть, что Ольга Петровна, скорей всего, начнет беседу с хозяйкой фразой:

— Приходила психопатка с идиотским рассказом.

И где мне искать Анну Королькову? Куда кинуться? В горле запершило, стало трудно дышать, к глазам подступили слезы.

Я столько лет считала себя сиротой и привыкла не думать о матери. Наверное, это звучит некрасиво, но отец меня никогда не интересовал, я предполагала, что он бросил маму беременной. Нет, я вовсе не злилась на отца, просто он был для меня пустым местом, а вот мать! Каждому человеку хочется иметь добрую, нежную, понимающую мамочку, но отнюдь не всем таковая достается. Чтобы утешить себя, маленькая Дашенька придумала сказку: у нее когда-то была обожавшая свою девочку лучшая мама на свете, но она умерла. С этим ничего не поделаешь, надо расти, зная, что мамочка, будь она жива, никогда бы меня не бросила!

И что выяснилось? Мои родители воры, а мать преспокойно ходила по Москве, начисто забыв о родном ребенке. Так зачем я ее ищу? А? Я вышла на улицу, влезла в машину и просидела там около часа, пытаясь успокоиться. В конце концов, истерика отпустила меня, и тут в кармане затрясся телефон, я вынула сотовый и глянула на дисплей. Номер неизвестен. Все ясно, это мой бывший муж Макс Полянский, он единственный из всех моих знакомых шифруется.

— Привет, Максик, — стараясь придать голосу безмятежную веселость, сказала я, — как дела?

— Вы хотели меня видеть? — раздалось в ответ хриплое меццо-сопрано. — Ольга Петровна сказала, что Дарья Васильева ищет дочь Стефановой.

— Мария Ивановна? — выдохнула я.

— Да. Говорите.

— Нам лучше встретиться!

Из трубки донеслось потрескивание, я испугалась, что собеседница отсоединится, и затараторила:

— Если не хотите, я готова к беседе прямо сейчас.

— Кафе «Писк» на Никитской знаете?

— Нет, но непременно его найду!

— Оно на углу Кисловского переулка.

— Спасибо.

— Там, ровно в восемь, — предложила Мария Ивановна.

— Как я вас узнаю?

— Сама подойду, — отрубила Стефанова и отсоединилась.

Боясь опоздать к назначенному времени, я примчалась в «Писк» около половины восьмого и поняла, что попала в дешевую забегаловку, через которую несется поток посетителей. Заведение находится недалеко от консерватории и комплекса старых зданий МГУ, за столиками весело гудели студенты, и было много людей с портфелями, явно мелких клерков из расположенных поблизости министерств. Мария Ивановна оказалась хитрой, в таком кафе легче всего сохранить инкогнито, никто из посетителей или замороченных официантов не запомнит людей, сидящих за столиками.

В восемь часов одну минуту в зал вошла высокая полная женщина в бесформенном темно-бордовом пальто ниже колен. Ее шею прикрывал завязанный кокетливым узлом синий шарф, густые черные, явно крашеные, волосы свисали до плеч, длинная челка закрывала лоб. Бровей не было видно, глаза скрывались за темными очками в массивной темно-коричневой оправе. На виду оставались лишь щеки, щедро покрытые тональным кремом цвета абрикоса, и губы, на которых лежал толстый слой сиреневой помады.

Постояв мгновение у входа, толстуха подошла к моему столику и прохрипела:

— Дарья?

Я привстала.

— Да. Вы Мария Ивановна?

Тетка кивнула и с трудом втиснулась за столик, на меня повеяло ароматом ее духов.

— Что закажете? — к нам подошла официантка.

— Чай, зеленый, — коротко приказала Мария Ивановна.

— И пирожные, — добавила я, — три штуки.

— Я не ем сладкое, — предостерегла Мария Ивановна.

— Пусть стоят, — улыбнулась я, — тогда официантка не будет злиться на невыгодных посетителей.

— Спрашивайте, — без всяких предисловий приказала дочь Стефановой.

— Меня интересует ваш брат Юрий!

— Почему?

— Это долгая история.

— Я никуда не тороплюсь! Говорите.

— Вы знали Юрия?

— Да.

— А его жену?

— Да.

— Слышали про Игоря, сводного брата Юры?

— Да.

— У него была супруга, Анна Королькова, вы с ней встречались?

— Да, — как попугай твердила Мария Ивановна.

Внезапно меня охватила безнадежность.

— Если не хотите беседовать, зачем пришли?

— Мне уйти?

— Конечно, нет!

— Тогда какие претензии? — пробасила толстуха, чей возраст определить я так и не сумела.

Дама старательно замаскировалась, вроде мы сидим с ней нос к носу, но ничего о ее внешности я сказать не могу. Слишком блестящие волосы, похоже, это парик. Мы закончим беседу, тетушка уйдет первой, забежит в сортир, стащит очки, искусственные кудри, переобуется в сапоги без каблуков, накинет плащ и станет совсем другим человеком. Даже полнота может оказаться фальшивой.

— По-моему, это вы не намерены вести беседу, — вдруг пошла в атаку Мария Ивановна.

— Вы ошибаетесь, — ответила я, — давайте начнем сначала.

— Отлично! Рассказывайте, что знаете о Стефановых. Я в ответ на вашу откровенность тоже ничего не утаю, — предложила Мария Ивановна.

Я оперлась локтями о стол и все выложила незнакомке. Когда я замолчала, Стефанова после паузы сказала:

— Ну что ж! Я привыкла вести честную игру. Ты ищешь Анну Королькову?

— Да, да, — закивала я.

— Ты ее нашла!

— Вы знаете адрес моей матери? Видели ее?

— Не раз, — усмехнулась собеседница, — я не

Мария Ивановна Стефанова, у Алевтины Глебовны не было дочери. Будем знакомы, Анна Львовна Королькова!

Я уставилась на ладонь перед моим лицом, ахнула и глупо спросила:

— Вы жена Игоря?

— Да, — подтвердила Анна.

— И моя мать?

Королькова взяла со стола чайную ложку.

— Нет. Ты не моя дочь! И не Игоря! Но я знаю, кто произвел тебя на свет. Если ты готова меня выслушать, могу рассказать.

Я попыталась кивнуть.

— Хорошо, — Королькова провела по столу ладонью, — слушай! Начну с нашего знакомства с Игорьком.

Глава 31

Игорь понравился Анечке с первой встречи, они вместе подавали документы в институт, и девочка сразу обратила внимание на приятного паренька. Правда, лица его не было видно, нос у юноши прикрывала марлевая повязка, подбородок охватывал бинт, а верхняя часть черепа была спрятана в смешную полотняную шапочку, больше смахивающую на чепчик.

Документы у абитуриентов проверял хмурый мужчина с желчным лицом, он придирался буквально к каждой букве, и чем ближе Анна подходила к столу, тем сильнее у нее дрожали колени. Сотрудник приемной комиссии завернул большую часть очереди, у пяти человек он нашел какие-то нестыковки в бумагах, а троих и вовсе пообещал сдать в милицию. У Анечка была в запасе честно полученная в школе медаль, но у девочки неожиданно началась икота. Стоявший непосредственно перед нею забинтованный паренек обернулся и тихо спросил:

— Страшно?

— Ага, — прошептала Королькова.

— На, — юноша протянул ей шоколадку, — сладкое успокаивает.

Девочка сунула в рот конфету и неожиданно перестала трястись. То ли ее привело в чувство угощение, то ли самым благотворным образом на нее подействовал москвич в бинтах, он, похоже, не испытывал ни малейшего трепета.

Когда желчный мужик увидел абитуриента в повязках, он возмутился:

— И как я могу понять, что вы тот самый Игорь, на чье имя заполнены документы?

— Там есть паспорт, — преспокойно ответил абитуриент, — он с фотографией.

— Великолепно, — обозлился преподаватель, — снимок четкий, но вас-то я не вижу! Разматывайте тряпки.

— Простите, не могу, — вежливо ответил Игорь, — врач не разрешает.

— А я не могу принять документы! — закричал педагог. — Хитро придумано! Да только все уловки поступающих мне давно известны!

Аню снова затрясло от ужаса, но парень не нервничал.

— Вот справка из больницы, — сказал он, — изучите, пожалуйста! Нос и подбородок у меня сломаны, правая скула покалечена, мне сделали несколько операций, поэтому я забинтован.

— Ну-ну, — уже другим тоном отреагировал преподаватель, — но все равно я не имею права допустить неизвестно кого к приемным экзаменам, нужно точно удостоверить вашу личность. Приведите двух свидетелей, которые могут подтвердить, что...

— Валериан Михайлович Суворин подойдет? — перебил его Игорь.

Преподаватель вскинул брови.

— Кто?

— Товарищ Суворин, — повторил Игорь, —

пусть кто-нибудь из вашей комиссии с ним свяжется!

Педагог усмехнулся.

— А ты хитрец! Решил, что я побоюсь беспокоить ректора? Поверю на слово вчерашнему школьнику? Услышу фамилию Суворин и тут же спасую? Не на того напал!

Противно ухмыляясь, мужик ушел, очередь замерла в тоскливом ожидании, спустя четверть часа преподаватель вернулся, он был хмур и, похоже, растерян. Не говоря ни слова, злыдень выписал Игорю экзаменационный лист и сказал:

— Следующий.

— Спасибо, — вежливо поблагодарил парень, очевидно, нисколько не сомневавшийся в таком исходе дела.

Вначале Игорь посещал занятия в повязках, потом они постепенно заменились нашлепками из пластыря, и в конце концов открылось лицо. Юношу нельзя было назвать красавцем, к тому же кожу его покрывали шрамы и какие-то пятна. Но, несмотря на этот дефект, студент пользовался невероятной популярностью у сокурсниц и авторитетом у сокурсников. Игорь был всегда шикарно одет, никогда не занудничал, легко давал деньги в долг и являлся центром любой компании. Поговаривали, что в постели первого парня института побывали не только студентки и аспирантки, но и некоторые почтенные преподавательницы.

Покалеченное лицо никого не остановило, впрочем, к третьему курсу пятна с кожи Игоря исчезли, шрамы превратились в едва заметные ниточки и стали практически незаметны. Диплом Игорь получил, будучи уже дважды разведенным, любому другому студенту за моральную неустойчивость могли пригрозить отчислением из комсомола, что автоматически влекло за собой исключение из вуза. Но Игорю все сходило с рук.

Анечка обожала его издали, она понимала, что ее шансы стать возлюбленной кумира института равны нулю. Королькова не отличалась особой красотой, одевалась очень просто, жила в общежитии, не имела богатых чиновных родителей, короче говоря, ни с какого боку не могла примкнуть к кругу золотой молодежи. Но Гарик не проявлял ни малейшего снобизма, каждый раз, наткнувшись на Аню в коридорах института, он весело спрашивал:

— Как дела? Есть планы на вечер?

Другая бы мигом ответила:

— А что ты хочешь мне предложить?

Но Анечка сразу вспоминала, что на ней старое платье, и, бормотнув: «Пойду в библиотеку», — убегала.

Королькова понимала, что Игорь хорошо воспитан, приветлив со всеми, его вопрос о вечере пустая формальность.

На пятом курсе Аня загрустила, в ее зачетке были сплошные «отлично», но об аспирантуре она и не мечтала, места давно были зарезервированы за «блатными» студентами. Анечку распределят в провинцию, ей придется преподавать в школе. Королькова смирилась с судьбой, она умела радоваться малому и считала, что ей невероятно повезло, ведь она попала в московский вуз, в течение пяти лет училась в главном городе СССР, у лучших преподавателей. Нельзя требовать от судьбы слишком щедрых подарков, но иногда в душе просыпалась обида: ну почему ей не повезло родиться в такой семье, где отец может снять трубку и попросить ректора об одолжении!

Однажды слезы подкатили к глазам Ани в самом неподходящем месте, в коридоре института. Аня крепко сжала кулаки, вонзила ногти в ладони и, надеясь на то, что боль загасит истерику, поспешила к выходу, и тут Королькова услышала голос Игоря:

— Эй, куда торопишься, как дела?

— Отлично, — попыталась сохранить лицо Анечка и не смогла удержать слез.

Игорь схватил ее за руку, быстро увел из институтского двора, посадил в сквере на скамейку и приказал:

— Немедленно все рассказывай!

Аня, по натуре человек немногословный, неожиданно для себя вывалила на Игоря свои проблемы, а он вдруг улыбнулся.

— Больше ничего?

— Разве этого мало? — всхлипнула Королькова.

— Не реви, — засмеялся Игорь, — завтра все будет хорошо.

— Что? — вытирая слезы, осведомилась Аня.

— Все, — загадочно повторил парень, — давай в кино пойдем?

Первым желанием Анечки было ответить: «Да, с удовольствием».

Но она поджала под скамейку ноги в поношенных туфлях и пробормотала:

— Спасибо за предложение, но у меня... э... э...

Достойная причина отказа так и не нашлась.

— Ладно, — тихо сказал Игорь, — тогда пока!

На следующий день после занятий Анечку вызвал ее руководитель диплома, старенький профессор Федор Николаевич Бондарь и сказал:

— Душенька, не хотел вас заранее обнадеживать, но я старался, чтобы вы попали в аспирантуру. И мои усилия не пропали даром. Спокойно сдавайте экзамены.

— Меня возьмут? — не поверила Аня.

— Вопрос решен, — кивнул Бондарь.

Королькова ахнула.

— И место в общежитии оставят? — от растерянности уточнила она.

— Конечно, — удивился профессор, — вы же не москвичка! Просто переедете со студенческого этажа, аспиранты проживают в комфортных условиях, им положена одноместная комната, и стипендия больше, хотя, конечно, ее не хватит, придется подрабатывать. Ах я безмозглый пень! Совсем забыл, вот, держите листок, на нем телефон и адрес музея, куда вас возьмут на службу.

Чувствуя себя Золушкой на балу, Аня вышла из кабинета и увидела в коридоре своего принца. Игорь стоял, прислонившись к подоконнику.

— Как ты это проделал? — спросила Королькова, забыв от растерянности поблагодарить однокурсника.

— Включил волшебную палочку, — серьезно ответил парень.

— Но почему ты решил помочь постороннему человеку? — продолжала недоумевать Анечка.

Игорь помолчал, а потом серьезно ответил:

— Ты мне нравишься.

— Я? — обомлела Королькова. — Нравлюсь?

— Неужели ты не поняла? — удивился юноша. — Я давно пытаюсь тебя на свидание пригласить, в кино регулярно зову!

Аня заморгала, а Игорь сказал:

— Но, похоже, ты любишь другого!

Начни с неба падать лягушки и появись на московских улицах слоны, Аня бы и то меньше удивилась.

— У меня нет модной одежды, — от растерянности честно сказала она.

Игорь улыбнулся:

— Это ерунда! Ты будешь прекрасна даже в мешковине.

Вот так начался их страстный роман, который завершился свадьбой. Афанасия Константиновна, мама Игоря, отнеслась к невестке как к родной дочери. У тестя была небольшая однокомнатная квартира, которую Фася использовала как кабинет для приема частных пациентов, но после свадьбы свекровь посадила перед собой невестку и сказала:

— Две хозяйки на одной кухне никогда не договорятся. Лучше вам с Гариком жить отдельно, а к нам будете в гости ходить. Конечно, тебе первое время будет нелегко, зато наедине с мужем, делайте что хотите. Я тебе всегда помогу, если с хозяйством не справишься.

Анечка поблагодарила Афанасию Константиновну, и молодожены перебрались в тесную однушку. По тем временам иметь отдельную жилплощадь считалось невероятной удачей. Основная часть москвичей ютилась вместе с родителями или подросшими детьми на скромных квадратных метрах, либо в коммуналках. А Игорь с Анечкой закрывали входную дверь и оказывались одни. Впрочем, вдвоем они бывали редко, Игорь после загса не изменил холостяцких привычек, гости ходили к ним табунами. Поскольку молодая семья была единственной обладательницей своей жилплощади (остальные приятели жили вместе с родителями), то все праздники справлялись в доме у Игоря. Судьба осыпала юных супругов подарками. Аня великолепно владела двумя европейскими языками, поэтому Нинель Стефановна, директриса музея, стала брать с собой Королькову переводчицей в разные страны. Больших денег у Ани не было, за рубежом ей давали гроши, но она ухитрялась купить подарки Игорю и приобрести что-нибудь для дома. Ярко-красная коробочка с изображением кошек, губки для мытья посуды, держатель туалетной бумаги в виде собачки, полотенца с принтами стоили за границей копейки, но сколько радости они приносили Анечке! Умная, ответственная, хорошо воспитанная Аня нравилась иностранным коллегам, поэтому, отправляясь в Москву, музейные работники привозили девушке подарки, иногда художественные альбомы, но чаще, зная о положении в магазинах СССР, иностранцы дарили духи, косметику, мыло, шампуни, перчатки, сумки... Афанасия Константиновна регулярно подбрасывала невестке денег, свекор дядя Миша отдавал молодым свои продуктовые заказы. Игорь никогда не забывал говорить жене ласковые слова. Анечка, выросшая в семье, где отец часто бил мать, жила как в раю. Но вскоре выяснилось, что и в обители ангелов есть темные, тенистые места, где тщательно зарыты тайны.

Как-то раз Королькова вместе с директрисой музея поехала в Чехословакию, женщины благополучно добрались до границы, но дальше их не пустили. В паспорте у начальницы музея нашли какую-то неточность, и Анне с Нинель Стефановной пришлось возвращаться в Москву, так и не попав в Прагу.

Мобильных телефонов тогда не было, автомат на вокзале не работал, и Аня не смогла предупредить Игоря о неожиданном возвращении. Она добралась до своей квартиры поздним вечером, открыла дверь и замерла.

В небольшой прихожей на крючке висело женское пальто, а на полу стояли симпатичные ботиночки, отороченные мехом, размера тридцать шестого. Аню охватила бешеная ревность. Если бы из комнаты доносился веселый смех, звон бокалов и гул голосов, у нее не возникло бы нехороших подозрений, но в доме царила тишина. Очевидно, Игорь, предполагая, что жена сейчас гуляет по Праге, привел домой постороннюю бабу!

Аня пнула дверь в комнату и увидела совершенно одетого Игоря и симпатичную шатенку в наглухо застегнутом шерстяном платье. Они сидели у письменного стола, просматривая какие-то бумаги. Ни бутылки вина, ни конфет, ни тихой музыки, ни полумрака, ни разобранного дивана, короче, ничего, говорившего о тайном свидании, Анна не заметила, но сдержать ярость ей удалось с огромным трудом.

— Добрый вечер, — процедила она.

— Анечка, — воскликнул муж, быстрым движением захлопывая папку, — но ты же должна быть в Праге!

— Угу, — буркнула она и, намеренно не глядя на шатенку, убежала на кухню.

Через минуту там появился Игорь.

— Котик, это не то, что ты подумала, — забубнил он.

— Откуда ты знаешь, о чем я подумала? — спросила Аня.

— Ну я сам бы подумал подобное, если, внезапно вернувшись из командировки...

— Мы слишком часто повторяем глагол «подумал», — огрызнулась Аня, — лучше говорить о том, что мы видим! Я видела молодую женщину в своей квартире, а еще я видела часы, которые показывают почти полночь, я видела собственного мужа, который, вовсе не тоскуя по любимой жене, сидел рядом с незнакомкой! Вот!

— Глупость получилась, — замямлил Игорь.

И тут в дверь позвонили.

— У тебя намечается вечеринка? — язвительно осведомилась Аня.

— Я открою! — крикнула шатенка.

— Она чувствует себя хозяйкой в нашей квартире? — возмутилась Анна. — Может, мне лучше уйти? Не мешать вашему счастью?

— Сейчас все объясню, — засуетился Игорь, но закончить фразу не успел.

Из коридора послышался шепот, и в кухню влетел юноша.

— Меня зовут Юра, — быстро сказал он и втащил в кухню шатенку, — а это моя жена, Светлана. Имя у нее обычное, зато фамилия запоминающаяся — Барабас. Карабас-Барабас! Ха! Не ревнуй Гарика!

— Юра! — предостерегающе сказал Игорь.

— Давно предупреждал, что ее надо ввести в курс дела, — отмахнулся говорливый парень.

— У Ани доверительные отношения с Фасей, — непонятно зачем заявил Игорь.

— У нас тоже, — заржал гость.

— Ребята, перестаньте, — сказала Светлана, — теперь спорить не о чем. Аня здесь, вам придется все ей объяснить!

Игорь опустил глаза, Юра тоже, а Света посмотрела на Аню и заявила:

— Вообще-то мы с тобой близкие родственники! Можно сказать, одна семья.

— Правда? — вздернула та брови. — По какой линии? Сосед твоей прабабушки один раз поздоровался с приятелем моего прадедушки? Отсюда корни растут?

Светлана засмеялась.

— Забавная присказка, но в нашем случае связь более тесная, мы снохи.

— Кто? — с изумлением спросила Аня.

Барабас посмотрела на мужа, тот кивнул.

— Верно. Я и Игорь сводные братья, у нас одна мать, Афанасия Константиновна, а отцы разные, но мы внешне очень похожи, прямо близнецы. Вот только у меня над губой родинка, а у Гарика ее нет.

Глава 32

Аня опустилась на стул.

— У вас нет ничего общего, — протянула она, — разве что разрез глаз!

Парни переглянулись.

— Кто начнет? — Потер руки Юра.

— Ты, — непривычно тихо ответил Игорь.

— Тогда пошли в комнату, — приказал Юрий.

Спать в ту ночь молодые люди так и не легли, а у Ани после услышанного пропал еще и аппетит, настолько шокирующими оказались семейные тайны.

Юра еще в детстве понял, что отец его не любит. Мальчик был неусидчив, в школе на уроках вертелся юлой, плохо усваивал материал и получал одни двойки. Андрей Григорьевич злился на сына и часто хватался за ремень. Стефанов полагал, что детей следует воспитывать жестко, поэтому с тела Юрия не сходили синяки. Мать, Алевтина Глебовна, обожала мужа и боялась ему перечить, но когда супруг, в очередной раз отдубасив мальчика, уезжал по делам, она пыталась утешить Юру, подсовывала ему конфеты и говорила:

— Отец тебе добра желает, он тебя любит, хочет вырастить настоящего человека.

Когда Юра пошел во второй класс, в доме появился еще один мальчик, названный Глебом, и, к огромной радости второклассника, отец полностью переключился на младенца. Ни старший мальчик Леня, больной эпилепсией, ни двоечник Юра Андрея Григорьевича более не интересовали.

Один раз Юра, проснувшись ночью, пошел в туалет и услышал из родительской спальни тихий голос матери:

— Андрюша, им не хватает твоего внимания!

— Один не доживет до тридцати, а из второго ничего не получится, — ответил отец, — одна надежда на Глеба. Те двое отбракованный материал, нечего о них говорить.

— А если и Глеб тебя разочарует? — задала вопрос жена. — Не будь таким упрямым. Дети быстро меняются, идеальных не бывает. Леня хороший мальчик!

— Он инвалид! Твоя болезнь вылезла!

— Юрочка выправится, его нельзя постоянно наказывать, — попыталась надавить на супруга Алевтина, но потерпела неудачу.

— И в нем нет моего ни капли, — зашипел Стефанов, — внешне весь в ту кровь пошел! Посмотри на него! Где мое, а? Поэтому и растет дураком! Вот Глеб, тот точно станет наследником рода!

— Не обижай старших, — попросила Алевтина, — Леня замечательный, Юрочка тоже.

— Их для меня нет, — отрезал Андрей Григорьевич. — Можем Леонида в санаторий перевезти, а Юрия отдам в интернат. Меня они не интересуют, абсолютно непригодны для высшей цели!

— Ой! Никогда, — испугалась Алевтина, — они же дети! И потом, что люди скажут? Разве можно родных сыновей бросить?

— Если хочешь, занимайся ими в свободное время, — милостиво разрешил муж, — но главный у нас Глеб, ему нужен особый уход. Надеюсь, ты понимаешь, что материальные расходы на неудавшийся материал нужно сократить?

Разговор потряс Юру. А через некоторое время он решил влезть в письменный стол отца. У того была привычка вечером удаляться в кабинет и писать что-то в толстой тетради. Детям строго-настрого запрещалось переступать порог рабочей комнаты, но любопытный Юра подглядел за отцом и с тех пор мучился вопросом: ну что он так старательно записывает?

Улучив момент, когда отца не было дома, а мать пошла гулять с Глебом, Юра открыл стол Андрея Григорьевича и понял, что тот ведет дневник. Более того, в тумбе обнаружилось много тетрадей, на корешках которых были написаны даты.

Почти шесть месяцев Юра украдкой читал записи отца и понял, что за человек Стефанов. Андрей Григорьевич, наивно полагая, что ни жена, ни дети не посмеют приблизиться к двери кабинета, доверял бумаге свои мысли и надежды. Сын узнал, что папа тщательно документирует свою жизнь ради потомков, пишет историю рода Ричарда Львиное Сердце, выяснил правду о своем рождении и даже имя матери — Афанасия.

Ну и как должен был отреагировать мальчик, прочитав бред сумасшедшего? Многие дети мигом впали бы в агрессию и начали хулиганить, но Юра поступил иначе. Он испугался, что отец таки сдаст «неудачный материал» в интернат, и попытался стать прилежным. Но папа не замечал четверок, которые появились в дневнике у среднего сына, он навсегда внес мальчика в черный список. В тринадцать лет Юра забросил учебу, какой смысл стараться, если отец любит только Глеба? В парне проснулась сексуальность, он закрутил роман с соседкой по даче, та забеременела, и разразился жуткий скандал. От расправы Юру спасла Алевтина Глебовна, Андрей Григорьевич был готов придушить мальчишку.

Несколько лет прошли тихо, Юра снова взялся за учебу, хорошо окончил школу, поступил в институт. Лекции первокурсникам читали разные преподаватели, среди них выделялся профессор Завадский, увлекавшийся генеалогией. Однажды преподаватель обронил фразу, что интеллигентный человек должен знать свои корни, но потом, испугавшись крамолы, быстро поправился:

— В каждой советской семье есть свои герои, — выкрутился Завадский, — порасспрашивайте родителей, пусть они расскажут о своей работе.

Но Юра понял профессора правильно, и ему в голову внезапно пришла простая мысль: он знает имя своей биологической матери, можно найти ее адрес!

Не стоит вдаваться в подробности и рассказывать, каким образом Юрий отыскал маму, имя Афанасия редкое, поэтому с поставленной задачей парень справился легко. Но к матери он не пошел, Юра узнал, что у него есть младший брат-школьник, и решил потолковать с ним.

Игорь был поражен, увидев человека, почти фотографически на него похожего, ребята подружились, но от родителей факт своего знакомства скрыли. И Юра, и Игорь оказались хорошими сыновьями. Они не хотели сталкивать лбами Афанасию и Алевтину, решили поберечь Андрея Григорьевича и Михаила Андреевича, парни не собирались устраивать масштабный скандал и уличать родичей во лжи, они просто ощутили себя братьями и не желали расставаться. Они поняли: семьи, узнав об их дружбе, сделают все, чтобы разбить ее, поэтому Юра с Игорем договорились тщательно соблюдать тайну.

Как-то раз братья отправились в кино, выходя из зала Гарик споткнулся о какую-то железку. Юра не успел подхватить брата, и тот со всего размаха угодил лицом на чугунную батарею, лежавшую на полу: в кинотеатре делали небольшой ремонт.

От боли Игорь потерял сознание, кровь лилась потоком, испуганный администратор вызвал «Скорую», парня отвезли в больницу. Естественно, Юра поехал вместе с братом, он сообщил врачам адрес пострадавшего, а медики неожиданно оперативно позвонили Афанасии. Мать ухитрилась примчаться в приемный покой за считаные минуты. Игорь находился в операционной, Юра сидел в кресле, он не знал, что в больницу спешит Афанасия Константиновна, и был изумлен, когда женщина с криком:

— Гарик! Ты не ранен! — кинулась к нему.

Впрочем, Фася тут же остановилась.

— Меня зовут Юрий, — сказал парень.

— Я знаю, кто ты, — еле слышно ответила биологическая мать.

У Игоря оказался сломан нос, поврежден подбородок и скула. Парню сделали несколько операций, Афанасия подняла на ноги всю Москву, нашла лучших челюстно-лицевых хирургов, и лицо Гарика обрело нормальный вид. Если не знать, что у юноши была травма, ни за что не догадаешься о ювелирной работе медиков. Вот только Игорь начисто потерял сходство с Юрой, он переживал из-за этого, шарахался от зеркала, говорил, что в стекле отражается чужой человек. Один раз Афанасия застала сына в ванной, Игорь держал в одной руке свою фотографию, а во второй бритву.

— Сыночек! — испугалась мать. — Ты что задумал?

— Хочу побриться, — спокойно ответил Игорь, но Фася перепугалась и в тот же день уничтожила в доме все альбомы с фотографиями.

Она велела сыну поменять паспорт, потому что там было фото прежнего Игоря.

Анна остановилась, поправила темные очки и сказала:

— Порой мне кажется, что Господь хороший игрок. Он продумывает партию на десять ходов вперед. Иногда не очень значимое событие превращается в ключевое. Афанасия Константиновна, испугавшись за душевное здоровье Игорька, истребила снимки. Ну что рокового в таком поведении? Многие люди после развода сжигают семейные альбомы или уничтожают фото друзей, ставших врагами. Но теперь мне ясно: тот поступок моей свекрови спас тебе, Даша, жизнь.

— Не понимаю, — растерялась я. — Фася отправила фото Игоря на помойку, и поэтому я не умерла?

Анна кивнула.

— Я не совсем точно выразилась. Ты бы родилась на свет, но спустя короткое время очутилась бы в детдоме, а не на руках у ответственной бабушки. Ты же знаешь, как государство заботится о круглых сиротах, да еще если учесть, что младенец поступил в приют из следственного изолятора!

— Под арестом были вы! — уточнила я. — Но

вы же в начале разговора открестились от нашего родства. И каким образом младенец оказался за решеткой? Что-то не сходится!

— Слушай дальше, — вздохнула Анна, — хотя, поверь, очень трудно кратко изложить те события.

Афанасия Константиновна попыталась пресечь дружбу Игоря и Юрия. Старший брат к тому времени женился на Светлане, дочери известного математика, академика Якова Барабаса.

В доме у Якова царили вольнодумные нравы, на кухне собирались инакомыслящие ученые, откровенно осуждавшие советскую власть и считавшие КГБ машиной для убийств. Подобные разговоры частенько велись тогда в среде научной и творческой интеллигенции, но дальше болтовни дело не шло. Посетовав на цензуру и посотрясав воздух, поэты и писатели разбредались по своим кабинетам и строчили произведения с бодрыми названиями типа «Железный поток», а ученые торопились в лаборатории, где трудились на оборону столь ненавистного им политического строя. Все хотели кушать, иметь квартиры-дачи, спокойно растить детей, а совесть успокаивали беседами. К сожалению, интеллигент — это человек, который частенько, только обсудив план действий, считает, что он уже претворил его в жизнь, и успокаивается до следующего разговора. Социалистическим строем были недовольны многие, но на Красную площадь, протестуя против ввода советских войск в Чехословакию, в 1968 году XX века вышло меньше десяти человек, единицы рисковали открыто бунтовать. Все знали, что ждет диссидентов: в лучшем случае их отправят в лагерь по уголовной статье, в худшем упекут в психушку, откуда выйти здоровым невозможно.

Света с раннего детства слушала разговоры отца и, поступив в институт, приняла решение: она будет активно бороться с советской властью.

Юра попал под влияние жены и привлек к работе Игоря, тот сначала скрывал свое «хобби» от Ани, но после ее неудачной поездки в Чехословакию открылся супруге. Королькова перепугалась, в отличие от Гарика, который был в душе семилетним ребенком, Анечка понимала: нельзя сражаться с государственной машиной. Но всеми делами в «ячейке» заправляла Светлана, а она имела жесткий характер лидера и четкий план действий. Для начала она заставила членов малочисленной организации принести клятву верности, а потом сообщила, что нужно готовить теракт. Светлана решила напасть не больше не меньше как на машину председателя КГБ.

— Обезглавим комитет убийства, — пламенно вещала Барабас, — и о нас заговорят во всем мире. Революции вспыхивали и по меньшим поводам! Первая мировая война началась после того, как Гаврило Принцип убил в Сараево престолонаследника Франца Фердинанда.

— Я не хочу войны, — в ужасе пискнула Аня.

— Народ, стонущий под пятой коммунистов, начнет революцию, — безапелляционно заявила Света, — я в этом совершенно уверена! Наши имена войдут в историю! Мы освободим Россию, сделаем ее великой!

Игорь и Юра с восторгом кивали в такт словам экзальтированной девицы, а Анечка тряслась от ужаса, проклиная тот день и час, когда братья встретились.

— Нам нужны деньги! — заявила Света. — Их понадобится много на подкуп людей, на создание бомбы...

— Где их взять? — пригорюнился Юра.

Но у Светы были готовы ответы на все вопросы.

— Аня с Гариком работают в музее, пусть пошарят в запасниках, вынесут тайком экспонаты.

— Ой, нет, — замахала руками Королькова, — я не хочу воровать!

— Мы беремся, — живо перебил жену Игорь.

— Нас поймают, — Аня попыталась образумить супруга, но Гарик жаждал поиграть в приключения, он не понимал, в какую авантюру лезет и *что* в случае провала грозит не только ему с Анечкой, но и отцу с матерью.

Аня без памяти обожала мужа, поэтому согласилась выполнять план Светы. Ворам везло, они вытащили из хранилища большое количество ценных вещей, передали Юре, он спрятал их в укромном месте. Несколько раритетов Аня сумела продать, и группа обзавелась деньгами.

В самый разгар подпольной деятельности Аня поняла, что беременна, и категорично заявила Свете:

— Все! Я выхожу из игры.

— От обязательств освобождает только смерть! Помнишь нашу клятву? — спросила фанатичка.

— Я беременна, — объявила Королькова, — и не хочу рисковать судьбой своего ребенка!

— Я тоже скоро буду с пузом, — заявила Барабас, — но это не повод для отказа от высшей цели! Мы так долго готовились! Искали деньги! Выучили особый язык!

Анна закашлялась.

— Особый язык? — спросила я. — Это что такое?

Королькова сложила руки на столе.

— Светлана повторяла, что любой подпольщик должен готовиться к аресту. Она придумала систему жестов, нечто похожее на азбуку глухонемых, говорила нам: «Если нам устроят очную ставку, мы сумеем договориться, а следователи ничего не поймут!» Я, кстати, до сих пор помню, что почесывание уха означает «Я вру, подхватывай ложь», а палец, приложенный к правому виску: «Молчи, не говори ни слова, даже если тебя обещают убить».

— Жестоко, — вздохнула я.

— Света была железная, — горько сказала Анна. — Ее бы энергию да в мирных целях! Она не уставала восклицать: «Если нас схватят, молчите. Не произносите ни слова, даже не отвечайте на вопрос об имени. Разинете один раз рот и пропали. Следователи умеют раскручивать арестованных, скажете «а», они захотят услышать «б». А когда во всем покаетесь, тут же выведут во двор и расстреляют! Единственный способ остаться в живых — прикусить язык, того, кто не болтлив, оставят в живых до тех пор, пока не вытрясут правду».

Глава 33

Узнав от Светланы, что та тоже скоро станет матерью, причем по срокам жены братьев должны были рожать чуть ли не в один день, Аня несказанно обрадовалась.

— Здорово, — едва не запрыгала она на одной ножке, — давай отложим революцию!

— Наоборот! — стукнула кулаком по столу Барабас. — Мой ребенок должен появиться на свет в свободной стране.

Но в Анечке, мягкой, податливой, страстно любящей Игоря, проснулся материнский инстинкт, предписывающий защищать дитя.

— На нас не рассчитывай! — заявила она и помчалась к свекрови.

Афанасия Константиновна чуть не скончалась, узнав от невестки правду. В две минуты она подхватилась и улетела из дома.

Поздно вечером Фася прибежала к молодым на квартиру и в сердцах воскликнула:

— Идиоты! Разве вы не поняли, что Светлана страшный человек?

— Она сумасшедшая! — подхватила Аня.

— Хуже, — выдохнула Афанасия, — настоящая фанатичка, готовая сгореть на костре! На Барабас не подействовали никакие аргументы! Но есть и хорошая новость!

— Говори скорей, — взмолилась Аня.

— Слава богу, жена Юрия не привлекла к организации теракта посторонних, — зашептала Фася, — в деле только вы, четверо дураков! Значит, так. Прекращаете общение с Юрием, ходите только на работу, никакой беготни в кино или выездов с приятелями на пикник. Сидите тихо, и лучше бы вам осторожно вернуть на место украденное!

— Часть вещей уже продана! — всхлипнула Аня.

Афанасия попыталась сохранить самообладание.

— Что сделано, то сделано. Я сейчас активизирую все свои связи, найду вам работу в Ленинграде, а еще лучше в Киеве или Минске. Уедете туда на пару лет, авось все обойдется. Светлана родит ребенка и успокоится, главное сейчас — не высовываться.

— Конечно, — закивала Аня, — мы даже дышать через раз будем.

Игорь просто кивнул, его тоже стала пугать гиперактивность Светланы, а после беседы с матерью он впервые задал себе вопрос: что будет, если покушение не удастся и террористов поймают?

Афанасия начала спешно организовывать отъезд детей. Когда почти все было готово и даже нашлась хорошая трехкомнатная квартира в Киеве, которую поменяли на московскую однушку, Анну и Игоря арестовали.

Очень часто мы даже не предполагаем, на что способны близкие люди, живущие с нами много лет бок о бок, а потом попадаем в экстремальную ситуацию и понимаем, что совсем не знали того, кто казался вдоль и поперек изученным. Но порой и сам человек не способен осознать свои собственные возможности.

Тихая, не конфликтная, податливая Анечка проявила мужество, которому мог бы позавидовать Муций Сцевола[1]. Едва следователь начал задавать вопросы, как Королькова вспомнила приказ Светланы, предписывающий молчать, и не произнесла ни слова. Анечка сообразила: фанатичка была абсолютно права, если рассказать, где спрятаны ценности, сотрудницу музея просто расстреляют, она жива, пока держит рот на замке. Желание благополучно выносить, а потом воспитать ребенка пробудило в Ане невероятное мужество, она не вымолвила ни звука, сидела на стуле, опустив глаза. Что пришлось ей вытерпеть, лучше не описывать, но Аня с радостью констатировала: на допросах следователь не спрашивал ни о Светлане, ни об Юре, ни о теракте, речь шла только о музейной краже и о тех зарубежных коллекционерах, с которыми Королькова была связана. Значит, Игоря с Анечкой взяли как воров, а не как политических преступников, в КГБ они попали потому, что объем ущерба очень велик и в деле явно просматривается связь с заграницей. Аня понимала, если чекисты до сих пор не докопались до истории со взрывом, значит, Игорь тоже держится.

Потом наступил черный день. Следователь Панин показал арестованной клочок бумаги и сказал:

— Ваш муж покончил с собой, вот письмо.

Аня прочитала текст, но никак не отреагировала.

---

[1] Гай Муций Сцевола — по преданию, дабы показать врагам презрение к боли, сунул свою руку в огонь и, не моргнув глазом, держал ее в пламени.

— Чей заказ вы выполняли? — наседал Панин. — Кто велел ограбить хранилище?

Королькова молчала, она понимала, что Игорь, решив уйти из жизни, попытался увести Панина как можно дальше от истины, так раненая лиса убегает от норы с детенышами в надежде, что охотники не тронут ее щенят. Отчего-то в среде следственных работников бытует мнение, что перед кончиной человек не станет врать, непременно напишет или скажет правду. Но находятся люди, которые будут лгать и на краю могилы. Инфантильный Игорь неожиданно показал себя настоящим мужчиной, он понял, что не способен терпеть допросы, может сломаться, и принял решение уйти из жизни. Но еще он хотел дать шанс на спасение жене и нерожденному ребенку, поэтому взял всю вину на себя, придумав мифического высокопоставленного коллекционера из среды высших советских чиновников.

Расчет Игоря оправдался на сто процентов. Следователь ни на минуту не усомнился, что Анна полностью в курсе дела, но Панин принял версию о таинственном заказчике и пытался вытащить из Корольковой его имя. Одновременно он вел беседы с Афанасией. Владимир Олегович, мастер спорта по хитрости, не скрыл от Корольковой факт общения с ее свекровью, повторяя:

— Тебя, конечно, не отпустят, но зачем ребенку мучиться в детдоме? Сообщи, кто заказчик, и мы отдадим новорожденного бабушке, он не попадет в приют, поверь, там ужасные условия! Игоря уже нет, а тебе за чистосердечное признание скостят срок, отсидишь и выйдешь с чистой совестью. А вот если будешь изображать немую, дело плохо кончится, получишь вышку, а малыш попадет в ад.

Но Аня не сомневалась, следователю нужно вернуть ценности, тайна их местонахождения — гарантия ее жизни и еще не рожденного малыша. Поэтому Королькова только сильнее сжала зубы.

За пару недель до родов в камеру к Корольковой неожиданно подсадили напарницу. Когда дверь распахнулась и охранник втолкнул в помещение толстую женщину, Аня уставилась глазами в пол, но мигом поняла: ох, не зря ей подсунули «подругу», скорей всего, это сотрудница КГБ, перед которой поставлена задача разговорить упорно молчавшую арестантку.

— Мы с тобой видимся впервые, — вдруг хорошо знакомым голосом сказала соседка, — давай познакомимся.

Аня подняла взгляд и увидела... Светлану, которая сделала ей условный знак, означавший «молчи».

— Я Света, — улыбнулась Барабас, — нас посадили в одну камеру, потому что мы обе беременны. А как тебя зовут?

Аня молчала.

— Ладно, — кивнула Света, — за что сидишь?

Королькова не проронила ни звука.

— А я политическая преступница, — заговорщицки заявила Барабас, вновь жестами говоря: «молчи, только молчи», — мой муж Юрий хотел совершить теракт. Он собрал бомбу и понес ее к месту предполагаемого взрыва, но что-то пошло не так и механизм сработал на автобусной остановке. Юрия убило сразу, вместе с ним погибло много ни в чем не повинных людей. Я очень сожалею о том, что придумал мой муж, и о том, что невольно ему помогала.

Свет в камере не выключался ни днем, ни ночью, прослушивание тоже велось круглосуточно, но систему видеонаблюдения тогда еще не придумали, и ночью Света бесшумно перебралась на матрас к Анне. Девушки получили возможность поговорить, они шептали друг другу в ухо, боясь пошевелиться.

Света рассказала правду. Юрий действительно погиб от случайно взорвавшейся бомбы, к сожалению, он отправился на тот свет, прихватив с собой более десяти случайных прохожих. Теракт, направленный против руководства КГБ, не состоялся, получилось убийство ни в чем не повинных граждан. К Свете пришли с обыском, обнаружили на кухне следы взрывчатых веществ и повязали жену террориста.

Куда только подевался ярый фанатизм Барабас! По идее, в момент ареста ей надо было выкрикивать антикоммунистические лозунги, а в кабинете следователя гордо заявить: «Это я идейный вдохновитель акции».

Но Света мышкой шмыгнула в «воронок», а в кабинете у следователя залилась слезами и залепетала:

— Я ничего не знаю! Муж меня просил только покупать в аптеке всякие лекарства! Про бомбу я услышала от вас.

Желание Барабас выпутаться из истории было настолько очевидным, что Панин, который вел и это дело, решил использовать Светлану в качестве подсадной «утки».

— Разговоришь Анну Королькову, выяснишь,

где спрятаны ценности, тебе скостят срок, — пообещал он Светлане.

Барабас моментально согласилась, заходя в камеру, она знала, что увидит жену Игоря, и была готова к встрече.

— Нам повезло, — шептала Света, — есть шанс спастись! Панин не знает, что Игорь и Юрий братья. Хорошо, что Гарик в свое время разбил лицо, а Афанасия уничтожила снимки, где он похож на брата как две капли воды. Сходство парней могло навести следователя на ненужные мысли, а теперь он и не подозревает о нашем родстве и дружбе. Если я сумею убедить Панина, что всего лишь служила у Юры на посылках, есть шанс выбраться отсюда. Главное, ты молчи! Не открывай рта! Не дай бог докопаются, что была группа из четырех человек и ты продала часть краденого, желая обеспечить теракт, тогда нам конец! Одно дело, дура-жена, по глупости покупающая мужу реактивы, и совсем другое — член организации, планировавшей убить одного из первых лиц государства. Юра сумасшедший, а я идиотка! И это все! Молчи, если хочешь когда-нибудь оказаться на свободе, и помни, от тебя зависит не только наша судьба, но и жизнь двух детей.

Анна примолкла, я поежилась.

— И вы не сказали ни слова? Неужели не поняли, что, упрашивая вас молчать, Светлана в первую очередь спасала себя?

Королькова подняла правую бровь.

— У меня была альтернатива? Я осознала подлость Светланы. Сначала она втянула всех в скверную историю, изображала из себя пламенную революционерку. А когда ей прищемили хвост, Барабас испугалась, свалила вину на не способного оправдаться мертвого мужа и попыталась выйти сухой из воды. С тех пор я сторонюсь людей, которые страстно отстаивают свои идеалы и призывают других на баррикады. Как правило, подобные вожди мигом забиваются под стол, когда вспыхивают спровоцированные ими революции или войны. Но в одном Светлана оказалась права. Нам реально повезло, Панин не установил связи между Игорем и Юрием, два дела велись параллельно, их не объединили в одно. Случись иначе, сейчас бы я тут не сидела.

— Вашей стойкости можно позавидовать! — воскликнула я.

Анна пожала плечами.

— Жить захочешь, не тому научишься. Слушай дальше.

Рожали Аня и Света почти одновременно. Первой в санизолятор отвели Аню, а через полтора часа рядом очутилась Светлана. Помогала женщинам одна акушерка, она ходила между кроватями и монотонно говорила:

— Тужьтесь, я за вас работать не стану.

Докторша использовала любой момент, чтобы уйти покурить, и в конце концов, тщательно заперев комнату снаружи, исчезла на длительное время. Женщины сами родили. Ребенок Барабас сразу начал кричать, а девочка Ани лежала без дыхания. Света тоже не подавала признаков жизни. Королькова с огромным трудом сползла с койки, глянула на жену брата, которая, казалось, лежала без чувств, взяла на руки ее негодующего младенца, вернулась на свою кровать, и тут в санизолятор вошла акушерка.

— Что здесь происходит? — заорала она, кидаясь к Светлане.

Аня молчала, на этот раз неосознанно, у нее от боли, страха и горя пропал голос.

Очевидно, акушерка испугалась, она явно нарушила инструкцию, оставив рожениц одних, и теперь опасалась последствий.

— Говорят, ты немая? — прошептала она на ухо Ане.

Королькова покрепче прижала к себе девочку Светы.

— Твоя новорожденная? — скривилась акушерка, тыча пальцем в орущего младенца.

Аня осторожно кивнула.

— А мертвый как у тебя на постели очутился? — понизив голос до минимума, осведомилась безответственная докторша.

Королькова отвернулась, акушерка живо положила трупик в ноги к Барабас и вызвала охранника. Спустя час Анну увели в камеру, новорожденная отправилась вместе с матерью. Куда дели трупы Светы и младенца, Королькова не знает.

Я уронила на стол чашку, но она не разбилась, осталась целой.

— Осторожнее, — сказала Анна, — официантка потребует оплатить посуду.

— Вы забрали дочь Светланы и Юрия, — потрясенно сказала я. — Зачем?

Анна снова поправила очки.

— В тот момент я плохо себя контролировала, но поняла, что мой ребенок мертв, даже не посмотрев на девочку, нутром почуяла: та не живая. А младенец Светланы орал здоровым криком. Барабас не шевелилась, я слезла посмотреть, что с ней, и взяла малышку, чтобы та успокоилась. Вся перемазалась в крови, от девочки тянулась пуповина, на другом ее конце что-то болталось, страшное, непонятное, я в ужасе отошла от Светы, прижав к груди малышку. Была словно в обмороке, в голове билась одна мысль: как странно у нас получилось: у меня мертвая девочка, а у Светы живая, но сама Барабас скончалась.

Аня не помнила, как оказалась в камере, она заснула, а когда очнулась, сначала покормила хныкающую девочку, а потом призадумалась: что делать? Попроситься на допрос и рассказать о случайной подмене новорожденных? Но Панин почти уверился в том, что Аня тронулась умом, он вот-вот отправит ее под наблюдение психиатров, нельзя в такой ситуации обрести речь.

И Королькова сохранила тайну. Из всех участников группы террористов осталась в живых лишь Аня. Владимир Олегович считал Королькову воровкой музейных ценностей, он никак не привязывал ее к Барабас. Акушерка, боясь взыскания, скрыла, что подследственные оказались в момент родов предоставлены самим себе. Похоже, докторша сообразила, что живой младенец — ребенок Барабас, но смолчала, потому что не могла признаться в нарушении служебной инструкции. Анну осудят или, что вероятнее, отправят в психушку, ребенок попадет в дом малютки. Пусть уж девочка отправится в приют, как дочь воровки, а не как ребенок политических преступников. Может, ее жизнь от этого станет чуть лучше? Все-таки новорожденная была не совсем чужой Анне, она племянница Игоря.

После того как Аня попала в психиатрическую лечебницу, ее жизнь стала чуть легче. Корольковой пришлось вытерпеть мучительный курс лечения, но все ж сумасшедший дом не тюрьма, Анна была не «политической», ее считали воровкой, но даже к тем, кто украл госсобственность, относились намного лояльнее, чем к диссидентам. У Корольковой появилась подруга среди медсестер, и вдова Игоря умудрилась не только выжить, но и выйти на свободу, в конце концов врачи признали ее неопасной.

Глава 34

Оказавшись на воле, Анна не потеряла бдительности, она понимала, что за ней могут присматривать, поэтому устроилась на скромную работу, получила сначала место в общежитии, потом десять метров в коммуналке, родила дочь Марину и зажила тихо, предпочитая лишний раз не высовываться.

Королькова знала, что Афанасия Константиновна жива и воспитывает дочь Юрия и Светы. Но встречаться со свекровью Аня не хотела, на то было несколько причин. Во-первых, Королькова похоронила прошлое, во-вторых, не желала неприятностей бывшей свекрови, а в-третьих... Никакими визитами к Афанасии Игоря не вернуть, лучше его забыть.

— Эй, погодите, — отмерла я, — вы сказали, Фася знала, кто мои родители?

— Да, — кивнула Аня.

— Но кто мог рассказать ей правду об этом? Только вы! Значит, вы врете о том, что не встречались!

Королькова поморщилась.

— Грубое заявление, но простительное, учитывая ваше нервное напряжение. Девочка, Афанасия была очень умной, к тому же профессионально иг рала в карты, а профессия врача приучила ее не теряться в нестандартных ситуациях. Да, мы виделись, но это произошло в сумасшедшем доме и было спектаклем, поставленным по сценарию следователя Панина. Успокойся, сейчас все объясню.

Жизнь в психиатрической клинике подчинялась жесткому, никогда не нарушаемому распорядку. Но как-то раз Аню совершенно неожиданно отвели в комнату в административном корпусе. Когда Королькова переступила порог, в помещении уже находились Афанасия Константиновна и маленькая девочка по виду лет трех. Свекровь постарела, но выглядела бодро.

— Здравствуй, Анечка, — ласково сказала она.

Невестка застыла на месте, не понимая, чем ей грозит этот визит.

— Это Дашенька, — продолжала Фася, — твоя доченька, мне разрешили ее воспитывать, более того, у нее в метрике нет имен настоящих родителей. Понимаешь?

Анна стояла как истукан, пройдя следственный изолятор, она великолепно знала о прослушках, поэтому никак не реагировала на щебет свекрови.

— Тяжело поднимать ребенка, — нервно сказала Афанасия. — Дашу надо одевать, кормить, у меня с возрастом зрение падает, скоро не смогу стоять у зубоврачебного кресла. Миша перенес несколько инфарктов, боюсь, ему недолго жить осталось. Мы с Дашенькой можем стать нищими. Вот я и решилась на отчаянный шаг: пришла сюда тайком, заплатила за наше с тобой незаконное свидание, чтобы попросить: скажи мне, где спрятаны раритеты? Ради Дашеньки, открой секрет!

Продолжая упрашивать невестку, свекровь одной рукой чуть приподняла свою блузу, и Аня увидела черную нашлепку и пару проводков. Королькова кивнула, Афанасия продолжала уговоры. И тут Аня протянула руку.

— Ты хочешь обнять дочку? — тут же спросила Фася. — Ну, конечно, не стесняйся.

Но Королькова не стала прижимать к себе ребенка, она провела пальцем по родинке, которая была над верхней губой малютки, а потом указала на ее подбородок с ямочкой.

— Дашенька очень похожа на маму и папу, — тут же заявила свекровь. — Но и от нас много взяла. Родинка, как у дедушки, только ему ее давно убрали, и подбородок его, ямочка-то по наследству переходит. Ты не волнуйся, я ей отметину над ротиком потом уберу, но на операцию тоже нужны деньги.

Афанасия снова принялась исполнять написанную Паниным роль, Анна испытала невероятное облегчение. Дедушка — отчим Игоря, он никак не мог передать внучке никаких своих особенностей. Да и не было у него никаких родинок. А вот у Юрия была. Фася давно поняла истину, она не знала, каким образом дочь Светы попала в руки Ани, не владела информацией о том, куда подевался ребенок Игоря, но то, что Дашин отец не Гарик, а Юра, из-за отметины сообразила сразу. А может, Михаил, благодаря своим связям, узнал про мертвую девочку, которая появилась у Барабас? Мы никогда не выясним все детали, но главное известно: бабушка знала, чей ребенок у нее в руках, и изо всех сил пыталась скрыть от внучки правду о ее происхождении. И слава богу, Панин не обратил внимания на слова Афанасии про «родинку дедушки», не вспомнил, что Михаил Игорю не родной по крови.

— Теперь понятно, почему у бабули не было никаких фотографий моих родителей, — прошептала я.

Анна кивнула.

— И она удалила с твоего лица родинку!

Я пощупала кожу над верхней губой.

— Даже следа не осталось! Кажется, мне было лет шесть, когда бабушка отвела меня в клинику. Операцию сделали до моего поступления в первый класс, в школу я пришла без родинки.

— Я неоднократно говорила, Афанасия Константиновна была очень умна, — повторила Анна.

— И вы не поддерживали с ней отношений после того, как вышли из больницы?

— Нет! — сухо ответила Анна.

— Но почему вы сбежали от Марины? Где живете сейчас?

Королькова откашлялась.

— Марина! Вот уж наградил меня Господь дочерью! Она запойная пьяница, потеряла все чувства, кроме одного: любви к бутылке. Я ей мешала, запрещала наливаться водкой, уговаривала лечиться у нарколога... И в один день она меня задумала убить, толкнула под автобус, но Господь спас! Как я могла вернуться домой? После операции была слаба, некоторое время передвигалась на костылях, а дочь физически здоровый человек, придушит мать подушкой — и мне каюк.

— И где вы прятались?

Анна растянула в улыбке губы.

— Я тоже не дура! Марина-то один раз в больницу заявилась, на удивление трезвая. Давай хвостом мести: «Мамочка, что же ты так неосторожно», целоваться полезла, проверяла, как у меня с головой! А я глазами захлопала, забормотала:

— Простите, милая, вы кто? Не припоминаю! Наверное, вы перепутали, у меня сын! Дочерей бог не дал!

— Значит, вы симулировали амнезию, — подытожила я.

— Пришлось, — кивнула Анна.

— Вот как алкоголичка получила возможность провернуть аферу с пенсией! — воскликнула я. — Паспорт-то остался дома, ваше имя с фамилией назвала врачам «Скорой» соседка Раиса, и ясно теперь, отчего Марина пребывает в уверенности, что мать не вернется. Документов нет, у старухи амнезия, ее отправят в муниципальный дом престарелых. Пока государство разберется, кто такая Королькова, пройдет немало времени. А может, мать сгинет в приюте.

— Ни о чем она не думала, — вмешалась Анна, — просто хотела денег зацапать и радовалась, что я пропала.

— Открытку Раисе о жизни в санатории вы отправили?

— Да, — кивнула Королькова.

— Зачем?

— Не хотела, чтобы она начала меня искать, полагала, что Рая увидит письмо и успокоится.

— Но вы совершили ошибку! Если написали весточку, значит, не больны амнезией! Помните о Раисе!

— Возможно, ты права, — равнодушно сказала Аня, — но этого никто не заметил.

— Люди в штатском, которые много лет назад приезжали в Дураково-Бабкино и по воспоминаниям соседки Стефановых, бабы Веры, перерыли весь их участок, были сотрудниками КГБ. Они искали какие-то материалы по делу Юрия или оружие, — протянула я.

Анна пожала плечами.

— Очевидно. Стандартная процедура после ареста — обыск в доме и на даче. Но я об этом ничего не знаю!

— Леня умер в припадке эпилепсии, Андрей Григорьевич скончался от инфаркта, когда узнал о том, что натворил Юрий, Глеб спился. Вас не расстраивает судьба Стефановых? — поинтересовалась я.

Анна отрезала.

— Нет!

— Но вы помогаете Алевтине Глебовне! Представились медсестре ее дочерью, тратите на безумную старуху немалые деньги!

Королькова опустила уголки губ.

— Это не имеет отношения к теме нашей беседы. Ты хотела отыскать свою мать, Анну Королькову. Я уважаю твое желание и пошла на определенный риск, чтобы сказать: ты дочь Светланы Барабас и Юрия, старшего сына Афанасии, отданного ею на воспитание в семью Стефановых. Все. Конец. Нам больше нечего обсуждать! Что же касаемо Алевтины Глебовны... Считай, что я, заботясь о ней, пытаюсь купить себе место в раю!

— Но откуда вы узнали, что приемная мать Юрия жива? — пыталась я утолить любопытство. —

Кто такой Лев? Где вы сейчас живете? Под какой фамилией? Зачем продали бокал? Знаете его истинную стоимость? Где музейные ценности? Откуда Водоносов узнал о вашем деле?

— Девочка, ты становишься назойливой, — прохрипела Королькова, — узнала про свою мать и до свиданья! Я рассказала правду из хорошего к тебе отношения, не заставляй меня жалеть об этом!

Анна резко встала и уронила со стола ложку, я наклонилась, чтобы ее поднять, и увидела ноги старухи, обутые в практичные сапожки на устойчивой каучуковой подошве, на левом мыске виднелось небольшое темно-красное пятнышко, едва различимое на велюре. Я выпрямилась и, сжимая ложечку в руке, стала неотрывно наблюдать, как полная дама бойко семенит к двери. Вот она вышла на улицу, мелькнула за широким окном кафе и смешалась с толпой.

— Хотите расплатиться? — спросила официантка.

Я перевела взгляд на девушку и растерянно сказала:

— Это невозможно!

— У вас нет денег? — занервничала та.

— Нет-нет, — опомнилась я, — несите счет!

Домой я вернулась в шоке. Я нашла Анну Королькову, но она мне не кровная родственница. Моей мамой оказалась Светлана Барабас, значит, я внучка Якова, академика, работавшего на оборону. Похоже, на мне природа отдохнула, я с трудом выучила таблицу умножения и так и не освоила дроби. До сих пор не могу понять, почему пример 0,5 : 0,5 имеет ответ: единица? Ну как может получиться один, если мы делим одну половину на другую? Это еще более загадочно, чем существование снежного человека!

Я потрясла головой и решительно сказала сама себе:

— Ну, хватит, надо отдохнуть. Завтра подумаю над проблемой!

Читать не хотелось, на глаза попался купленный недавно на «Горбушке», но так и не просмотренный диск «Подвалы Лубянки».

Я включила видеоплеер, легла на кровать и стала одним глазом смотреть на экран. Ничего нового в ленте не было, обо всем я уже слышала раньше, мне стало скучно, рука потянулась к пульту, но тут внезапно камера продемонстрировала знакомый предмет, а голос за кадром сказал:

— В советские годы было много абсурдного. Сотрудники КГБ часто не рассказывали о месте своей работы родным, тщательно соблюдали тайну. Но чекисты получали продовольственные заказы, и посмотрите на это!

Я уставилась на экран, сон пропал, словно его и не было. Я нашла деталь, которая явилась последним куском пазла, сейчас он собрался весь!

Я сбегала в гардеробную, потом вошла в спальню Дегтярева и, держа в руках железную коробку из-под конфет, некогда подаренных мне на Восьмое марта Фимой Пузиковым, сказала:

— Мне очень нужен твой совет!

— Ну тогда понятно, — откликнулся полковник.

— Что? — удивилась я.

Александр Михайлович, продолжая сидеть в уютном кресле, положил ноги на пуфик.

— Завтра обещают тридцатиградусный мороз,

за ночь температура резко упадет. Я все удивлялся, от чего такой катаклизм! Но сейчас появилась ясность: тебе нужен мой совет, и природа потрясена. Мой! Совет! Тебе?!!

Я плюхнулась на диван.

— Слушай и не перебивай!

Когда мой рассказ завершился, часы показывали три ночи. Александр Михайлович некоторое время сидел молча, потом сказал:

— Здесь нельзя действовать с бухты-барахты.

— Понимаю, — кивнула я.

— Мне придется кое-что уточнить!

— Естественно.

— Водоносов скончался, Анна, откровенно поговорив с тобой, полагает, что ты успокоилась, — протянул Дегтярев. — Королькову взбудоражил твой визит к Алевтине Глебовне. Значит, ты уверена, что таинственный Лев, бородатый художник, убил Равилю Ахметшину, которая изображала Королькову?

Я кивнула.

— Конечно. Я сразу поняла, что в Дураково-Бабкино проживает не Анна. Достаточно было поговорить с людьми. «Королькова» соблюдала мусульманский пост, не прикасалась к конфетам, она курила, не увлекалась рисованием. Не буду повторяться. Лев убил Равилю и взял ее мобильный. Эта история началась очень давно, а завершается сейчас!

— Ладно, теперь сиди дома! — приказал Дегтярев.

Несколько дней я послушно выполняла приказ полковника, не высовывалась за ворота поселка, даже не ездила на станцию за газетами. В понедельник Александр Михайлович неожиданно вернулся домой очень рано, велел мне подняться в свой кабинет и сказал:

— Не имей сто рублей, а имей сто друзей. Я знаю почти полную картину случившегося. Ты была права! Слушай, что я разузнал.

Сергей Петрович Водоносов длительное время работал в КГБ. Как все сотрудники, он получал так называемый социальный пакет, в частности покупал в буфете на работе продукты, которые не появлялись на прилавках города: иностранные шоколадные конфеты, сырокопченую колбасу, икру. Сергей Петрович с юных лет хотел жить красиво, на службу в комитет он рвался не потому, что собирался охранять государство от врагов, а из чисто корыстных побуждений. Человека, который имел удостоверение сотрудника КГБ, все побаивались, ему всегда шли навстречу, комитетчики обеспечивались хорошими квартирами, имели возможность получать машины вне очереди, ездили отдыхать на море в комфортабельные ведомственные санатории, и оклады у них были значительно выше, чем у простых людей.

Водоносов мечтал об очень крупных денежных суммах, но жадность у Сергея Петровича соединялась с осторожностью. Он знал, что некоторые из его коллег берут взятки, но сам никогда не шел на нарушение закона, понимал: комитетчика, пойманного на махинациях, накажут крайне сурово.

Каким образом Водоносов услышал про давнее дело о краже музейных ценностей, мы не узнаем никогда. Сергей унес эту тайну на тот свет. Зато великолепно знаем другое — Водоносов сообразил:

вот он, его шанс разбогатеть, надо только найти тайник. И Сергей Петрович затеял собственную операцию.

В помощники Сергей привлек Льва Катасонова, сироту, отсидевшего небольшой срок за фарцовку, весьма привлекательного внешне парня.

Водоносов встретился с отобранным кандидатом и сделал ему заманчивое предложение: Льву помогут поступить в институт, где обучают иностранным языкам. Его задача подружиться со своей будущей сокурсницей Дашей Васильевой, втереться к ней в дом, очаровать ее бабушку. Еще лучше сделать Дарью своей любовницей и попытаться выяснить, где находится тайник с раритетами из музея. Параллельно нужно приглядывать за Анной Корольковой.

— Уверен, что Афанасия точно знает, где зарыты ценности, — говорил Водоносов, — бабка воспитывает дочь Анны. Королькова после лечения в психушке явно не в себе, из такой клиники никто нормальным не выходит. Но я в курсе, что следователь Панин устраивал бабам свидание. Анна тупо молчала, но ведь могла и на пальцах показать? Нет, Королькова не оставила бы дочь нищей! Они не общаются, значит, Анна спокойна за будущее ребенка!

— Как же я поступлю в вуз? — растерялся Лев. — Кстати, приемные экзамены уже начались!

— Откуда я, по-твоему, знаю, куда отнесла документы Дарья? — хмыкнул Водоносов. — Если б она их не подала? Не дрейфь, зачисление в вуз моя проблема! У тебя будут другие имя и фамилия. Ты лучше подумай, сколько денег мы в результате огребем, а ты еще и диплом получишь.

Глава 35

Лев проник в студенческую среду, подружился с Дарьей, но дальше дружбы у молодых людей дело не пошло. Катасонов старался изо всех сил, но сокурсница не проявляла к нему повышенного интереса. Васильева полагала, что парень в нее влюблен, помогала Льву сдавать экзамены и сессии, но замуж вышла за другого. Никаких тайн Лев не разведал, он лишь выяснил, что Афанасия страстная картежница и, если ей удается выиграть, они с внучкой шикуют.

— Нет, — усомнился Водоносов, услышав про покер. — Карты — это прикрытие. Бабка продает ценности, работай лучше. Оставь Анну, похоже, она пустой номер, живет на копейки, сосредоточься на Даше, через нее подбирайся к Афанасии! Не потянет же бабка ценности на тот свет, оставит любимой внученьке.

Но Лев так и не добился успеха. В конце концов Водоносов сдался, а Катасонов остался в приятельских отношениях с ничего не подозревавшей о краже Дашей Васильевой.

Шли годы, случилась перестройка, революция, пришел капитализм. Даша отправилась с детьми в Париж и неожиданно разбогатела[1].

---

[1] См. книгу Дарьи Донцовой «Крутые наследнички», издательство «Эксмо».

И тут у Льва зашевелилась мысль: а что, если Водоносов был прав? Откуда у его старинной приятельницы такие деньги? Ей оставили наследство? Не смешите! Вероятно, Афанасия перед смертью сообщила внучке тайну, а Даша сочла поездку в Париж подходящим моментом для обнародования богатства. Нынче за деньги можно купить все, включая и бумаги о наследстве.

И Катасонов начал действовать.

Лев тщательно следил и за Анной, и за Дарьей. Когда Королькова после падения под автобус попала в больницу, Катасонов узнал, что старуха от травмы потеряла память, и решил использовать этот шанс. Он примчался в клинику, представился сыном Анны, оплатил дорогостоящую операцию, а потом забрал пожилую даму к себе. Доктор был уверен, что Королькова не помнит прошлое, и Лева нежно заботился о старушке, постоянно говоря ей:

— Мама, все будет хорошо. Когда-нибудь ты вспомнишь и меня, и свою биографию.

Чтобы никто, ни Марина, ни Водоносов, не нашел Королькову, Лев сделал для нее документы на другое имя. А потом он договорился с Ахметшиной, Равиля, пострадавшая от рук зятя-пьяницы, согласилась отправиться в Дураково-Бабкино и жить там под именем Корольковой.

— Стоп, стоп, — замахала я руками, — но каким образом Равиля попала на бывшую дачу Стефановых? Никто ведь не связывал с Корольковой Андрея Григорьевича, которого моя бабуля называла Ричард Львиные ноги!

Дегтярев усмехнулся:

— Ты прекрасно знаешь, что Равилю в это Дураково-Бабкино отвез Лев. Когда он взял к себе

Королькову, то неожиданно привязался к ней, она тоже прониклась к нему симпатией, он ведь спас ее от жуткой жизни с дочерью-пьяницей, заботился о ней. И она ему открылась, рассказала все о себе, Игоре, Юре и Свете. Анна призналась, что не знает, где сокровища. Лев предположил, что Юрий, которому Игорь их отдал, спрятал их на своей даче.

— У меня вопрос, — остановила я полковника, — если следствие не знало о родстве Юрия и Игоря и не связало их дело в одно, то почему столь тщательно обыскивали дачу и участок Стефановых?

— Это обычная практика. Если человек арестован, тем более по политическим мотивам, то обыски и в его квартите и на даче — обязательные мероприятия следствия. Сотрудники органов искали остатки материалов, из которых Юрий изготовил бомбу, документы, запрещенные книги... Теперь о Равиле. Лев предложил ей изображать из себя Анну Королькову, но у него имелся еще один расчет. Он до сих пор не знал, где спрятаны украденные из музея ценности. В свое время Лев приехал в Дураково-Бабкино, познакомился с алкоголиком Глебом и узнал, что изба до сих пор принадлежит все еще живой Алевтине Глебовне. Но вдова Стефанова окончательно выжила из ума, она не помнит, кто такой Глеб, забыла свое имя и, конечно же, не помнит о старой даче.

Лев пообещал Глебу небольшую сумму денег, за них маргинал обязывался сообщать благодетелю о людях, которые могут приехать в Дураково-Бабкино. Катасонов не исключал возможности, что тайник находится в селе. Несколько раз Лев тайком встречался с алкоголиком, передавал ему «зарплату» и выяснял, что гости не появлялись. Узнав о смерти пьянчуги, Катасонов расстроился: дом и участок оставались без присмотра. Но потом Лев поселил там Равилю. Она должна была не только притворяться Корольковой, но и следить: не захочет ли кто пошарить вокруг ее избушки? Почему «художник» не боялся, что лже-Анну вычислят? А кто мог заявить права на избу? Алевтина Глебовна? Она забыла о доме, а те, кто за ней ухаживал, не знали про дачу. В Дураково-Бабкино нынче кукуют одни старики, им документы о покупке участка показывать не надо. Повторяю, после кончины пьяницы дом некоторое время стоял пустым, а потом в нем поселилась Равиля, которую Льву пришлось убить, когда ты слишком активно начала докапываться до правды. Лев хотел, чтобы ты узнала: Королькова умерла, и прекратила поиски своей матери. Ничего особенного, дама была пожилой, естественный конец! Ясно?

Я схватила Дегтярева за плечо.

— Но Анна не впадала в амнезию! Женщина, которая убедила следователя Панина в своей ненормальности, могла обмануть и доктора в больнице!

Дегтярев со вкусом чихнул.

— Думаю, Панина она не обвела вокруг пальца. Но Владимир Олегович не смог сломать Анну, наверное, к ней не применяли особые методы допроса, боялись потерять женщину, ограничивались психологическим давлением. Поверь, его подчас не выносят и крепкие мужики, а Королькова выстояла. Панин не мог признать, что подследственная оказалась морально сильнее его, и отправил Королькову в психушку. Кстати, знаешь, какую деталь выяснил Лев? Игорь не совершал самоубийства, он умер от сердечного приступа после ареста. Следователь ничего не сказал Анне о кончине мужа, держал ее в напряжении, постоянно говорил на допросах:

— Глупо молчать! Игорь давно раскололся. Лучше признайся, муж тебя сдал.

Но Королькова не поддалась на провокацию, и тогда Владимир Олегович приказал графологу написать послание почерком Гарика и показал бумагу Анне. Очередной психологический трюк! Но и он не сработал! У Корольковой оказались не стальные, а прямо-таки титановые нервы! Помнишь легенду о трех мартышках? Ничего не вижу, ничего не слышу, ничего не скажу?.. Алла ни на секунду не забывала о роли сумасшедшей женщины, не желавшей ни с кем общаться. Уж не знаю, слышала ли Королькова легенду о трех мартышках, но силы воли ей не занимать.

— Мне эпизод с письмом сразу показался странным, — пробормотала я, — инфантильный Игорь порхал по жизни мотыльком, но избалованный юноша, похоже, был неплохим человеком, он любил Анечку, ждал ребенка. Полагаю, у него был менталитет тринадцатилетнего подростка! Такая личность не полезет в петлю. И неужели в следственном изоляторе КГБ была настолько плохая охрана, что не могла пресечь попытку суицида? Но письмо, написанное рукой Гарика, существовало, и я отмела в сторону сомнения. Хотя, по идее, Игорь мог расколоться на первом же допросе!

Дегтярев крякнул.

— Графолог постарался! До встречи с Паниным дело у Игоря не дошло. Сын Афанасии умер в машине, которая везла его в СИЗО. Владимир Олегович скрыл это от Ани, долго врал, что Гарик сдал жену, но потом понял, что та не ведется на ложь, и предъявил письмо. Ну да я об этом уже говорил!

— Поняла, — протянула я. — Но почему Анна уехала из больницы с чужим мужчиной? Она знала Льва?

— Нет, — ответил полковник, — впервые встретилась с «сыночком» в больнице.

— Анна не удивилась, что он набивается к ней в родственники? Не побоялась отправиться неизвестно с кем?

Дегтярев встал.

— А что ей оставалось делать? Дома сидит Марина, которая жаждет избавиться от матери. Одна попытка доченьке не удалась, но она непременно предпримет вторую. Да, Анна не понимала, по какой причине Лев о ней заботится, но она рискнула, и что из этого вышло? Анна привыкла ко Льву, полюбила его и сейчас считает своим сыном. Вот такой расклад.

— А он? — выдохнула я.

— А он? — повторил полковник. — Говорит, что наконец-то обрел мать, и, если бы не ты, они бы жили счастливо! Лев до сих пор не понимает, каким образом ты догадалась об истине. Анна же уверяет, что отправилась в кафе тайком от «сына», чтобы прекратить твою активность!

Я вскочила.

— Ты дашь мне поговорить с ними?

— Поехали, — кивнул Александр Михайлович.

Когда я вошла в небольшую комнату, мужчина, находившийся в ней, мрачно сказал:

— Давно не виделись!

Я села на жесткий стул и заявила:

— Думаю, ты хотел меня видеть!

— И как только ты догадалась, под чьим именем живет Анна? — воскликнул собеседник.

Я положила руки на пустую столешницу.

— Королькова совершила несколько оплошностей. Первая! Во время разговора в кафе она назвала меня пару раз «девочкой».

— Ну и что? — не понял собеседник.

— Так Дашу Васильеву в последние годы называл только один человек, та, что выдавала себя за твою мать.

— Весьма шаткий аргумент!

— Согласна, поэтому есть и второй. Прощаясь, Анна заявила: «Я пришла на эту встречу из хорошего к тебе отношения». А какие у нас отношения? Видимся вроде впервые. Но, может, мы встречались раньше, просто я не знала, с кем общаюсь? И третье. Анна хорошо загримировалась: парик, черные очки, тонна косметики, изменила фигуру, придала себе несвойственную полноту. Королькова даже голос изменила, думаю, она выпила одну дешевую микстурку, которую можно купить в аптеке. Хлебнешь чайную ложечку, и кашель утихнет, а опрокинешь разом двести миллилитров и будешь хрипеть сутки[1]. Вот только про ботинки дама не подумала, а зря, на них осталось пятно от кетчупа.

— Ты о чем? — не понял мой старый знакомый.

Я оперлась локтями о холодный стол.

— Мы с твоей «мамой» случайно столкнулись

---

[1] Подобная микстура имеется в продаже. Но из этических соображений автор не сообщает название лекарства, которое может нанести вред здоровью и помочь при совершении преступления.

в магазине. Она приехала за минеральной водой, в целях экономии хотела взять целый ящик, но, вытаскивая его, случайно уронила бутылку с соусом, та разбилась, брызги томатпасты попали ей на обувь. Я увидела пятно и поняла: в кафе сидит Ада Марковна, мать Фимы Пузикова! Кстати, она просила ничего тебе не говорить о той нашей встрече в супермаркете, боялась, что сын заругается. Я помогла Аде Марковне доставить ящик домой и увидела в прихожей твои грязные ботинки и кусочки бело-розового гравия... Потом все сложилось в единое целое. Пятно кетчупа выдало Королькову, а бело-розовые камушки убийцу Равили. Думаю, в рифленой подметке «гриндерсов» остались кусочки, эксперт сравнит их с покрытием дорожек на даче Стефановых и установит идентичность. Ты шел через лес, воспользовался задней калиткой, поэтому остался не замечен соседкой. И теперь понятно, почему Фима Пузиков, которому я рассказала про Водоносова и Анну, попросил меня ничего не сообщать домашним. Я была следующей? Чтобы сохранить тайну, ты решил убить и меня?

— Конечно, нет! — закричал Фима. — Я же тебя давно и искренне люблю!

— Я знаю о вашем давнем договоре с Водоносовым, не надо лгать! Вот только не понимаю, почему он решил впутать меня в это дело, да еще сказал, что ты можешь охарактеризовать его с лучшей стороны.

Фима оперся ладонями о стол и темпераментно заговорил:

— Сергей совсем с ума сошел! Его внучке недавно поставили диагноз — лейкоз, он мне позвонил, еле-еле сдерживал слезы, сказал, что малышке могут помочь только в Германии и нужно очень много денег, умолял поделиться информацией, если я что-то узнал про ценности. Кричал: «Мне негде взять доллары, надо немедленно расколоть Королькову! Любой ценой!»

— А ты?

— Ответил честно: «Дело давно похоронено, не советую вновь его затевать, лучше обойди с шапкой знакомых и коллег по работе». Но Водоносов решил отправить тебя к Анне, нажал сразу на две педали! На твою жадность и желание узнать правду о матери. Я прямо обалдел, когда ты перезвонила и поинтересовалась Сергеем Петровичем!

— Но правды от милого друга Фимы я не услышала!

Пузиков сложил руки на груди.

— Пойми, сначала я поселил у себя Аду Марковну только с одной целью: попытаться-таки найти сокровище. Но потом... так получилось... в это, конечно, трудно поверить... я сирота, Лева Катасонов воспитывался в приюте, связался с дурной компанией, попал в тюрьму. Вообще-то, я благодарен Водоносову, он мне дал шанс на другую жизнь. Чего я так долго на него работал? Боялся опять упасть на дно! Тебе, москвичке из хорошей семьи, не понять парня с помойки. Что же касается Ады Марковны... Меня никогда никто не ждал с ужином, не расспрашивал о прошедшем дне, не покупал мелкие подарки. Понимаешь, она вечером расстилала мне диван, ругала, если я не надевал шарф. Я ее полюбил, я получил маму, забыл про ценности! Я не хотел потерять Аду Марковну! И однажды все ей рассказал!

— Что? — подпрыгнула я.

— Все, — повторил Фима, — а она ответила: не было у меня амнезии, сыночек, я знаю, что мы не родные. Когда ты через день после моего приезда сюда появился с короткой стрижкой, без бороды, усов и сказал: «Вот, решил постричься», я сразу поняла: ты хотел скрыть свою внешность от больничного персонала. И с именем глупо вышло, в клинике ты отзывался на Льва, а дома оказался Ефимом. Поэтому, когда меня к себе домой привез, показал «бабушке с амнезией» паспорт и ласково сказал: «Мама, ты на самом деле Ада Марковна, Анной Корольковой тебя записали в клинике по ошибке. Запомни: ты Ада Марковна». Эх, сыночек, ты поступил крайне нелогично! Если хотел разбудить мою память, то нельзя было другое имя давать! Эдак бабку можно до сумасшествия довести! Она вдруг поймет: «Черт возьми, я же Королькова! Но сын обращается ко мне Ада Марковна. Так кто я?» Покрутятся такие мысли в голове, и свихнется старуха! Ты совершил ошибку! Фима, ты меня совсем за дуру держал? Но я тебя полюбила и счастлива, что на старости лет получила лучшего сына на свете. Я очень рисковала, когда уехала с тобой, но в тот момент это был мой единственный шанс выжить. А теперь, повторяю, ты для меня самый лучший.

— Офигеть, — пробормотала я.

— Она призналась, что понятия не имеет, где лежат ценности, — еле слышно добавил Фима. — Игорь относил украденное Юре, а тот прятал все в укромном месте. Аня с мужем не собирались обогащаться, вещи из хранилища они таскали для того, чтобы осуществить теракт. Но Анна не могла признаться в этом Панину, она осталась жива только благодаря своему молчанию и тому, что Владимир Олегович полагал: она знает о месторасположении тайника.

— Здорово Водоносов меня обдурил, — признала я, — он хорошо изучил мой характер. Понимал, что я моментально заинтересуюсь историей про украденные ценности и смерть иностранца Майкла. Целый роман придумал: кубок, желатиновый шприц. С одной стороны, Водоносов рассчитывал на мою жадность. Мало кто откажется искать уникальные раритеты. С другой стороны, Сергей Петрович нажал на мою самую больную мозоль: естественное желание любого человека знать, кто его родители. Водоносов надеялся, что Анна к старости потеряла твердость характера, обнимет дочь и мигом выдаст ей тайну! Сергею Петровичу не пришла в голову простая мысль: если Королькова до сих пор не встретилась с Дарьей Васильевой и даже после перестройки никому ни словом не обмолвилась о том, что затеяла Светлана Барабас, значит, она абсолютно не интересуется своей дочерью. Водоносов-то не знал про родство Юры и Игоря! Сергей Петрович очень хотел, чтобы я привела его к тайнику, наверное, он бы убил меня и взял экспонаты, чтобы спасти свою внучку. Знаешь, он совершил роковую ошибку! Ему следовало рассказать мне о болезни девочки, я бы просто дала ему денег! А он! Заварил такую кашу! И ведь я сначала во все поверила! Вот только зря он тебя упомянул. Я бы не стала тебе звонить, и Равиля бы осталась жива. Постой! Сергей Петрович! Он...

— Нет, нет, — испуганно замахал руками Фима, — с ним случился инфаркт! Сердце больное, не выдержало!

— Повезло тебе, — не удержалась я, — не пришлось бывшего начальничка убирать. А ведь Афанасия поняла, что ты совсем не тот, за кого себя выдаешь! Раскусила, что Фима не простой студент! Вот почему она тебя терпеть не могла! Конфеты! Жаль, я это слишком поздно поняла. А бабуля догадалась! Мой дед Миша имел отношение к МВД, но и в КГБ, наверное, у него тоже были друзья. Может, и он жене заказы приносил? Не знаю откуда, но она знала!

— Что? — вытаращил глаза Фима.

Я вынула из сумки фото.

— Узнаешь?

— Ну коробка, — изумленно протянул Ефим.

— Ты подарил ее на Восьмое марта нам с Фасей.

— Правда? Не помню!

— Во времена нашего студенчества такие конфеты были редкостью, — напомнила я.

— Я всегда старался доставить тебе радость, — пожал плечами Фима.

— Шоколадки были упакованы в жестяную тару, — вздохнула я, — после того как они закончились, я стала хранить в ней пуговицы. Представляешь, коробушка до сих пор жива. Некоторое время назад я купила на «Горбушке» полудокументальный сериал «Подвалы Лубянки». И там, в частности, показали эту самую коробку конфет, а голос за кадром съехидничал: «Тщательно охраняя тайны и не допуская никого из посторонних в свое управление кадрами, люди из «Большого дома» подчас совершали комичные ляпы. Сотрудники КГБ могли в своих буфетах и в заказах получать эксклюзивные продукты. Посмотрите на эту упаковку! Таких конфет в городах не было, это уникальная партия для своих, ну-ка, перевернем «Ассорти» и что видим? Ба! На обратной стороне выдавлено изображение щита и меча. Сразу понятно, из какого ведомства угощенье! Право, смешно. И таких огрехов было много!»

Что скажешь? Откуда у бедного студента из провинции такой эксклюзив?

Ефим открыл рот, но я не дала сказать ему ни слова.

— Не надо! Теперь я понимаю, тебе конфеты для меня купил Водоносов. Фася была очень внимательна, все профессиональные игроки в карты такие. Она приметила знак и сообразила, кто Пузиков. Поэтому просила меня подальше от тебя держаться. Но Афанасия понимала, что есть крохотный шанс на то, что конфеты тебе дал кто-то из приятелей, поэтому не стала раскрывать мне правду. Однако взяла с меня обещание никогда не заводить с тобой романа и прервать дружбу. Жаль, я ее не послушалась.

Эпилог

Я выполнила обещание, данное соседке Равили, могила Ахметшиной оформлена по мусульманским обычаям, и похоронена бывшая кондитерша под своим именем. Ефима Пузикова осудили за убийство, добавили к этому обвинению еще и жизнь под чужим именем и отправили его отбывать срок в колонию. Ада Марковна, у меня не получается называть ее Анной Корольковой, сдала московскую квартиру иностранцам и уехала за сыном в Мордовию, сняла около лагеря домик и изо всех сил старается облегчить участь Фимы. Перед тем как покинуть столицу, она позвонила мне и обвинила во всех бедах, что случились с Пузиковым.

— Если бы ты своим длинным носом не полезла в эту историю и не разворошила чужие тайны, мы бы с сыном жили счастливо, — кричала старуха. — Да, он убил Равилю! Но, во-первых, ей давно уже пора было на тот свет, а во-вторых, Фима оберегал мать!

Я молча выслушала ее истерику и повесила трубку. А что тут скажешь? И можно ли после такого заявления считать Аду Марковну психически здоровой женщиной? Думаю, у нее давно произошел сдвиг психики, еще тогда, когда она уехала из больницы вместе с «сыночком». Впрочем, старуху следует пожалеть, ей досталась тяжелая судьба, и жизнь прошла в страхе.

Внучка Водоносова уехала на лечение в Германию и благополучно выздоровела. Кто-то, пожелавший остаться неизвестным, дал ребенку денег на лечение. Я знаю имя и фамилию женщины, которая решила помочь незнакомой девочке, но называть их не считаю нужным.

Но все, о чем я рассказала, случится только в начале весны. А тем холодным зимним днем я лежала на диване в гостиной и, радуясь тому, что Александра Михайловича, не полковника, а бойкого пса, чемпиона по ловле бобров, наконец-то увезли от нас, читала книгу. Внезапно кто-то позвонил в дверь. Я вздрогнула и испугалась, неужели Чемпа назад возвращают?

— Муся! — закричала из холла Маша. — К тебе пришли!

Я сунула ноги в тапки, вышла в прихожую и увидела соседа — Ивана Сергеевича Самойлова с внучкой Катей.

— Дашенька, простите, мы на минуточку, — улыбнулся ученый.

— Пожалуйста, проходите, — гостеприимно предложила я.

— Нет-нет, — отказался он, — Катюша уверяет, что вы помогли решить ей задачу?

— Верно, — улыбнулась я, — нет, не так! Просто я объяснила девочке задание! Кстати, меня об этом уже спрашивала ваша жена Зинаида.

— Мда, — крякнул Самойлов, — конечно, но теперь еще и мне подтвердите. Значит, так! «Одна конфета весит два грамма, сколько весит килограмм конфет?»

— Два кило, — бойко ответила я, — надо умножить тысячу граммов на два!

— Я же говорила, деда, — заныла Катя, — а ты не поверил ни мне, ни бабушке. Сказал: «Таких дур на свете не бывает, вы врете!»

— Катя, замолчи, — буркнул Иван Сергеевич. — Значит, два кило?

— Конечно, — улыбалась я.

— Спасибо, Дашенька, — кивнул Самойлов. — Пошли, Катерина.

— Деда, ты купишь мне пони? — захныкала внучка. — Я же не врала!

— Обязательно получишь карликовую лошадку, — пообещал ученый.

Когда они ушли, я повернулась к Маше, которая на удивление тихо стояла в холле.

— Не знаешь, зачем приходил Иван Сергеевич?

— Муся, — нежно проворковала Маня, — одна конфета весит два грамма, сколько весит килограмм конфет?

— Два кило, — начала сердиться я.

— Нет, — помотала головой Маруська, — килограмм он и есть килограмм. На сколько бы ни тянула одна конфета — два, три, четыре... сто граммов... кило останется кило! Понимаешь? Это задание на сообразительность.

Пару минут я переваривала информацию, потом растерянно повторила:

— Килограмм — это всегда килограмм.

— Ага, — кивнула Машка и, расхохотавшись во все горло, убежала в столовую.

Я посмотрела вслед девочке. Мда, ну ошиблась! Я плохо разбираюсь в математике и, похоже, никогда не овладею этой наукой. Остается сказать лишь одно: учиться никогда не поздно, но иногда бесполезно.

Литературно-художественное издание

ИРОНИЧЕСКИЙ ДЕТЕКТИВ

Дарья Донцова

ЛЕГЕНДА О ТРЕХ МАРТЫШКАХ

Ответственный редактор *О. Рубис*
Редактор *Т. Семенова*
Художественный редактор *В. Щербаков*
Технический редактор *Н. Носова*
Компьютерная верстка *И. Ковалева*
Корректор *Е. Холявченко*

Иллюстрация на переплете *В. Остапенко*

ООО «Издательство «Эксмо»
127299, Москва, ул. Клары Цеткин, д. 18/5. Тел. 411-68-86, 956-39-21.
Home page: **www.eksmo.ru** E-mail: **info@eksmo.ru**

Подписано в печать 29.12.2008.
Формат 84×108 $^{1}/_{32}$. Гарнитура «Таймс». Печать офсетная.
Бумага тип. Усл. печ. л. 20,16.
Тираж 250 000 (1-й завод 150 000) экз. Заказ № 5878.

Отпечатано в полном соответствии
с качеством предоставленных диапозитивов
в ОАО «Можайский полиграфический комбинат».
143200, г. Можайск, ул. Мира, 93.

Оптовая торговля книгами «Эксмо»:
ООО «ТД «Эксмо». 142700, Московская обл., Ленинский р-н, г. Видное,
Белокаменное ш., д. 1, многоканальный тел. 411-50-74.
E-mail: **reception@eksmo-sale.ru**

По вопросам приобретения книг «Эксмо»
зарубежными оптовыми покупателями *обращаться в ООО «Дип покет»*
E-mail: **foreignseller@eksmo-sale.ru**

International Sales:
International wholesale customers should contact «Deep Pocket» Pvt. Ltd. for their orders.
foreignseller@eksmo-sale.ru

По вопросам заказа книг корпоративным клиентам,
в том числе в специальном оформлении,
обращаться по тел. 411-68-59 доб. 2115, 2117, 2118.
E-mail: **vipzakaz@eksmo.ru**

Оптовая торговля бумажно-беловыми
и канцелярскими товарами для школы и офиса «Канц-Эксмо»:
Компания «Канц-Эксмо»: 142702, Московская обл., Ленинский р-н, г. Видное-2,
Белокаменное ш., д. 1, а/я 5. Тел./факс +7 (495) 745-28-87 (многоканальный).
e-mail: **kanc@eksmo-sale.ru**, сайт: **www.kanc-eksmo.ru**

Полный ассортимент книг издательства «Эксмо» для оптовых покупателей:
В Санкт-Петербурге: ООО СЗКО, пр-т Обуховской Обороны, д. 84Е.
Тел. (812) 365-46-03/04.
В Нижнем Новгороде: ООО ТД «Эксмо НН», ул. Маршала Воронова, д. 3.
Тел. (8312) 72-36-70.
В Казани: ООО «НКП Казань», ул. Фрезерная, д. 5. Тел. (843) 570-40-45/46.
В Ростове-на-Дону: ООО «РДЦ-Ростов», пр. Стачки, 243А.
Тел. (863) 220-19-34.
В Самаре: ООО «РДЦ-Самара», пр-т Кирова, д. 75/1, литера «Е».
Тел. (846) 269-66-70.
В Екатеринбурге: ООО «РДЦ-Екатеринбург», ул. Прибалтийская, д. 24а.
Тел. (343) 378-49-45.
В Киеве: ООО «РДЦ Эксмо-Украина», ул. Луговая, д. 9.
Тел./факс: (044) 501-91-19.
Во Львове: ТП ООО «Эксмо-Запад», ул. Бузкова, д. 2.
Тел./факс (032) 245-00-19.
В Симферополе: ООО «Эксмо-Крым», ул. Киевская, д. 153.
Тел./факс (0652) 22-90-03, 54-32-99.
В Казахстане: ТОО «РДЦ-Алматы», ул. Домбровского, д. 3а.
Тел./факс (727) 251-59-90/91. gm.eksmo_almaty@arna.kz

Мелкооптовая торговля книгами «Эксмо» и канцтоварами «Канц-Эксмо»:
127254, Москва, ул. Добролюбова, д. 2. Тел. (495) 780-58-34.

Полный ассортимент продукции издательства «Эксмо»:
В Москве в сети магазинов «Новый книжный»:
Центральный магазин — Москва, Сухаревская пл., 12. Тел. 937-85-81.
Волгоградский пр-т, д. 78, тел. 177-22-11; ул. Братиславская, д. 12. Тел. 346-99-95.
Информация о магазинах «Новый книжный» по тел. 780-58-81.
В Санкт-Петербурге в сети магазинов «Буквоед»:
«Магазин на Невском», д. 13. Тел. (812) 310-22-44.

По вопросам размещения рекламы в книгах издательства «Эксмо»
обращаться в рекламный отдел. Тел. 411-68-74.